FRANZ KAFKA / GESAMMELTE WERKE

FRANZ KAFKA

BRIEFE AN OTTLA

und die Familie

Herausgegeben
von Hartmut Binder und
Klaus Wagenbach

S. FISCHER VERLAG

Vorbemerkung der Herausgeber

Die folgenden Briefe sind ein Fragment. Einmal das Fragment einer Familienkorrespondenz, denn Kafka korrespondierte nicht nur mit seiner jüngsten Schwester Ottla, sondern auch mit seiner ältesten Schwester Elli (ein Teil dieser Briefe hat den Krieg überdauert, muß aber vorläufig als verschollen gelten), und sicherlich gab es auch Briefe an die zweitälteste Schwester Valli. An die Eltern schrieb Kafka – so auch die wenigen Beispiele in diesem Band – anscheinend nur gemeinsam; gesondert höchstens an die Mutter, wohl nie an den Vater – außer jenem dann nicht abgesandten *Brief an den Vater*. Die Briefe an die Eltern wurden offensichtlich nicht aufgehoben, die Eltern behandelten den Sohn weder als Kleinod noch als Schriftsteller. Die Briefe an die Schwestern Elli und Valli gingen (zum großen Teil) während der Besetzung der Tschechoslowakei durch die Nazis verloren; die Schwestern Kafkas wurden deportiert und ermordet.

Ein Fragment ist das hier vorgelegte Konvolut auch, weil es nur der lesbare Teil eines fast zwei Jahrzehnte andauernden Dialogs zwischen Kafka und seiner Lieblingsschwester ist. Von den Gesprächen auf den zahlreichen Spaziergängen, Wochenendausflügen und im »Badezimmer« (dem Austauschort der Geheimnisse gegenüber den Eltern) wissen wir nichts, von der gemeinsamen Lektüre oder gemeinsamen Theaterbesuchen nur wenig.

Ein Fragment sind schließlich diese Briefe, weil die Antworten der Adressaten fehlen. Das ist allerdings bei allen übrigen Briefen Kafkas nicht anders: es sind keine Brief*wechsel*, wir hören nur eine Stimme. Sicher hat Kafka nicht alle an ihn gerichteten Briefe aufgehoben, nachweisbar aber doch viele. Ob das auch für die Briefe Ottlas gilt, diese Briefe also erst nach Kafkas Tod verloren gingen, muß offen bleiben. Manches spricht aber dafür, daß Kafka die Briefe vernichtete, so wie er auch der Schwester einmal empfahl, einen seiner Briefe nicht herumliegen zu lassen, sondern die Schnitzel vom Balkon den Hühnern hinzustreuen. Die Geschwister redeten untereinander offener als mit den Eltern, und Kafka hatte schon einmal die Erfahrung gemacht, daß die Mutter einen Brief seiner Verlobten Felice gelesen und heimlich mit ihr korrespondiert hatte.

Es haben sich aber andere Briefe Ottlas erhalten, an ihren Verlobten und späteren Mann Josef David (1891–1962), in denen öfters vom Bruder die Rede ist. Die Herausgeber haben in den Anmerkungen diese von Kafka handelnden Stellen jeweils im Zusammenhang und möglichst vollständig zitiert.

Das umständliche, ein wenig schwermütige Deutsch dieser Briefe Ottlas erinnert nochmals an die Situation der Familie Kafka in Prag: Der Vater, ursprünglich wohl vorwiegend tschechischsprechender Jude aus der südböhmischen Provinz, die Mutter aus deutschsprechender jüdischer Kleinstadtbourgeoisie. Gesellschaftlicher Aufstieg, gesellschaftliche Anerkennung waren im k. k. österreichischen Prag nur Deutschsprechenden möglich, und so wurde deutsch die Muttersprache der Kinder, in einer Stadt, in der (um 1900) 93 % der Bevölkerung tschechisch sprach, also auch die Käufer im Galanteriewarengeschäft Hermann Kafkas, in dem Ottla lange Jahre arbeitete. Deutsch als Intimsprache, tschechisch als Verkehrssprache – die hier gesammelte Korrespondenz erinnert an diese Situation.

Ottla (amtlich: Ottilie), 1892 geboren, jüngste der Schwestern und neun Jahre jünger als Franz Kafka, half nach der Volksschule im väterlichen Geschäft aus und konnte, als einzige der Schwestern und auch erst als knapp Fünfundzwanzigjährige, eine eigene Berufswahl durchsetzen: sie arbeitete auf einem Gut und besuchte später eine Landwirtschaftsschule. Kurz vor dem Ersten Weltkrieg lernte sie den Juristen David kennen, einen christlichen Tschechen, den sie im Jahr 1920 heiratete. Auch hier setzte sie sich gegen den Zeitstil vom Verhalten junger Mädchen – ihre beiden Schwestern wurden verheiratet – und gegen Einwände von Freunden und Verwandten durch, und diese Festigkeit vertrug sich durchaus mit Ottlas Zurückhaltung, Schweigsamkeit, Demut. Mit derselben Haltung nahm Ottla in der Nazizeit am jüdischen Schicksal teil: Sie ließ sich scheiden, um die Karriere ihres Mannes nicht zu gefährden, kam nach Theresienstadt und meldete sich dort freiwillig als Begleiterin eines Kindertransports nach Auschwitz (Anfang Oktober 1943). Ihre Kinder haben die Briefe Kafkas an sie aufbewahrt.

Die vorliegende Edition der Briefe wurde durch verschiedene Umstände immer wieder verzögert, zuletzt dadurch, daß die Berliner Justiz Klaus Wagenbach gleich mit zwei Prozessen überzog (»Sie haben einen Prozeß?« war also mehr als ein Kafkazitat unter den Herausgebern). So trug Hartmut Binder die Hauptlast der Herausgabe – Transkription und Fußnoten –, und Klaus Wagenbach mußte sich beschränken auf Kontrolle, Hilfe, Ergänzungen. Eine Differenz unter den Herausgebern sei nicht verschwiegen: Hartmut Binder wollte umfangreicher annotieren, Klaus Wagenbach sparsamer – die vorliegende Fassung ist ein Kompromiß. Wem der Apparat zu ausführlich ist, möge Binder tadeln, wem er zu knapp ist, der tadele Wagenbach. Für Fehler haften beide Herausgeber.

Für die Übersetzung der an Josef David gerichteten tschechischen Briefe haben die Unterzeichneten herzlich Frau Marianne Steiner (London) zu danken, für die Überlassung einiger spezieller Informationen zur Prager Szene Herrn Kurt Krolop (Halle).

Hartmut Binder   Klaus Wagenbach

BRIEFE

1909

Nr. 1

[Ansichtspostkarte: Lago di Garda, Riva vom Palast-Hotel Lido aus]

[Stempel: Riva – 7. IX. 09]

Liebste Ottla, arbeite bitte fleißig im Geschäft, damit ich ohne Sorgen es mir hier gut gehn lassen kann und grüße die lieben Eltern von mir

Dein Franz
Max Brod

Nr. 2

[Ansichtspostkarte: Tetschen, böhmische Schweiz, Blick von der Schäferwand]

[Stempel: – 22. IX. 09]

Beste Grüße
Dein Franz

Ich komme Donnerstag nachmittag, 3 Uhr Staatsbahnhof wahrscheinlich

Nr. 3

[Ansichtspostkarte: Maffersdorf]

[Maffersdorf, Herbst 1909]

Dir bringe ich wieder etwas mit
Franz

Nr. 4

[Ansichtspostkarte: Pilsen, Israelitischer Tempel]

[Stempel: Pilsen – 20. XII. 09]

Sehr geehrtes Fräulein

Ich bin hier auf Weihnachtsferien, aber meine Erinnerungen
an die mit Ihnen in den Kränzchen verlebten Stunden sind
meine einzige Freude. Haben Sie mein Nikologeschenk bekommen? Ihre Puppe liegt an meinem Herzen.

Ihr treuer Arpad

1910

Nr. 5

[Ansichtspostkarte: Paris, La Grande Roue]

[Stempel: Paris – 16. 10. 10]

Beste Grüße
          Franz

Nr. 6: *An Elli und Karl Hermann*

[Ansichtspostkarte: Friedland i. B., Schloß]

[Stempel: Friedland – 4. II. 11]

Nur Schlittenfahren kann man nicht, weil es so teuer ist. Und ich dachte es wird umsonst sein, weil doch der Schnee da so herumliegt.

Herzliche Grüße   Euer Franz K.

Nr. 7

[Ansichtspostkarte: Friedland i. B., Schloß]

[Stempel: Friedland – (2. Februarwoche 1911)]

Liebe Ottla

an Deine Krankheit habe ich ja gar nicht gedacht. Sei vorsichtig und pack Dich ein, ehe Du diese Karte mit ihrer Gebirgsluft in die Hand nimmst!

Dein Franz

Ich werde Dir übrigens etwas mitbringen dafür daß Du krank warst.

Nr. 8

[Ansichtspostkarte: Kratzau, Marktplatz]

[Stempel: (Kratzau) – 25. II. 11]

Es wird Dich doch liebe Ottla interessieren, daß ich in dem Hotel zum Roß auf der andern Seite einen Kalbsbraten mit

Kartoffeln und Preiselbeeren, hierauf eine Omelette gegessen und dazu und hierauf eine kleine Flasche Apfelwein getrunken habe. Unterdessen habe ich mit dem vielen Fleisch das ich bekanntlich nicht zerkauen kann, teilweise eine Katze gefüttert, teilweise nur den Boden verschweinert. Dann setzte sich die Kellnerin zu mir und wir sprachen von des »Meeres und der Liebe Wellen« zu denen abends zu gehn wir unabhängig von einander uns entschlossen hatten. Es ist ein trauriges Stück.

Nr. 9

[Ansichtspostkarte: Warnsdorf, Reformspeisehaus]

[Stempel: Warnsdorf – (ca. 2.) v. 11]

Liebe Ottla, Dir bring ich aber diesmal bestimmt etwas mit, weil Du am Abend vor meiner Abfahrt geweint hast.

Franz

Nr. 10

[Ansichtspostkarte: Vierwaldstätter See, Axenstraße, Blick auf den Bristenstock]

[Stempel: Flüelen – 29. VIII. 11]

Von Bergen eingesperrt in Flüelen. Man sitzt gebückt, die Nase fast im Honig.

Franz
Max Brod

Nr. 11: *An Ottla und Valli Kafka*

[Ansichtspostkarte: Lago di Lugano, geographisches Panorama]

[Lugano, 30. August 1911]

So Ihr läßt also die Mutter schreiben, statt ihr diese Arbeit abzunehmen. Das ist aber nicht hübsch. – Gestern waren wir im Vierwaldstättersee, heute im Luganosee, wo wir ein Weilchen bleiben. – Die Adresse ist die gleiche.

Franz

D Brod

Nr. 12

[Ansichtspostkarte: Stresa, Lago Maggiore]

[Stempel: Stresa – 6. 9. 11]

Du solltest mir Ottla Genaueres schreiben. Nach dem Brief der lieben Mutter gibt es ja Neuigkeiten, deren Einzelheiten mich sehr interessieren würden. Ich würde Dir dafür schöne Ansichtskarten schicken

Franz K
Max Brod

Nr. 13

[Ansichtspostkarte: Jardin de Versailles]

[Stempel: Paris – 13. Sept. 11]

Liebe Ottla, nicht ich habe Dir zu verzeihen, sondern Du mir, nicht wegen der Vorwürfe, die ich Dir schriftlich gemacht habe, denn die waren zart, sondern deshalb wie ich Dich innerlich verwünscht habe, weil Du Dein Wort in einer so ernsten Sache nicht gehalten hast. Da Du aber Dein Ver-

säumnis erklärst, wenn auch leider nicht genau und schließlich einer der sich unterhält einem Mädchen, das sich ab-
arbeitet nicht zu böse sein darf ist es nicht ausgeschlossen,
daß ich Dir trotz der teuern Zeiten etwas Schönes mitbringe.
Viele Grüße

Franz

Rücksichtlich Maxens warst Du unvorsichtig; denn da Du
ihm nicht böse bist, wird er fürchte ich, Dir keine Karte
schicken dagegen läßt auch er Dich herzlich grüßen. *Sehr
herzlich Max Brod*

Nr. 14: *An Julie, Hermann, Valli und Ottla Kafka*

[Ansichtspostkarte: Goethes Sterbezimmer]

[Stempel: Weimar – 30. 6. 12]

Liebste Eltern und Schwestern, wir sind glücklich in Weimar angekommen, wohnen in einem stillen schönen Hotel mit der Aussicht in einen Garten (alles für 2 M) und leben und schauen zufrieden. Wenn ich nur schon eine Nachricht von euch hätte.

Euer Franz

Nr. 15

[Ansichtspostkarte: Weimar, Steins Haus]

[Stempel: Weimar – 3. 7. 12]

Liebe Ottla, natürlich schreibe ich Dir auch und wie gerne. Und schicke Dir das schöne Haus der Frau von Stein, vor dem wir gestern abend lange am Brunnenrand gesessen sind.

Dein Franz

Die besten Grüße

Max Brod

Herzliche Grüße an das Fräulein Werner

1 Kafka und Ottla vor dem Oppeltschen Haus in Prag (etwa 1914)

2 Das Schloß in Friedland (Böhmen), Bildseite von Nr. 7

3 Kafka und Ottla vor ihrem Zürauer Domizil (Winter 1917/18)

4 Marktplatz von Kratzau (Nordböhmen), Bildseite von Nr. 8

Stresa. (Lago Maggiore.)

5 Stresa am Lago Maggiore, Bildseite von Nr. 12

6 Die Gärten von Versailles, Bildseite von Nr. 13

7 Hafenansicht von Riva am Gardasee, Bildseite von Nr. 18

8 Ostseebad Marielyst (Dänemark), Bildseite von Nr. 21

Nr. 16

[Ansichtspostkarte: Delia Gill, die Kino-Königin]

[Stempel: Berlin – 25. 3. 13]

Ottla, noch im letzten Augenblick, herzliche Grüße, sei mir
nicht böse, ich hatte weder Zeit noch Ruhe

Franz

Nr. 17

[Zwei Ansichtspostkarten, fortlaufend beschrieben: S. Vi-
gilio, Lago di Garda und Lago di Garda, Isola Garda e
Monte Baldo]

[Stempel: Riva – 24. IX. 13]

Sei mir Ottla nicht bös, daß ich Dir bisher so wenig geschrieben habe, weißt Du, auf der Reise bin ich zerstreut
und habe noch weniger Lust zum Schreiben als sonst. Jetzt
aber, da ich ruhig im Sanatorium bin, werde ich Dir schon
schreiben oder vielmehr nur Karten schicken, denn zu erzählen habe ich, wie immer, nur wenig und das wenige läßt
sich nicht einmal schreiben, das werde ich Dir später einmal
im Badezimmer erzählen. Im übrigen könntest Du mir
einen Gefallen machen. Hol' bei Taussig »das Buch des
Jahres 1913« es ist ein Katalog, den man umsonst bekommt
und der bis ich zurückkomme, schon vergriffen sein dürfte,
ich hätte ihn aber gerne. Viele Grüße an alle. Franz
Ich habe schon lange keine Nachricht von Euch.

Nr. 18

[Ansichtspostkarte: Riva, Il Porto colla torre Aponale]

[Riva, 28. September 1913]

Heute war ich in Malcesine, wo Goethe das Abenteuer gehabt hat, das Du kennen würdest, wenn Du die »Italienische Reise« gelesen hättest, was Du bald tun sollst. Der Kastellan zeigte mir die Stelle, wo Goethe gezeichnet hat, aber diese Stelle wollte mit dem Tagebuch nicht stimmen und so konnten wir darin nicht einig werden, ebensowenig wie im Italienischen.

Grüße alle! Franz

Nr. 19

[Ansichtspostkarte: Venezia, Palazzo Ducale, Sala del Maggior Consiglio]

[Stempel: Riva – 2. x. 13]

Liebe Ottla sag den lieben Eltern daß ich ihnen für ihre Briefe vielmals danke und daß ich ihnen morgen ausführlich schreiben werde. Gott weiß, wie rasch die Zeit vergeht. Die Mutter kündigt mir an daß Du mir schreiben wirst. Du wirst es ja nicht tun aber wenn Du es tun wolltest, so tu es nicht, es ist so schwer.

Franz Grüße alle

Nr. 20

[Prag,] 10 VII 14

Liebe Ottla nur paar Worte in Eile vor dem Versuch zu Schlafen, der in der gestrigen Nacht gänzlich mißlungen ist. Du hast mir, denke nur, mit Deiner Karte einen verzweifelten Morgen in Augenblicken erträglich gemacht. Das ist das wahre Reiben und so wollen wir es bei Gelegenheit weiter üben, wenn es Dir recht ist. Nein, ich habe niemanden sonst am abend. Von Berlin schreibe ich Dir natürlich, jetzt läßt sich weder über die Sache noch über mich etwas Bestimmtes sagen. Ich schreibe anders als ich rede, ich rede anders als ich denke, ich denke anders als ich denken soll und so geht es weiter bis ins tiefste Dunkel.   Franz

Grüße alle! Den Brief mußt Du weder zeigen, noch herumliegen lassen. Am besten Du zerreißt ihn und streust ihn in kleinen Stücken von der Pawlatsche den Hühnern im Hof, vor denen ich keine Geheimnisse habe.

Nr. 21

[Ansichtspostkarte: Østersøbad Marielyst]

[Stempel: Vaggerloese – 21. 7. 14]

Liebe Ottla herzlichste Grüße. Es geht mir verhältnismäßig gut. Jeden Tag das gleiche schöne Wetter und das gleiche Bad am gleichen schönen Strand. Allerdings fast nur Fleischessen das ist abscheulich. Alles andere erzähle ich Dir Montag, Sonntag komme ich. Den Eltern schreibe ich heute. Der Briefträger wartet. Adieu.

F.

[Marielyst, Juli 1914]

... Insoferne aber bin ich mit Berlin nicht fertig, als ich glaube, daß mich diese ganze Sache zu euerem und zu meinem Wohle (denn die sind ganz gewiß eines) hindert, so weiter zu leben wie bisher. Seht, ein wirklich schweres Leid habe ich euch vielleicht noch nicht gemacht, es müßte denn sein, daß diese Entlobung ein solches ist, von der Ferne kann ich es nicht so beurteilen. Aber eine wirkliche dauernde Freude habe ich euch noch viel weniger gemacht und das, glaubt mir, nur aus dem Grunde, weil ich selbst mir diese Freude nicht dauernd machen konnte. Warum das so ist, wirst gerade Du, Vater, obwohl Du das Eigentliche, was ich will, nicht anerkennen kannst, am leichtesten verstehn. Du erzählst manchmal, wie schlecht es Dir in Deinen ersten Anfängen gegangen ist. Glaubst Du nicht, daß das eine gute Erziehung zur Selbstachtung und Zufriedenheit war? Glaubst Du nicht, übrigens hast Du es auch schon geradezu gesagt, daß es mir zu gut gegangen ist? Ich bin bis jetzt durchaus in Unselbständigkeit und äußerlichem Wohlbehagen aufgewachsen. Glaubst Du nicht, daß das für meine Natur gar nicht gut gewesen ist, so gütig und lieb es auch von allen war, die dafür sorgten? Gewiß es gibt Menschen, die sich ihre Selbständigkeit überall zu sichern verstehn, ich gehöre aber nicht zu ihnen. Allerdings gibt es auch Menschen, die ihre Unselbständigkeit nirgends verlieren, aber nachzuprüfen, ob ich zu diesen doch nicht gehöre, scheint mir kein Versuch zu schade. Auch der Einwand, daß ich zu einem solchen Versuch zu alt bin, gilt nicht. Ich bin jünger, als es den Anschein hat. Es ist die einzig gute Wirkung der Unselbständigkeit, daß sie jung erhält. Allerdings nur dann, wenn sie ein Ende nimmt.

Im Bureau werde ich aber diese Besserung niemals erreichen können. Überhaupt in Prag nicht. Hier ist alles darauf angelegt, mich, den im Grunde nach Unselbständigkeit verlangenden Menschen, darin zu erhalten. Es wird mir alles so nahe angeboten. Das Bureau ist mir sehr lästig und oft unerträglich, aber im Grunde doch leicht. Ich verdiene auf diese Weise mehr als ich brauche. Wozu? Für wen? Ich werde auf der Gehaltsleiter weitersteigen. Zu welchem Zweck? Mir ist diese Arbeit nicht entsprechend und bringt sie mir nicht einmal Selbständigkeit als Lohn, warum werfe ich sie nicht weg? Ich habe nichts zu riskieren und alles zu gewinnen, wenn ich kündige und von Prag fortgehe. Ich riskiere nichts, denn mein Leben in Prag führt zu nichts Gutem. Ihr vergleicht mich manchmal zum Spaß mit Onkel R. Aber gar zu weit führt mich mein Weg von ihm nicht ab, wenn ich in Prag bleibe. Ich werde voraussichtlich mehr Geld, mehr Interessen und weniger Glauben haben als er, ich werde dementsprechend unzufriedener sein, viel mehr Unterschiede wird es kaum geben. – Ich kann außerhalb Prags alles gewinnen, das heißt ich kann ein selbständiger ruhiger Mensch werden, der alle seine Fähigkeiten ausnützt und als Lohn guter und wahrhaftiger Arbeit das Gefühl wirklichen Lebendigseins und dauernder Zufriedenheit bekommt. Ein solcher Mensch wird sich – es wird nicht der kleinste Gewinn sein – auch zu euch besser stellen. Ihr werdet einen Sohn haben, dessen einzelne Handlungen ihr vielleicht nicht billigen werdet, mit dem ihr aber im Ganzen zufrieden sein werdet, denn ihr werdet euch sagen müssen: ›Er tut, was er kann.‹ Dieses Gefühl habt ihr heute nicht, mit Recht.

Die Ausführung meines Planes denke ich mir so: Ich habe fünftausend Kronen. Sie ermöglichen mir, irgendwo in Deutschland in Berlin oder München zwei Jahre, wenn es sein muß, ohne Gelderwerb zu leben. Diese zwei Jahre ermöglichen mir, literarisch zu arbeiten und das aus mir herauszubringen, was ich in Prag zwischen innerer Schlaffheit und äußerer Störung in dieser Deutlichkeit, Fülle und Einheitlichkeit nicht erreichen könnte. Diese literarische Arbeit wird es mir ermöglichen, nach diesen zwei Jahren von eigenem Verdienst zu leben und sei es auch noch so bescheiden. Sei es aber auch noch so bescheiden, es wird unvergleichlich sein zu dem Leben, das ich jetzt in Prag führe und das mich dort für späterhin erwartet. Ihr werdet einwenden, daß ich mich in meinen Fähigkeiten und in der durch diese Fähigkeiten zu bildenden Erwerbsmöglichkeit täusche. Gewiß, das ist nicht ausgeschlossen. Nur spricht dagegen, daß ich einunddreißig Jahre alt bin und derartige Täuschungen in einem solchen Alter nicht in Rechnung gezogen werden können, sonst wäre jedes Rechnen unmöglich, ferner spricht dagegen, daß ich schon einiges, wenn auch wenig, geschrieben habe, das halbwegs Anerkennung gefunden hat, endlich aber wird der Einwand dadurch aufgehoben, daß ich durchaus nicht faul und ziemlich bedürfnislos bin und daher, wenn auch eine Hoffnung mißlingen sollte, eine andere Erwerbsmöglichkeit finden und jedenfalls euch nicht in Anspruch nehmen werde, denn das wäre allerdings sowohl in der Wirkung auf mich als auf euch noch viel ärger als das gegenwärtige Leben in Prag, ja es wäre gänzlich unerträglich.

Meine Lage scheint mir danach klar genug zu sein, und ich bin begierig, was ihr dazu sagen werdet. Denn wenn ich auch die Überzeugung habe, daß es das einzig Richtige ist und daß ich, wenn ich die Ausführung dieses Planes versäume, etwas Entscheidendes versäume, – so ist es mir doch natürlich sehr wichtig zu wissen, was ihr dazu sagt.

Mit den herzlichsten Grüßen Euer Franz.

Nr. 23

[Ansichtspostkarte: Potsdam, Schloß Sanssouci, Voltaire-Zimmer]

[Stempel: Charlottenburg – 26. 7. 14]

Noch ein Gruß, Ottla, von mir und von sieh nur!

Sieh aber auch recht genau und denke mal ab und zu nach Berlin.

Herzlichst Erna

Nr. 24

[Feldpostkorrespondenzkarte]

[Prag, Februar/März 1915]

Das war natürlich sehr freundlich; aber gestern habe ich
nicht eigentlich an die Übersiedlung gedacht. Einen eigenen
Kasten zu haben gehört fast zu den allgemeinen Men-
schenrechten und ich gönne Dir mehr als diese. Ich habe
vielmehr an nichts bestimmtes gedacht und erst wenn ich
nachdenke fügt sich manches zusammen: der Hinauswurf
aus dem Geschäft, wohin ich doch Deinetwegen kam; die
fortwährenden Einladungen, Dein Zimmer anzusehn, während Du z. B. in meinem Zimmer noch überhaupt nicht gewesen bist, dann allerdings auch die Entleerung meiner
alten schmutzigen Vorratskammer über mich hinweg und
einiges andere, das Du selbst nicht genau weißt. Dem hast
Du nur entgegenzusetzen, daß ich mich um Deine Sachen
wenig kümmere (das hat aber einen besonderen Grund)
und daß Du den ganzen Tag im Geschäft bist. Ich gebe zu
daß das einen gewissen Ausgleich bewirkt

Nr. 25

[Ansichtspostkarte: Budapest, Országház
(Parlamentsgebäude)]

[Stempel: Hatvan – (25. April 1915)]

Viele Grüße. Kuß (alte Erinnerung)

Franz

Ich wollte wir wären noch weiter!

Viele Grüße

Elly

Grüße die Kinder, Irma u. Fräulein

Nr. 26

[Ansichtspostkarte: Wien, Kaiser Wilhelm-Ring]

[Stempel: Wien – 27. (April 1915)]

Ich überlege gerade und rechne: Soll ich ihr etwas mitbringen?

F.

Nr. 27: *An Josef David*

[Ansichtspostkarte: Ouvaly; auf der Bildseite eine lustige
Zeichnung Kafkas: »Ottlas kleines Gabelfrühstück«]

[Ouvaly, 16. 5. 1915]

Herzliche Grüße   F Kafka

Nr. 28

[Ansichtspostkarte: böhmische Schweiz, Edmundsklamm]

[Stempel: Edmundsklamm – 24. v. 15]

Grüße von Franz
und Felice
Frdl. Gruß Erna Steinutz
Freundlichst grüßt
Grete Bloch ./.

1916

Nr. 29

[Ansichtspostkarte: Karlsbad, Hotel Trautwein]

[Stempel: Karlsbad – 13. V. 16]

Vogerlsalat grüßt

Nr. 30

[Ansichtspostkarte: Marienbad, Restaurationsgarten
Café Alm]

[Stempel: Marienbad – 15. V. 16]

Auch der hiesige, unbekannter Weise

Nr. 31

[Prag, 28. Mai 1916]

Was für Einbildungen. Ich habe doch nicht die geringste Ursache mich zu ärgern. Wenn man nicht einmal in der Verfügung über seinen Sonntagnachmittag halbwegs frei wäre,
dann wäre es ja hier schon die wahre Hölle, während es ja
bekanntlich nur die Vorhölle ist. Nach Karlstein fahre ich
nicht, weil ich nicht weiß, mit wem Du dort bist und weil
mein Unbehagen in Prag gerade groß genug ist, um es nicht
noch in Bewegung bringen zu wollen. Übrigens regnet es gerade während Du im Wald zwischen Karlstein und St. Jo-
hann steckst. Beides ohne meine Mitschuld.

Nr. 32

[Zwei Ansichtspostkarten, fortlaufend beschrieben: Marienbad, Schloß Balmoral und Osborne, Parkpartie mit Osborne
Entrée und Parkpartie mit Halle]

[Stempel: Marienbad – 12. VII. 16]

Meine liebe Ottla: auch ich schreibe Dir noch ausführlicher,
wenn es noch dafür steht und wenn es nicht besser ist, wir
erzählen uns alles nächstnächsten Dienstag im Chotekpark.
Heute nur das: es ist mir viel besser gegangen als ich denken konnte und vielleicht auch F. besser als sie dachte. Nun
das soll sie Dir selbst schreiben. Nach Eisenstein komme ich
nicht. Morgen fährt F. weg, dann will ich sehn, was der
(auch heute schmerzende) Kopf noch zustandebringt. Das
wird besser möglich sein, hier wo ich eingewöhnt bin und
schön wohne. Nächstes Jahr aber fahren wir zusammen in
die dann hoffentlich freie Welt.   Dein Franz

*Wie wäre es wenn Du auf paar Tage her kämest? Liebe
Ottla, das wäre sicher das Beste. Hier ist es nämlich herrlich.
Wie gut es uns nun geht und wie stark wir uns fühlen,
kannst Du sehen, daß wir morgen Deine Mama besuchen.
Herzlichst Felice*

Nr. 33

[Ansichtspostkarte: Marienbad, Café Utschig]

[Stempel: Marienbad – 23. VII. 16]

Liebe Ottla, ich habe wenig geschrieben, ich weiß, desto
mehr wird erzählt.

Viele Grüße   Franz

Beste Grüße Irma Weltsch
Gruß des alten Weltsch, der Sie liebt!
Gruß auch von Ihrem alten guten Lehrer   F. Weltsch
Paul Weltsch

Nr. 34

[Prag, 24. November 1916]

Meiner Hausherrin

Nr. 35

[Prag, Dezember 1916]

Liebe Ottla bitte schicke den Brief im Couvert an Herrn
Oberinspektor Eugen Pfohl, a b e r   s o f o r t, wenn es irgendwie möglich ist, sonst sieht es aus als hätte ich verschlafen und die Sache nachträglich erfunden (während ich sie
doch vorher erfunden habe) Es ist nämlich eine Ausrede,
aber eine annehmbare. Ich war zu lange oben bis 1/2 3 etwa
und habe dann keinen Augenblick geschlafen. Bin trotzdem
in ganz guter Verfassung wenn ich jetzt noch bis 10 Uhr etwa
im Bett bleibe, tue ich es nicht deshalb weil mir später besser
werden wird oder weil ich noch zu schlafen hoffe, sondern
weil dann der Vormittag im Bureau nicht so lang sein wird
und weil ich (als Lügner) mehr Anspruch an Schonung dort
habe. Oben habe ich weder gut noch viel geschrieben, aber
froh hätte ich gewußt daß ich früh zuhaus bleibe, wäre ich
noch ungeheuer gerne dort geblieben. Die Angst vor dem
nächsten Tag verdirbt mir eben alles; erzwingt aber auch
vielleicht alles; wer kann dort in dem Dunkel die Unterschiede erkennen!
Also gleich den Entschuldigungsbrief wegschicken!

Franz

Das Petroleum bis zum letzten Tropfen verbraucht.

31

Nr. 36

[Prag, 1. Januar 1917]

Zuerst: Glückliches Neues Jahr allseits. Dann bitte Ottla kauf mir das Montagsblatt und die Karte zum Recitationsnachmittag Wüllner (Beamtensorge: Den Abonnenten bleibt das Bezugsrecht für ihre Plätze bis Dienstag gewahrt. Ist es also nicht vorteilhafter die Karte erst Mittwoch zu kaufen?) Wegen der Lebensmittel bemühe Dich nicht zu sehr. Ich habe jeden Abend mehr als ich aufessen kann. Nur der geistige Vorappetit ist so ungeheuer. – Sylvester habe ich gefeiert, indem ich aufgestanden bin und dem Neuen Jahr die Stehlampe entgegengehalten habe. Feurigeres kann niemand im Glase haben.

Franz

Nr. 37

[Prag,] 19 IV [1917]

Liebe Ottla, vorläufig ist noch alles hier in beiläufiger Ordnung, aber wie lange es noch bleiben wird, weiß man nicht; gleich kann es ja nicht zusammenfallen, da Du es so ordentlich zurückgelassen hast, aber vielleicht oder wahrscheinlich lockert es sich schon im Geheimen und ich weiß es noch gar nicht. Rede ich von »allem« so meine ich natürlich mich. Nach Deinem Weggehn war ein großer Sturmwind im Hirschgraben, vielleicht zufällig, vielleicht absichtlich. Gestern habe ich im Palais verschlafen; als ich ins Haus hinaufkam, war das Feuer schon ausgelöscht und sehr kalt. Aha, dachte ich, der erste Abend ohne sie und schon verloren. Aber dann nahm ich alle Zeitungen und auch Manuskripte und es kam nach einiger Zeit noch ein sehr schönes Feuer zustande. Als ich es heute der Ruženka erzählte, sagte sie: mein Fehler wäre gewesen, daß ich keine Holzsplitter geschnitten habe, nur so bekommt man gleich Feuer. Darauf ich hinterlistig: »Aber es ist doch kein Messer dort.« Sie unschuldig: »Ich nehme immer das Messer vom Teller.« Darum also ist es immer so schmierig und schartig, aber daß man Splitter machen muß, habe ich zugelernt. Den Boden im Schloß hat sie schon sehr schön rein gemacht, Du hast also nicht vergessen es ihr zu sagen. Dafür werde ich morgen zu erfahren suchen, welches das beste Buch über Gemüsebau ist; wie man Gemüse aus Schnee zieht, wird allerdings nicht drin stehn.

Gestern hat sich übrigens wie man mir erzählt hat der Vater sehr meiner angenommen. Der Rudl Herrmann (laß den Brief nicht liegen) war Mittag bei uns sich freundschaftlich verabschieden, da er nach Bielitz fährt. Infolgedessen wurde bei uns unter allgemeiner Beteiligung eine Narrenvorstellung gegeben. Es gibt kaum einen Nah- und Nächstverwandten, den der Vater bei dieser Gelegenheit nicht niedergeschimpft hätte. Der eine ist ein Defraudant, vor dem andern muß man ausspuken (Pfui!) u.s.w. Da, sagte der Rudl, aus diesem Schimpfen mache er sich nichts, der Vater sage ja auch seinem eigenen Sohn: Hallunke. Da soll der Vater großartig geworden sein. Auf ihn los, beide Arme hoch, ganz rot. R. mußte hinaus, auf der Schwelle wollte er sich noch ein wenig halten, aber die Mutter hat ihn auch noch darüber hinaus geschoben. Damit war der freundschaftliche Abschied zuende. Da aber beide, der Vater und R. gute Leute sind, haben sie es schon heute wahrscheinlich vergessen, was sie aber allerdings nicht hindern würde, die Aufführung bei nächster Gelegenheit zu wiederholen. Als ich nachhause kam, war es schon still, der Vater sagte nur, um das Zuviel an Güte, das er für mich aufgewendet hatte, wieder auszugleichen: »To je žrádlo. Od 12 ti se to musí vařit.«

Ich will Dir nur noch sagen, schreib nicht zuviel. Wenn Du allgemeines über Deine Arbeit schreiben willst, dann schreib es entweder den Eltern oder Irma oder mir und das kann dann ganz gut für alle gelten.

Franz

Nr. 38

[Stempel: Prag – 22. IV. 17]

Liebste Ottla mußt Dir gar keine Vorwürfe machen, wenn Du mir gar nicht oder wenig schreibst. Es würde mir leid tun, wenn es anders wäre. Dagegen wäre es mir lieb, wenn Du z. B. an Karl nicht direkt berichtest, sondern den Brief, wie auch diesmal, zuerst nach Prag schickst, damit man einen Überblick über Deine Arbeit bekommt. Alles was Du schreibst, scheint mir vernünftig, soweit es mein landwirtschaftliches Ahnungsvermögen beurteilen kann. Der Einfall, einen Teil des Gartens einzuzäunen, ist von mir oder vielleicht von der Elli und von mir oder wahrscheinlich jedes Menschen Einfall, auch der Deine. Muß es übrigens ein Pferd sein? Kühe oder Ochsen genügen nicht? Eine Zeitlang bekam man, glaube ich, für den Militärdienst unbrauchbare Pferde z. B. russische Beutepferde billiger; weiß man dort davon nichts? Von Ruženka viele Ratschläge, aber nächstens. Und Kopf hoch, wie man in unserer Gasse sagt.

Dein Franz

Nr. 39

[Postkarte]

[Stempel: Prag – 15. V. 17]

Liebe Ottla das muß gleich beantwortet werden. Ich habe mich schon ganz von Dir verlassen gefühlt und an eine spä-

34

tere Zukunft denkend (immer an die Zukunft denkend)
habe ich mir gesagt: Sie wird mich also doch verkommen
lassen. Aber das ist, auch abgesehn von Deinem Brief, ganz
falsch, denn Du hast mit dem Haus oben eine bessere Zeit
für mich eingeleitet, die sogar jetzt fortdauert, wo ich (wegen der schönen Tage und der damit verbundenen Schlaf-
schwierigkeiten) leider das Arbeiten oben aufgegeben habe
und Du überdies fort bist. Zu klagen gibt es natürlich vieles,
aber unvergleichlich besser als die letzten Jahre ist es doch.
Das muß aber erzählt werden, soweit es überhaupt zusammengefaßt zu sagen ist. Vielleicht komme ich Sonntag, aber
natürlich doch nur »sehr vielleicht«; kein Entgegenfahren!
Felix und Frau wollen seit jeher dringend mit, vielleicht
komme ich also mit ihnen Max wohl kaum.

Franz

Nr. 40

[Prag, ca. 20. Juni 1917]

Liebe Ottla, kleine Fürsorgestelle,
Nachtrag zum Tetsch:

1.) die Bestätigung wegen der Kleider die Herr Hippmann
   dem Sopper ausgestellt hat ist sehr gut, so soll er es auch
   für den Tetsch machen und mir schicken.
2.) der Tetsch hat wegen seiner Bedürftigkeit auf Grund
   eines neuen Gesetzes Anspruch auf eine besondere Un-
   terstützung von etwa 48 K monatlich. Nur muß ein
   Zuwendungsansuchen gemacht werden und zwar auf
   dem beiliegenden Formular. Der Herr Vorsteher soll es
   für Tetsch ausfüllen und auf der 3 tten Seite an die Be-
   zirkshauptmannschaft Podersam adressieren

*

Die Kleidersache Sopper wird so erledigt, daß Sopper von
hier aus gleich 300 K bekommt und daß außerdem an die

Fürsorgestelle Podersam (Lehrer Rößler) geschrieben wird, sie möge wie es ihre Pflicht ist, aus ihren Mitteln die 100 K, die zum Kleiderkauf noch nötig sind (der Herr Vorsteher hat den Preis mit 400 K angegeben) dem Sopper auszahlen. Sopper kann ja dann auch noch persönlich den Lehrer Rößler darum bitten.

*

Viele Grüße   Franz

Meine erste Begegnung mit Tetsch in Prag war so: ich gehe Sonntag abend mit Max und seiner Frau den Belvedereabhang hinauf und sehe von der Ferne auf einer dieser künstlichen Steinböschungen einen Soldaten sitzen, ohne Strümpfe, die Hosen hoch hinaufgezogen, den einen Ärmel leer, hinter dem Ohr eine große Beule. »Auch ein Soldat« sag ich und schau lieber gar nicht hin. Erst als ich vorüber bin, dreh ich mich um: es ist der Tetsch. Ich habe wirklich Freude gehabt.

Nr. 41

[Postkarte]

[Stempel: Prag – 24. VI. 17]

Liebe Ottla, ich werde es besorgen, möchte aber vorher wissen, wann Du die zwei brauchen wirst, das Datum mußt Du doch schon jetzt wissen. So schlimm ist es übrigens? So viel schlimmer als voriges Jahr, wo etwas derartiges wie ich glaube gar nicht nötig war. – Frl. Kaiser kommt natürlich und sehr gern, trotzdem Du wie sie behauptet, ihr einmal gesagt hast, daß Du sie gar nicht leiden kannst. Sie kommt einmal Samstag; freut sich daß Du Dich an sie erinnert hast, jetzt fährt sie auf Urlaub für paar Tage in den Böhmerwald. – Mit der Mutter ist es natürlich so wie Du sagst, sie leidet aber sehr an dem Ausschlag den der Doktor für unbedeutend erklärt der Vater ist in gutem Zustand zurückgekommen.

Viele Grüße, grüß das Fräulein

Franz

Nr. 42

[Prag, 25. Juni 1917]

Liebe Ottla, hoffentlich hat das Fräulein gestern meine Karte für Dich eingeworfen. Ich bat Dich dort unter anderem mir gleich jetzt zu sagen, wann die Männer hinauskommen sollen.

Hier noch ein Nachtrag zur Gänsler-Sache; es fehlt noch die Bestätigung vom Gemeindeamt, sie liegt bei und muß nur noch vom Gemeindeamt unterschrieben werden, schick mir dann die Bestätigung zurück. Sopper hat das Geld noch nicht bekommen, ich weiß, er bekommt es in den nächsten Tagen

Leb wohl

Franz

Der Mutter geht es glaube ich besser

Vergiß den Tetsch nicht, es ist ja nichts für ihn zu machen, als das Formular dem Vorsteher zu geben.

Nr. 43

[Postkarte]

[Stempel: Prag – 28. VII. 17]

Liebste Ottla, ich hätte schon längst schreiben sollen (die Karte aus Budapest hast Du bekommen?) habe viel gesehn, gehört. Auf der Reise ist es mir durchschnittlich erträglich gegangen, aber eine Erholungs- und Verständigungsreise

war es natürlich nicht. Vor allem habe ich genug gut geschlafen, wie immer auf Reisen, auch noch paar Tage in
Prag, aber jetzt ist es wieder knapp am Unmöglichen. Wäre
schon wieder Herbst und Winter (das betrifft Dich ja nicht,
Du gehst nach Wien) und wäre es halbwegs ähnlich dem
vorigen Jahr! Morgen komme ich nicht, aber anfangs September für 10 Tage, wenn Du es für richtig hältst. Oder soll
ich ins Salzkammergut? Je weiter, desto besser, aber es wird
schon ein wenig spät sein, ich kann erst am 8. Sept. wegfahren. – Die letzte Kündigung (wenigstens die letzte, von
der ich gehört habe) war wirklich bewunderungswürdig.
Wie kannst Du bestehn?
Grüße für Dich und Irma

Franz

Nr. 44

[Postkarte]

[Stempel: Prag – 23. VIII. 17]

Liebe Ottla, bis Du mit der Hopfenpflücke zuende bist,
schreib es mir bitte. Ich schreibe Dir dann ausführlicher über
meinen Urlaub. Jetzt will ich Dir nicht mit andern Dingen
quer in die Pflücke kommen.

Herzlichst
Dein Franz.

Nr. 45

[Stempel: Prag, 29. VIII. 17]

Liebe Ottla ich habe vier Möglichkeiten: Wolfgang am See
(schönes und fremdes Land, aber weit und schlechtes Essen)
Radešowitz (schöner Wald, erträgliches Essen, aber doch zu
bekannt, zu wenig Fremde, zu bequem) Landskron (gänzlich unbekannt, angeblich schön, angeblich gutes Essen, aber

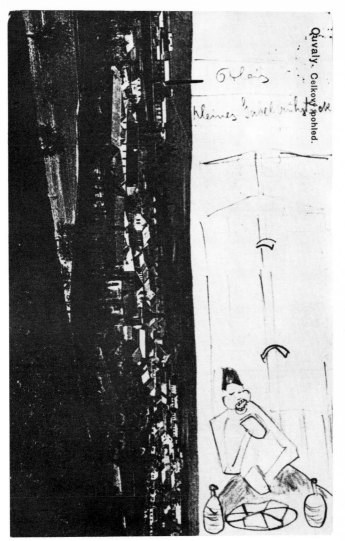

9 Gesamtansicht von Ouvaly mit lustiger Zeichnung Kafkas, Bildseite
von Nr. 27

10 Das Hotel Schloß Balmoral und Osborne in Marienbad (Parkpartie mit Osborne Entrée), eine der Bildseiten von Nr. 32

11 Ottla (links) in Zürau (1917/18)

12 Der Ringplatz von Zürau; im Haus rechts von der Kirche (durch den Baum halb verdeckt) wohnten Kafka und Ottla

Prag, Hradsch'n. Strahover Kloster.

K. & Co. Prague-Deposé 15. 5. 1912.

Fräulein
Ottla Kafka
bei Frau Stüdl

Friedland
Flürgasse

13 Faksimile der Textseite von Nr. 63

14 Die Landwirtschaftliche Winterschule in Friedland (Böhmen)

15 Die Altdeutsche Bierstube in Ringenheim bei Friedland (Böhmen)

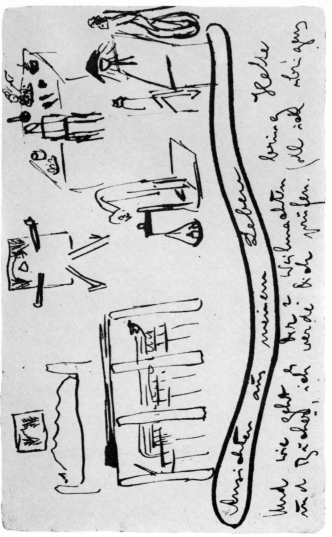

16 Faksimile der Vorderseite von Nr. 64

auf Protektion meines Chefs angewiesen und auch sonst mit einer amtlichen Unannehmlichkeit verbunden) schließlich Zürau (nicht fremd, nicht eigentlich schön, aber mit Dir und vielleicht Milch.) Nun habe ich allerdings noch keinen Urlaub, will auch mit dem Direktor, der mir schon bei der Budapester Reise Schwierigkeiten gemacht hat, nicht mehr sprechen, habe aber für ein Urlaubsgesuch eine schlagende Begründung. Vor etwa 3 Wochen habe ich in der Nacht einen Blutsturz aus der Lunge gehabt. Es war etwa 4 Uhr früh, ich wache auf, wundere mich über merkwürdig viel Speichel im Mund, spucke es aus, zünde dann doch an, merkwürdig, es ist ein Patzen Blut. Und nun beginnts. Chrlení, ich weiß nicht, ob es richtig geschrieben ist, aber ein guter Ausdruck ist es für dieses Quellen in der Kehle. Ich dachte es werde gar nicht aufhören. Wie sollte ich es zustopfen, da ich es nicht geöffnet hatte. Ich stand auf, gieng im Zimmer herum, zum Fenster, sah hinaus, gieng zurück – immerfort Blut, schließlich hörte es auf und ich schlief ein, besser, als seit langem. Am nächsten Tag (im Bureau war ich) beim Dr. Mühlstein. Bronchialkattarrh, verschreibt eine Medicin; 3 Flaschen soll ich trinken; in einem Monat wiederkommen; wenn wieder Blut kommt, gleich. Nächste Nacht wieder Blut, aber weniger. Wieder beim Doktor, der mir übrigens damals nicht gefallen hat. Die Einzelheiten übergehe ich, es wäre zuviel. Das Ergebnis für mich: 3 Möglichkeiten, e r s t e n s akute Verkühlung, wie der Doktor behauptet das leugne ich; im August mich verkühlen?, da ich doch unverkühlbar bin; hier könnte höchstens die Wohnung beteiligt sein, die kalte, dumpfe, schlecht riechende, z w e i t e n s Schwindsucht. Leugnet der Dr. vorläufig. Übrigens werde man ja sehn, alle Großstädter sind tuberkulös, ein Lungenspitzenkattarrh (das ist das Wort, so wie man jemandem Ferkelchen sagt, wenn man Sau meint) sei auch nichts so Schlimmes, man injiziert Tuberkulin und es ist gut, d r i t t e n s : diese Möglichkeit habe ich ihm kaum angedeutet, er hat sie natürlich gleich abgewehrt. Und doch ist sie die einzig richtige und verträgt sich auch gut mit der zweiten. Ich habe in der letzten Zeit wieder fürchterlich an dem alten Wahn gelitten, übrigens war ja nur der letzte Winter die bisher größte Unterbrechung dieses 5 jährigen Leidens. Es ist der größte Kampf, der mir auferlegt oder besser anvertraut worden ist und ein Sieg (der sich z. B. in einer Heirat darstellen könnte, F. ist vielleicht nur Representantin des wahrscheinlich guten Princips in diesem Kampf) ich meine, ein Sieg mit halbweg erträglichem Blutverlust hätte in meiner privaten Weltgeschichte etwas Napoleonisches gehabt. Nun scheint es daß ich den Kampf auf diese Weise verlieren soll. Und tatsächlich, so als wäre abgeblasen worden, schlafe ich seit damals 4 Uhr nachts besser, wenn auch nicht viel besser, vor allem aber hat der Kopfschmerz, vor dem ich mir damals nicht mehr zu helfen wußte, gänzlich aufgehört. Die Beteiligung an dem Blutsturz denke ich mir so, daß die unaufhörlichen Schlaflosigkeiten, Kopfschmerzen, fiebrigen Zustände, Spannungen mich so geschwächt haben, daß ich für etwas Schwindsüchtiges empfänglich geworden bin. Zufällig mußte ich seit damals an F. auch nicht schreiben, zwei lange Briefe von mir in deren einem eine nicht sehr hübsche, fast häßliche Stelle war, sind bis heute nicht beantwortet.

Das also ist der Stand dieser geistigen Krankheit, Tuberkulose. Übrigens war ich gestern wieder beim Dr. Er hat die Lungengeräusche (ich huste seit der Zeit) besser gefunden, leugnet noch entschiedener Schwindsucht, ich wäre auch zu alt dazu, wird mich aber, da ich Sicherheit haben will, (vollständige Sicherheit gibt allerdings auch das nicht) in dieser Woche röntgenisieren und den Auswurf untersuchen. Die Wohnung im Palais habe ich gekündigt, die Michlová hat uns gekündigt, so habe ich gar nichts. Aber besser so, vielleicht hätte ich in dem feuchten Häuschen gar nicht sein können. Nur um Irma, die mich sehr bedauert hat, zu trösten, habe ich ihr von dem Blutsturz erzählt. Sonst weiß niemand zu hause etwas davon. Der Dr. behauptet, es bestehe vorläufig nicht die geringste Ansteckungsgefahr. – Soll ich also kommen? Vielleicht von morgen Donnerstag in einer Woche? Für 8–10 Tage?

Nr. 46

[Postkarte]

[Stempel: Prag – 2. IX. 17]

Liebe Ottla also übersiedelt. Die Fenster im Palais zum letzten Mal geschlossen, die Tür abgesperrt, wie ähnlich das dem Sterben sein muß. Und heute in dem neuen Leben habe ich seit jenem blutigen Morgen die ersten Ansätze zu Kopfschmerzen. Ein Schlafzimmer ist Dein Schlafzimmer nicht. Ich sage nichts gegen die Küche nichts gegen den Hof, um 1/2 7 ist dort Lärm, das ist selbstverständlich, wenn auch heute Sonntag ist. Übrigens war die Katze nicht einmal zu hören, nur die Uhr in der Küche. Aber vor allem das Badezimmer. Dreimal meiner Rechnung nach wurde dort Licht gemacht und Wasser zu unverständlichen Zwecken losgelassen, dann auch noch die Tür zum Schlafzimmer offengelassen so daß ich den Vater husten hörte. Armer Vater, arme Mutter, armer Franz. Eine Stunde vor jedem Lichtmachen wachte ich aus Angst auf und zwei Stunden nachher konnte ich vor Schrecken nicht einschlafen, das waren die 9 Nachtstunden. Aber für die Lunge war es besser. Eine leichte Decke bei offenem Fenster genügt, dort bei halb offenem entfernten Fenster waren 2 Decken und ein Federbett nötig. Ich huste vielleicht auch weniger. Du müßtest kommen.

Franz

Nr. 47

[Postkarte]

[Stempel: Prag – 3. IX. 17]

Liebe Ottla heute war es schon ein wenig besser, das Badezimmer still. Allerdings, um 6 Uhr ist alles zuende; wenn sie nebenan die Augen aufschlägt, weckt mich der Lärm. (Den Ausdruck »Augenaufschlagen« muß auch ein empfindlicher alter Deutscher erfunden haben) Das Haus oben auf dem Belvedere habe ich mir vorläufig von außen angesehn, recht gut, nur eben erster Stock und gegenüber die Miederfabrik Federer & Piesen, auch soll wie mir heute einer sagt, der Fuhrwerksverkehr zum Marktplatz zum Teil dort durchgehn. Da wäre ich dann von einem Marktplatz zum andern übersiedelt. Wie schwer das ist.
Dein Zimmer ist aber wirklich hübsch. Ich habe es schon so ausgefüllt, nicht mit Sachen, sondern mit mir, daß Du, wenn Du zurückkommst, Dich kaum wirst durchdrängen können. Tut Dir das nicht leid? Heute spreche ich noch mit dem Dr., dann schreibe ich Dir wann ich komme. Ende der Woche wohl, ich werde Dir dann telegraphieren.

Franz

Ottla soll es in der Adresse heißen, nicht F.

Nr. 48

[Zwei Postkarten, fortlaufend beschrieben]

[Prag, 4. und 5. September 1917]

Liebe Ottla, gestern war ich wieder bei ihm, er war klarer als sonst, aber es bleibt seine oder aller Ärzte Eigentümlichkeit, daß sie aus notwendiger Unwissenheit und weil die Frager ebenso notwendig alles wissen wollen, entweder

Wesenloses wiederholen oder in Wichtigem sich widersprechen und weder das eine noch das andere eingestehen wollen. Also: beide Spitzen angegriffen, aber auch hier nicht
die Lunge die angeblich frei ist, sondern die Luftröhrchen.
Vorsicht notwendig, geradezu Gefahr besteht (wegen des
Alters) nicht, wird aller Voraussicht auch nicht kommen.
Rat: viel Essen, viel Luft, von Medicin wird abgesehn wegen meiner Magenempfindlichkeit; zwei Umschläge nachts
über die Achseln, monatliche Vorstellung; sollte es nicht in
einigen Monaten besser werden, wird er vielleicht (Blöd-
sinn) Tuberkulin injicieren »damit ich alles getan habe.«
Wegfahren nach dem Süden (auf meine Frage hin) wäre
natürlich sehr gut, aber nicht notwendig; ebenso aufs Land
fahren. – Vielleicht reiche ich ein Gesuch um Pensionierung
ein, es ließe sich ganz hübsch begründen; ich werde übermorgen mit meinem Chef (morgen hat er eine wichtige
Sitzung und nur Gedanken für sie) darüber reden.
Übrigens fällt mir jetzt so oft der Vers aus den Meistersingern ein: »ich hätt' ihn für feiner gehalten« oder so ähnlich.
Ich meine damit: in dieser Krankheit liegt zweifellos Gerechtigkeit, es ist ein gerechter Schlag, den ich nebenbei gar nicht
als Schlag fühle sondern als etwas im Vergleich zum Durchschnitt der letzten Jahre durchaus Süßes, es ist also gerecht,
aber so grob, so irdisch, so einfach, so in die bequemste
Kerbe geschlagen. Ich glaube eigentlich: es muß noch einen
andern Ausweg nehmen.
Die Karte blieb zurück. Inzwischen ist es ja wieder anders
geworden. Auf Drängen des Max beim Professor. Sagte im
ganzen das Gleiche, verlangte aber bestimmter Landaufent-
halt. Bitte morgen um Pensionierung oder 3 Monate Urlaub. Willst Du mich aufnehmen und kannst Du es? Leicht
ist es nicht.

Franz

Nr. 49

[Postkarte]

[Stempel: Prag – 6. IX. 17]

Liebe Ottla ich habe also heute davon zu sprechen angefangen, natürlich nicht, ohne wieder eine sentimentale Komödie vorzuspielen, die mir bei jedem Abschied unentbehrlich ist. Statt einfach (auch dies wäre lügnerisch, aber wenigstens bis zu einer gewissen Tiefe anständig) auf Pensionierung zu drängen, fange ich davon zu reden an, daß ich die Anstalt nicht ausnutzen will u. s. w. Natürlich ist die Wirkung die, daß man mir die Pensionierung (die man mir vielleicht auch sonst nicht zugestanden hätte) jetzt gewiß nicht bewilligen wird. Den Urlaub bekomme ich allerdings bestimmt, wenn ich auch die Meinung des Direktors, mit dem ich erst Montag reden kann, noch nicht kenne. Das Gutachten des Professors sieht ja auch (ohne wesentlich von seinen Worten abzuweichen, aber das Geschriebene hat eben ein anderes Ansehn) wie ein Reisepaß für die Ewigkeit aus. – Der Mutter also auch dem Vater habe ich das Urlaubsersuchen mit Nervosität begründet. Da sie für ihren Teil so grenzenlos bereit ist mir Urlaub zu geben hat sie keinen Verdacht.

Nr. 50

[Postkarte]

[Stempel: Prag – 7. IX. 17]

Liebe Ottla in Deiner Karte bist Du nur für meine 8 Tage Urlaub vorbereitet und jetzt will ich Dir zumindest für 3 Monate an den Hals fliegen und schon Dienstag oder Mittwoch. Werden das nicht zu große Umwälzungen für Dich sein, auch für die Absichten, die Du zum Herbst hattest? Heute war ich beim Direktor. Ich glaube ich, ich komme

44

endgültig nur im Galopp der Tuberkulose aus der Anstalt hinaus. Keine Pensionierung. Urlaub natürlich, und zwar ohne Gesuch. Ich soll es nicht so schwer nehmen, schwer ist es für sie, daß eine so wertvolle Kraft u.s.w. Höre ich so etwas und schaue dann oben meine Arbeit an, schwankt mir die Welt. Es ist so: habe ich mich einmal irgendwo festgesetzt, dann klebe ich wie etwas gar nicht Appetitliches. Die unmittelbare Sorge ist das allerdings nicht. Ich gehe also als aktiver Beamter auf Urlaub. Hat Zürau durch längere Zeit überhaupt schon einen aktiven Beamten gesehn?

Franz

Bereite bitte den Briefträger auf Briefe für mich vor.

Nr. 51

[Postkarte]

[Stempel: Prag – 8. IX. 17]

Liebe Ottla habe keine andere Karte. Also Mittwoch früh fahre ich aller Voraussicht nach. Max fängt zwar jetzt gegen Zürau zu arbeiten an, wird auch noch mit dem Professor sprechen. Seine Einwände sind etwa: Man soll gleich das Beste machen, also Schweiz, Meran oder dgl. – Professor habe nur weil er mich für ganz arm hält, zu Zürau zugestimmt – es ist dort kein Arzt, was tue ich wenn es plötzlich schlimmer wird, ich Blutsturz bekomme u. s. w. – die Zustimmung des Prof. sei davon abhängig gewesen, daß ich die von ihm vorgeschriebene Arsenkur mache und die mache ich nicht – was tue ich im Regen ohne Wandelhallen u. dgl. Meine Antworten auf diese Einwände werde ich Dir mündlich sagen. Übrigens widerlich diese vielleicht notwendigen Gesundheitsrücksichten, sie werden mir die lange freie Zeit tief verderben.

Franz

Nr. 52

[Postkarte]

[Stempel: Prag – 9. IX. 17]

Liebe Ottla, heute schreibe ich nur für den ganz unwahr-
scheinlichen Fall, daß ich (vorausgesetzt natürlich daß keine
Absage von Dir kommt) Mittwoch früh nicht in Zürau sein
sollte. Von Max gezwungen gehe ich noch morgen Montag
mit ihm wieder zum Professor, er will ihm seine Einwände
vortragen. Wie das aber auch ausfällt, zunächst will ich nach
Zürau jedenfalls fahren. Im übrigen geht es mir ganz gut,
nur das übermäßige Essen macht mich traurig. Ich werde an
Schnitzer schreiben, der mir vielleicht Fasten anraten wird.
Trübseliger Gegensatz: vorne unnötiges Essen einführen,
während innen die Krankheit ihre Gangart nach höherem
Belieben wählt. – Heute kommt Elli, da werde ich hören
wie Du Dich zum Ganzen stellst. Von F. kamen schon
Briefe, so fest, verläßlich, ruhig, nicht nachtragend wie sie
eben ist. Und ich antworte mit dem Schlag.

Franz

Nr. 53

[Prag,] 28. XII. [1917]

Liebe Ottla, heute also bringt die Post nur diesen Brief:
Eigentlich habe ich (unter dem Lärm des Felix und dem stillen Zuschauen der Gerti) weder Lust noch Ruhe zum Schreiben, vor allem deshalb aber nicht, weil sich über eine be-
schränkte Zeit – und so soll es doch für mich hier werden
– mitten drin nichts Bestimmtes sagen läßt. Es gab z. B. in
diesen letzten 5 Tagen verschiedene Zeiten, wo ich einen
groben Fehler gemacht zu haben glaubte und ziemlich tief
unten war, später aber zeigte es sich, daß es doch im besten
Sinn richtig war und ich nichts zu bedauern hatte. Über Einzelnheiten werden wir sprechen.

Die Tage mit F. waren schlimm, (abgesehen vom ersten Tag, an dem wir von der Hauptsache noch nicht gesprochen hatten) und am letzten Vormittag habe ich mehr geweint als in allen Nach-Kinderjahren. Natürlich wäre es aber viel schlimmer oder unmöglich gewesen, wenn ich irgendeinen Rest irgendeines Zweifels an der Richtigkeit dessen gehabt hätte was ich tat. Derartiges gab es nicht, nur widerspricht es leider der Richtigkeit eines Handelns nicht, daß dieses Handeln ein Unrecht ist und es umsomehr wurde durch die Ruhe und besonders durch die Güte mit der sie es aufnahm.

Den Nachmittag nach ihrer Abreise war ich beim Professor, er ist verreist und kommt erst Montag oder Mittwoch; solange werde ich wohl hier bleiben müssen, schon aus diesem Grunde. Jedenfalls ging ich gleich zu Dr. Mühlstein, er erhorchte augenblicklich gar nichts, trotzdem ich hier mehr huste und schnaufe als sonst. Trotz dieses günstig-ungünstigen Befundes (das Röntgenbild würde natürlich doch die Krankheit zeigen) sprach er mir, zum Teil vielleicht aus besonderer Freundlichkeit gegen mich, die moralische Berechtigung zu, eine Pensionierung zu verlangen und als ich ihm auf seine Frage sagte, daß ich ans Heiraten nicht mehr denke, lobte er das besonders, ich weiß nicht ob als zeitweiligen oder endgültigen Entschluß, ich fragte nicht danach. (Als Auflösungsgrund der Verlobung gilt nach außen hin nur die Krankheit, so habe ich es auch dem Vater gesagt.)

Heute war ich im Bureau, die Verhandlungen beginnen; wie es ausgehn wird, weiß ich noch nicht. Zweifel gibt es auch hier für mich keine.

Dagegen habe ich Zweifel wegen Oskar. Es wird mir jetzt schwer ihn mitzunehmen schwer mit jemandem außer Dir und Max zu sprechen. Das ist natürlich nur Übergang und ich weiß das mit vollständiger Bestimmtheit, aber auf dem Land will ich sein und allein. Außerdem hast Du ja einen

Gast und Oskar kann nicht tschechisch, auch das gibt eine Schwierigkeit. Übrigens fühle ich mich auch ein wenig ausgemietet oder richtiger: ich fühle es als einen zarten Übergang. Ganz falsch wäre es für Dich – mir muß ich es nicht erst sagen – in der weiteren Folge dessen etwas zu sehn, was für mich eindeutig trüb oder traurig wäre. Das Gegenteil wäre es viel eher; so wie es ist und zu werden scheint, ist es das beste und steht auf meinem Weg am richtigen Platz. Darüber mußt Du gar nicht nachdenken. (Übrigens bin ich gar nicht allein, denn ich habe hier einen Liebesbrief bekommen, bin aber doch allein, denn ich habe ihn nicht mit Liebe beantwortet.)

Bleibt also der Zweifel wegen Oskar. Er selbst sieht schlecht aus, braucht es dringend, demütigt sich auf alle Weise und hat es so eingerichtet, daß er, wann ich ihm meine Abreise anzeige, eine Stunde später, undzwar in der Zeit bis nächsten Freitag, reisebereit ist. Bitte, schreib mir darüber. Und sonst: Was soll ich für Hr. Hermann, Frau Feigl, das Mädchen von Frau Hermann mitbringen? Und wem noch etwas?

Heute ist übrigens der erste Tag, an dem ich die Stadt fühle. Unter diesen Menschen kann nichts Gutes geschehn, aber viel Gutes für sie.

Franz.

Grüße von mir das Gast-Fräulein, unser Fräulein, Toni und Hr. Hermann.

Nr. 54

[Stempel: Prag – 30. XII. 17]

Liebe Ottla, jetzt am Sonntag-Nachmittag in der Küche noch paar Worte wegen Baum:
Nicht etwa zur Verhinderung seiner Reise; die wäre jetzt

48

ohne Kränkung nicht mehr möglich und das kleine Opfer, das ich damit bringe und das ja natürlich durchaus nicht nur Opfer ist, ist ja, selbst wenn ich rechnen wollte, so geringfügig gegenüber dem Guten das mir die letzte Zeit gebracht hat. Also nicht um die Reise zu verhindern will ich noch etwas sagen, sondern um, brüderlich, ein Unbehagen mit Dir zu teilen:

Gestern war wieder einmal großer wenn auch kurz dauernder Lärm am Abend. Die alten Dinge: (in Übergang von der rodelnden Martha, der Mandolinenspielerin Trude und dem mit 2 elenden Beinen seit Wochen krankliegenden Onkel) Zürau; die Verrückte, Verlassen der armen Eltern; was für eine Arbeit ist dort jetzt?; leicht auf dem Land sein, wenn man alles in Hülle und Fülle bekommt; hungern aber sollte sie einmal und wirkliche Sorgen haben u.s.w. Es wurde, um es nicht zu vergessen, auch Gutes (gegen mich Eifersüchtiges) über Dich gesagt: ein Mädel von Eisen udgl. Das alles zielte natürlich indirekt auf mich, stellenweise wurde es geradezu zugestanden, ich hätte ja dieses Abnormale unterstützt oder verschuldet u.s.w. (worauf ich nicht schlecht oder wenigstens verblüffend damit geantwortet habe, das Abnormale sei nicht das schlechteste, denn normal sei z. B. der Weltkrieg) — Heute morgen kam dann die Mutter zu mir (die irgendeine Grundsorge zu haben scheint, die, soweit ich es aus ihrem Verhalten beurteilen kann, nicht mich betrifft; sie ißt, wie das Fräulein sagt, seit 14 Tagen wenig; ich finde sie aber nicht besonders schlecht aussehend) fragte mich, was es noch für Arbeit draußen gibt, warum Du nicht kommst, (die Schwiegervaterfamilie Roberts kommt jetzt für 1/4 Jahr nach Prag) und wenn Du nicht kommst, warum 2 Mädchen dort nötig sind, ob das nicht zuviel kostet u.s.f. Ich antwortete so gut ich konnte.

Als Ergebnis dieser Gespräche zeigt sich jetzt meinen etwas reiner gewaschenen Augen, daß Du oder ich gegenüber diesen Sorgen und Vorwürfen fast völlig im Recht sind, im

Recht, soweit wir unsere Eltern »verlassen« haben, soweit wir »verrückt« sind. Denn wir haben sie weder verlassen noch sind wir undankbar oder verrückt, sondern haben nur mit genügend anständigen Absichten das getan, was wir für notwendig hielten und was niemand (etwa um uns zu entlasten) für uns herausfinden könnte. Nur eine wirkliche Berechtigung zum Vorwurf hat der Vater, nämlich darin, daß wir es (gleichgültig ob durch sein Verdienst oder seine Schuld) zu leicht haben; er kennt keine andere Erprobung, als die des Hungers, der Geldsorgen und vielleicht noch der Krankheit, erkennt, daß wir die ersteren, die zweifellos stark sind, noch nicht bestanden haben und leitet daraus das Recht ab, jedes freie Wort uns zu verbieten. Darin liegt Wahres und, weil es wahr ist, auch Gutes. Solange wir nicht auf seine Hilfe bei Vertreibung des Hungers und der Geldsorgen verzichten können, bleibt in unserem Verhalten ihm gegenüber Befangenheit und wir müssen uns ihm irgendwie fügen selbst wenn wir es äußerlich nicht tun. Hier spricht aus ihm mehr als nur der Vater, mehr als der bloß nichtliebende Vater.

Auf Oskars Besuch angewendet, heißt das:

Wir laden Oskar in eine fremde Wirtschaft, wo ich selbst nur geduldeter Gast bin. Der Vater würde natürlich damit nie übereinstimmen. Nun füge ich mich äußerlich nicht, bleibe draußen, nehme auch Oskar mit, zahle für mich, zahle mit Freude auch für Oskar die Geringfügigkeit, bleibe aber unter der Drohung des Vaters, der das Am-Dorfleben, die Dorf-Winterarbeit u.s.w. nicht versteht, doch so befangen, daß ich z. B. vor Karl, der Anfang Jänner kommen dürfte, sehr verlegen mit Oskar am Arm stehen werde.

Das muß ich überwinden, da ich vorläufig das Größere nicht überwinden kann. Das wollte ich Dir also sagen.

Ich werde wegen der Anstalt noch paar Tage länger hier bleiben müssen, da ich mit dem Direktor zum erstenmal Dienstag werde sprechen können.

Ein Wort zu diesem Brief hätte ich noch gern, es dürfte mich noch in Prag erreichen.

Grüße das Fräulein, Toni, Hermann.

Franz

Der Brief war schon im Kouvert, da habe ich die Mutter nach ihren Sorgen gefragt. Ich bin also doch die Sorge, der Vater war so rücksichtslos ihr alles zu sagen.

Nr. 55

[Ansichtspostkarte: Weimar, Goethes Gartenhaus, Schlaf-
zimmer]

[Stempel: Prag – 2. 1. 18]

Liebe Ottla, so etwa wollte ich es hören und es ist gut. Wann
ich komme weiß ich noch nicht, der Direktor macht Schwierigkeiten, heute gehe ich zum Professor, vielleicht bin ich
wirklich zu gesund und muß die schwere Probe der Kündigung bestehn. Geht es nicht anders, tue ich es. Wegen Oskar
werde ich Dir vielleicht wirklich telegraphieren müssen,
aber würdest Du dann im Geheimen eine Nacht in Prag
bleiben? Ich werde es zu vermeiden suchen. – Die Phantasie
von der glücklichen Mutter im Badezimmer hat mein 2ter
Brief schon widerlegt. – An die Wäsche denke ich manchmal. Da sie geflickt war, muß sie, wenn sie wieder geflickt
wird, in der Zwischenzeit wieder zerrissen worden sein.
Kündige ich hier, werde ich auf die Wäsche noch mehr acht-
geben müssen als früher. Übrigens – die Prager Zeit habe
ich bisher nicht schlecht bestanden, das gibt Hoffnung.

Franz

Grüße Toni und Hr. Hermann

Nr. 56

[Stempel: Prag – 4. III. 18]

... und tatsächlich leben wir ja auch oder lebe ich mit Dir
besser als mit irgendjemandem sonst, bis auf zeitweilige
Unmöglichkeit den andern anzusehn, welche Menschen besonders wenn sie nicht ganz sich entsprechend leben, als et-

was Entwürdigendes aber fast Unvermeidliches an sich selbst ertragen müssen. Dafür gibt es wahrscheinlich keine Hilfe, sondern nur Abschwächungen wie Zahnbürstchenbehälter, Spiegel und vor allem guten Willen, den wir beide für einander haben, ich sogar für Dich den allerbesten.

Franz

Nr. 57

[Prag, 5. Mai 1918]

Liebe Ottla, eigentlich läßt sich noch nichts sagen, ich bin ja noch nicht eingerichtet (in Deinem Zimmer wohl, aber in der Stadt noch nicht) Der Atem ist etwas schlechter, aber wahrscheinlich deshalb weil ich hier schneller gehe (es ist auch schon besser geworden), der Schlaf ist sehr schlecht, ich war die ersten Tage kaum recht wach, aber das wird doch nur Übergang sein – und was alles übrige betrifft, so kann ich nur sagen, daß ich bis jetzt die Übersiedlung ihrem Wesen nach nicht bereue, Dich aber würde ich gerne wieder einmal sehn und am Ohr zupfen, bei Elli habe ich es versucht aber es ist nicht das Richtige.

Franz

Grüße herzlich Frl. Greschl von mir, auch Frl. David. Hr. Hermann natürlich auch. Für den Garten weiß ich nichts neues, nur den beiliegenden Jauchedüngungsratschlag. Seitdem ich heute zufällig in die Schrebergärten hinter Baumgarten gekommen bin, bin ich auf unsern Garten nicht mehr so stolz (ohne ihn deshalb weniger gern zu haben). Was wir dort gemacht haben, kann und tut fast jeder. Die Schrebergärten sind etwa jeder halb so groß wie unser Garten, die meisten sind gut, viele aber ausgezeichnet bearbeitet. – Ja, der Plan: von den unglücklichen Karotten (1) angefangen, 2: Möhren, 3 Zwiebeln, Salat 4 Spinat Radieschen 5 Pflanzen, 6 Pfl. und Fräulein 6 Erbsen 7 Zwiebeln (1 Reihe

Steck- zwei Reihen Samenzwiebeln, dazwischen Knoblauch und Radieschen – nein ich kann nicht weiter, es verwirrt sich mir, aber Du erkennst es ja.

Wir schicken Dir durch Karl 490 K – davon ich 380 K – und die Mutter 110 K es ist nach Deiner beiliegenden Aufstellung mit einer Differenz von 3 K zu Deinen Gunsten.

Eine Bitte des Herrn Oberinspektor: er wird im Laufe dieses Monats einmal durch Michelob fahren. Könnte man ihm dann auf telegraphische Benachrichtigung hin 2–3 Schock Eier zum Zug schicken?

Nr. 58

[Postkarte]

[Stempel: Prag – (ca. 14./15. Mai 1918)]

Liebe Ottla, dem Albin Bartl glaubte ich schon Hilfe wenigstens vorbereitet zu haben. Gleich als ich nach Prag kam, schrieb ich ihm, daß hier kein Ausweis über ihn vorliegt, daß er aber gleich beschafft werden wird und daß wir ihm dann helfen werden. Gestern ließ ich ihn für Samstag, den 18. zu einer ärztlichen Untersuchung nach Saaz vorladen, dort wird ein Beamter von uns dabei sein und man hätte sicher etwas halbwegs Gutes für Bartl getan. Heute aber bekomme ich meinen Anfangs Mai an B. geschickten Brief als unbestellbar zurück; die Adresse »bei Viehhändler Leopold Glaser in Saaz« wie sie mir B. in Zürau angegeben hat, war also ungenügend. (Vielleicht findet ihn aber unser Beamter doch.) Das ist schade. Frag ihn einmal danach, wenn er wieder kommt. – Sonntag haben wir Dich erwartet, Elli hatte gesagt, Du würdest fast bestimmt kommen. Von mir ist nichts Neues zu sagen; es ist hier schwieriger zu leben als in Zürau, aber das ist gewiß kein Grund, es nicht zu versuchen.

Mit herzlichen Grüßen Dir und dem Fräulein   Franz

Nr. 59

[Prag, Ende August 1918]

Liebe Ottla, bitte meine Abmeldung schick mir, ich werde vielleicht auf Urlaub gehn und brauche sie deshalb. Übrigens war ich letzthin beim Professor, er hat die Lunge sehr gut gefunden. Prospekte für Dich habe ich noch gar keine, nur Gärtnereisachen bis jetzt, aber es wird noch kommen. Hast Du schon etwas?

Herzliche Grüße   Franz

Nr. 60

[Stempel: Prag – 8. IX. 18]

Liebe Ottla, danke für die Abmeldung, ich wollte Dich mit dem Telegramm nur ein wenig anfeuern; daß Du jetzt viel Unruhe hast weiß ich natürlich, aber zum Abschied von Zürau ist das zu ertragen. Wegen der Schule aber mußt Du doch keine Unruhe haben, denn die Wahl ist doch sehr groß und vielleicht nicht einmal gar so wichtig, will man lernen so erlernt man doch überall, zur Not mit Hilfe von Büchern, alles was nötig ist. Ich habe ein wenig herumgeschrieben und herumgefragt und besitze vorläufig folgendes: Prospekte der Gartenschulen Eisgrub und Klosterneuburg (letztere ist jedenfalls die bessere, man kann dort ungeheuer viel erlernen und kann es – ein Vorteil, der wohl an allen diesen Schulen besteht – in beliebig kurzer Zeit und Auswahl, indem man nur als Hospitant mittut, man bekommt dann zwar kein Abgangszeugnis in aller Form, das ist ja aber auch nicht gar so nötig, die Bestätigung über den Besuch und die einzelnweise abgelegten Prüfungen kann Dir vollständig genügen) Einen Haufen Prospekte tschechischer Haushaltungsschulen habe ich außerdem, es sind das Schulen, die meistens mit Landwirtschaftsschulen in Verbindung sind, wo man allerdings nur durch den Augenschein das Passende wird herausfinden können. Es wird ja überhaupt das Beste sein, wenn Du ein bischen herumfährst und nachsiehst. Von eigentlichen landwirtschaftlichen Schulen habe ich nur nach Budweis, Liebwerda und Friedland geschrieben. Die Haushaltungsschule in Budweis (man kann noch so sehr von landwirtschaftlicher Schulung schreiben, sie verstehen, wenn es sich um Mädchen handelt immer schlecht, und so hat mir aus Budweis auch nur die Haushaltungsschule geantwortet) eröffnet diesen Winter wegen Lebensmittel- und Kohlenmangel überhaupt nicht, mit diesen Dingen muß man auch rechnen und deshalb ist auch die Besichtigung notwendig. Von Liebwerda-Teschen, und von Friedland habe ich noch keine Antwort. Durch einen Bekannten habe ich mich über diese Schulen bei einem großen Fachmann erkundigt und habe erfahren, daß die Akademie in Liebwerda zwar sehr gut ist, aber daß die Aufnahme Mittelschulbildung zur Voraussetzung hat, gegenwärtig studiert dort tatsächlich ein Mädchen (aber vielleicht gibt es auch dort dieses Hospitantenwesen) Noch mehr aber als Liebwerda hat dieser Fachmann Friedland empfohlen, es ist ein zweijähriger Kurs der gut in einem Jahr gemacht werden kann und der dann für Dich überall eine Empfehlung wäre, übrigens hättest Du dort auch Protektion, nicht nur durch diesen Mann sondern auch durch den Oberinspektor, der den Direktor kennt. Wenn Du Dich also nicht für Wien entschließt, das abgesehn von dem Fehlen der Landwirtschaft auch zunächst ganz gut wäre, besonders da es Dir auch ganz neue Verhältnisse zeigen würde, wäre es am besten, wenn Du nach Friedland (eine merkwürdig schöne traurige Stadt in meiner Erinnerung, ich war dort 14 Tage) fährst und mit den Leuten sprichst. Vielleicht schreiben sie mir auch inzwischen. Wegen der Kosten des Ganzen mußt Du mit dem Vater gar nicht reden, ich zahle es sehr gern, das Geld hat so wie so immer weniger Wert und so lege ich es bei Dir an, es wird dann die erste Hypothek auf Deiner künftigen Wirtschaft sein.

Bis Sonntag dürfte ich zuhause sein, dann fahre ich wahrscheinlich weg, nach Turnau; brauchst Du mich übrigens zu den Besichtigungsfahrten, kannst Du mich haben. Je früher Du – da es nun schon einmal beschlossen ist – von Zürau weggehn kannst, in allen Ehren natürlich, – desto besser Du hast dann mehr Zeit Dich umzusehn vor dem neuen Schuljahr.

Wenn Du übersiedelst, vergiß meine Zeitungen nicht. Schick sie vielleicht mit der Post.

Leb wohl und grüß herzlich alle   Franz

Was wird denn das Fräulein machen?

Liebe Ottla, ein Nachtrag: die Antwort aus Friedland ist gekommen ich antworte dem Direktor mit dem abschriftlich beiliegenden Brief. Es sind zwei Schulen: die Winterschule (zwei Winterkurse immer von Anfang November bis Ende März, welche aber von »ältern Landwirten, welche schon längere Zeit in der Praxis stehn« in einem Kurs absolviert werden können.) dann ist dort noch die heuer allerdings zweifelhaft gewordene Haushaltungsschule. Solltest Du erst nach Prag kommen, wenn ich schon weg bin, wirst Du alle Prospekte in Deinem-meinem Zimmer finden und alles was an Briefen oder Prospekten in meiner Abwesenheit gekommen sein sollte, im Bureau von Fräulein Kaiser und von Herrn Klein (der auch die Zuleger und Graupner kennt und bei der Landesverwaltungskommission ev. urgieren würde) bekommen.

Gerade bekomme ich noch einen wichtigen Auftrag: Hasen und Rebhühner wieviel Du bekommen kannst dem Hr. Oberinspektor per Nachnahme schicken! Herr Lüftner bekommt, falls die Preise nicht gar zu übertrieben sind, zu jedem Stück außer dem Geld von Herrn Oberinspektor auch noch etwas Rauchzeug (Tabak Cigarren, Cigaretten, Virginia was er will)   Leb wohl
                                                              Franz

Liebe Ottla, noch ein zweiter Nachtrag. Es kam eine Antwort von der Tetschner Akademie. In gewissem Sinn ist natürlich die Akademie noch viel besser, als die Friedländer Winterschule, aber sie hat Hochschulcharakter und ihre Anforderungen sind viel größer. Da kommt es darauf an, was Du Dir zutraust, übrigens auch darauf, ob Du angenommen wirst. Nicht als ordentliche Hörerin allerdings, das ist glaube ich für Mädchen überhaupt unmöglich, aber auch bei außerordentlichen macht man wegen der Vorbildung Geschichten, bei Dir meiner Meinung nach unnötige. Regelrecht dauert die Sache in Tetschen-Liebwerd 3 Jahre, für außerordentliche Hörer läßt sich natürlich die Dauer nach Belieben, nach Fleiß und nach Auswahl der Lehrgegenstände abkürzen. In seiner Antwort fragt mich der Direktor nach Deiner Vorbildung, ich antworte ihm, wie Du in der Beilage siehst, mit Berufung auf Hr. Sekretär Fritsch, der zufällig beim Landesausschuß (es ist eine Landesanstalt) gerade das Referat der Akademie hat und über Deine Aufnahme mitzuentscheiden hätte.

Ich glaube, Du wirst hauptsächlich zwischen diesen zwei Schulen Friedland und Teschen zu wählen haben und am besten Dir beide vorher ansehn.

Leb wohl!
Franz

Nr. 61

[Prag, 1. Oktoberhälfte 1918]

Liebe Ottla schade daß ich Dich nicht mehr getroffen habe. Ich wollte Dich bitten heute Fräulein K. zu besuchen. Herr K. hat mir nämlich heute einen Brief gezeigt, den er vielleicht ihr schreiben wird und in dem er von ihr Abschied nimmt.

Trotzdem schien er stillschweigend fast darum zu bitten, daß Du sie heute besuchst. Nach seinen Erzählungen war er natürlich übertrieben großartig im Recht, soweit es zwischen unsichern aufgeregten Menschen Recht gibt. Sie fürchtet sich eben gar zu sehr vor jeder Tyrannei, sieht sie überall und übt die Tyrannei sogar aus, aus keinem andern Grunde, als um ihr zuvorzukommen. Wenn Du also hingehn willst. –

Ich glaube nicht, daß es einen besondern sachlichen Wert hat, auch gab es solche Szenen wie gestern nach seinen Erzählungen schon viele, aber ein Besuch würde doch bedeuten wenigstens den Versuch ihr und ihm etwas Liebes zu tun

F

Nr. 62

[Stempel: Prag – 11. XI. 18]

Liebe Ottla mir geht es ganz erträglich, ich bin jeden Vormittag außer Bett, draußen war ich noch nicht, vielleicht heute, vielleicht morgen.

Deine Lage ist nicht leicht, das weiß ich. Hunger haben, ohne eigenes Zimmer sein, Verlangen nach Prag haben und dabei einen großen Stoff lernen sollen, das ist eine große Probe, sie überstehn ist natürlich auch groß. Die Umstände in Zürau waren für Dich und Deine Zwecke viel günstiger. Nun, in den ersten Tagen kannst Du noch keinen Überblick haben, aber bald wirst Du doch erkennen, ob Du es halbwegs achtbar leisten kannst. Sollte das Lernen oder Deine Gesundheit leiden, kommst Du natürlich zurück. Allerdings hätte dann der Vegetarianismus eine Schlacht verloren, denn die »ältern Landwirte« nähren sich im Gasthaus sicher ausgezeichnet. Übrigens gibt es ja noch eine Rettung, falls Pakete ankommen. Ich würde Dir gern regelmäßig Mehl schicken; es soll zu haben sein.

Die Friedländer Plünderungen haben hier nicht gefallen, besonders die Stilisierung der »Prager Tagblatt« Notiz nicht. Da Friedland sonst so friedlich ist und nichts Ärgeres kennt, waren gleich in der Einleitung die Ausschreitungen als »furchtbar« bezeichnet. Schlimm ist jedenfalls daß man Deinen Zucker und vielleicht noch anderes fortgetragen hat und daß Du an dem Tag nicht viel gelernt hast. Die Eltern sind schon beruhigt.

Also liebe Ottla: lernen oder zurückkommen, gesundbleiben oder zurückkommen. Setzt Du es durch, werde ich Dich bewundern, kommst Du zurück, werde ich Dich trösten.

Noch eins: Überfüll die Lehrbücher nicht allzusehr mit angefangenen Briefen. Sie könnten in der Schule, wenn Du auf Deinem hohen Platz sitzst, auf den Boden fallen, aufgehoben werden und durch die Klasse wandern.

Leb wohl Franz
Empfiehl mich der Frau Hub

Nr. 63

[Ansichtspostkarte: Prag, Hradschin, Strahower Kloster]

[Stempel: Prag – (27. November 1918)]

Einige Freunde grüßen Dich herzlich:
ich am meisten   Irma Franz
Die besten Grüße von Deiner Mutter
Viele Grüße von Deinem Vater Herman Kafka
Ještě někdo Tě srdečně pozdravuje, ale toh Ti teď ještě ani nechci prozraditi.
Mnoho pozdravu zasíla   Marie Wernerová

Nr. 64

[Postkarte, mit Zeichnungen Kafkas; Bildunterschrift: »Ansichten aus meinem Leben«]

[Schelesen, Anfang Dezember 1918]

Und wie geht es Dir? Weihnachten bring Hefte und Bücher, ich werde Dich prüfen. Soll ich übrigens nach Prag kommen? Es geht mir hier ebenso gut wie in Zürau, nur ist es hier etwas billiger; 6 frc. pro Tag (bei dem in Wien jetzt üblichen Umrechnungskurs 1 K = 10 ct.) Ich will 4 Wochen hier bleiben, könnte aber gut und gern Weihnachten nach Prag kommen. Viele Grüße. Franz

Karte dem Oberinspektor?

Nr. 65

[Postkarte]

[Schelesen, 11. Dezember 1918]

Liebe Ottla, das ist schlimm; wenn schon eine kleine Karte Dich im Lernen stört, wie erst die andern Briefe. Übrigens war die Karte hauptsächlich für den nervösen Professor bestimmt. – Über den damaligen Abend hast Du ja andere Berichte, er verlief meinem Gefühl nach großartig leicht und selbstverständlich, kein Herz schien eine Last zu tragen. Heute abend, Mittwoch, soll nach Mutters Brief eine neue große Zusammenkunft sein. Weihnachten komme ich also, es geht mir ja sehr gut, wenn ich auch immerhin ein etwas schwächerer Atmer und stärkerer Herzklopfer geworden bin. – Die Grüße des Frl. F. freuen mich sehr. Ich habe seit Deinen Beschreibungen – vermischt mit dem leichten Fieber, das ich damals hatte –, eine hohe Vorstellung von ihr behalten. Vielleicht wäre sie übrigens so freundlich mir auf Deiner nächsten Karte ein paar möglichst unbeeinflußte Worte über Deine Fortschritte zu schreiben. – Was bedeutet das: »Essen suchen«? Schade, auf meinem Tisch wäre manches zu finden. Statt dessen aber mache ich folgendes:

 , um Dir wieder eine Lehrstunde zu verderben.

Franz

Nr. 66

[Postkarte]

[Schelesen, 1. Februar 1919]

Liebe Ottla heute in der Nacht zwischen dem 31.1 und
1. II wachte ich etwa um 5 Uhr auf und hörte Dich vor
der Zimmertür »Franz« rufen, zart, aber ich hörte es deutlich. Ich antwortete gleich aber es rührte sich nichts mehr.
Was wolltest Du?

Dein Franz

Nr. 67

[Stempel: Liboch – 5. 2. 19]

Liebe Ottla, es war also nur der eine Abend, er wird wiederkommen, aber ich fürchte nicht für Dich.
Zu Deinem Brief schreibe ich nächstens, heute nur zu
Deiner Anfrage wegen der Redeübung, weil das eilt.
Also was ich im Augenblick, aufs Geratewohl, vorläufig
sagen kann:
Zunächst scheint es mir als Vorbereitung für die Redeübung
die unglücklichste Geistesverfassung, wenn man »aus meinem Kopf allein nichts nützliches fertig bringen« zu können
glaubt. Das ist doch ganz und gar falsch, Du hast einfach
etwas derartiges noch nicht gemacht und deshalb zögerst
Du; wagst Du aber den Sprung über Deinen Schatten –
etwas ähnliches ist jedes selbstständige Denken – wirst Du
ausgezeichnet hinüberkommen, trotzdem es eine nachweis-
bare Unmöglichkeit ist.
Ich sehe zwei Hauptmöglichkeiten von Vortragsthemen für
Dich, sehr persönliche und sehr allgemeine, wobei natürlich

die erstern auch allgemein, die letzeren auch persönlich sind und ich diese Einteilung überhaupt nur mache, um Dir vielleicht einen ersten Einblick zu verschaffen, nach dem Du ganz selbstständig das für Dich Passende herausholen kannst.

Die sehr persönlichen Themen sind gewiß die verdienstvollsten schon weil sie die ergiebigsten und kühnsten sind. Sie sind insofern nicht die schwierigsten, weil sie wenig Studium sondern nur Nachdenken voraussetzen, sind aber doch die schwierigsten, weil sie ein f a s t ü b e r m e n s c h - l i c h e s M a ß v o n Z a r t h e i t , B e s c h e i d e n h e i t und Sachlichkeit (und wahrscheinlich noch anderes, was mir gerade nicht einfällt) verlangen.

Ein solches Thema wäre z. B. »Mädchen unter Jungen« soweit es sich auf die Friedländer Schule bezieht. Du hättest Deine und als Hinterlassenschaft der F., ihre Erfahrungen darzustellen, in Folgerungen, die Du daraus ziehst, Dich zu wehren oder zu beschuldigen, Gutes und Schlechtes zu sondern, Mittel zu suchen, das Erste zu stärken, das Zweite zurückzudrängen u.s.w. Zeitgemäß wäre der Vortrag als Vortrag des ersten Mädchens im ersten Jahr der allgemeinen Zulassung der Mädchen zum Studium, besonders da diese Zulassung jetzt wahrscheinlich überall dauernd und grenzenlos sein wird. Förster könnte Dir bei dem Vortrag helfen.

Ein zweites Thema dieser Art, nur noch heikler, wäre »Schüler und Lehrer« wieder nur hinsichtlich Deiner Schule. Es wären Deine Erfahrungen als Schülerin, eine Art Versöhnungsfest zwischen Schülern und Lehrern. Also Aufzählung dessen wovon Du und Deiner Beobachtung nach andere den größten Vorteil beim Unterricht gehabt haben, welche Methoden vorzüglich, welche gut und welche nicht ganz gut waren und wie und mit welchen, vorzüglichen, guten und weniger guten Methoden die Schüler sich demgegenüber verhalten haben. Immer möglichst viel Tatsachen, möglichst viel Wahrheit, möglichst wenig Selbstgerechtigkeit.

Ein drittes Thema, weniger heikel und noch persönlicher: »Meine Vorschulerfahrungen bei einer Wirtschaftsführung«. Die Zürauer Erfahrungen, also etwa: warum Du aus der Stadt fort mußtest, wie der Stand der Wirtschaft bei der Übernahme war, was für Fehler Du machtest, wo Dir die Schule fehlte, wo sie Dir nicht fehlte, was Du an den Bauern bewundertest und nicht bewundertest, wie Du Dich jetzt zu diesen Bewunderungen stellst, was für Erfahrungen Du mit Deinen Untergebenen machtest, worin Du es zu leicht hattest, worin zu schwer, in welchem Zustand Du die Wirtschaft übergabst.

Dann gibt es mittlere Themen nicht sehr persönlich, nicht sehr allgemein; die sind meiner Meinung nach die unratsamsten, man gerät dabei zu leicht in Allgemeinheiten, aber dagegen kann man sich ja wehren. So wären die von Dir vorgeschlagenen reinen Försterthemen, so auch das unendliche allerdings viel weniger allgemeine Thema des Judentums, dem Du aber gerne ausweichen wirst. (»Die Heirat Deiner Schwester geht mir nicht aus dem Kopf« schreibt mir heute Max) Dann aber z. B. noch ein ausgezeichnetes Thema: »Die Zukunft der Absolventen, die nicht selbstständige Landwirte sind« da wäre über Stellenvermittlung zu sprechen, Inseratenwesen, Prüfungen, Siedlungsgenossenschaften u.s.w. Da man jedenfalls sich wegen des Vortrags mit dem Lehrer beraten kann, Bücher von ihm zu dem Zweck ausleihen kann u.s.w. so hättest Du eine gute Gelegenheit anläßlich dieser sachlichen Beratungen Dich auch über Deine Zukunft deutlicher mit den Herren, etwa auch mit dem Direktor (über den Du übrigens eine scheinbar sehr richtige Bemerkung machst) zu unterhalten.

Schließlich kämen die allgemeinen Themen, die ja wohl nur Berichte über Bücher sein könnten, da würde ich vor allem

Damaschke »Bodenreform« das gewiß dort zu haben ist, empfehlen.

Jedenfalls aber braucht die Vorbereitung eines solchen Vortrages, sei er auch ganz klein, viel Zeit. Laß ihn möglichst weit verschieben und schreib mir noch darüber.

Alles Gute! Franz

Nr. 68

[Stempel: Liboch – 20. II. 19]

Liebste Ottla, zunächst sehe ich aus dem letzten Briefumschlag, daß Deine Buchführung wieder in Ordnung ist. Das vorletzte Kouvert trug nämlich die Nummer 17, also eine offenbare Verwechslung der Konti. Das sollte nicht vorkommen.

Das Äußere der Vorträge habe ich mir nicht viel anders vorgestellt, als Du es beschreibst, allerdings hatte ich angenommen, daß der Vortragende gewöhnlich anwesend ist. Unter den Themen hast Du glaube ich gut gewählt, führ es nun aber auch aus. In Deinem Brief schwimmt der Vorsatz, es zu tun, schrecklich unsicher herum, jeden Augenblick glaubt man, er ertrinkt endgültig. Und ich wäre so stolz auf Dich, wenn Du es machen würdest. Und wenn Du es machst, gelingts auch das ist sicher. Allerdings müßtest Du Dich sehr viel damit beschäftigen, das könnte aber zum größten Teil ganz gut auf Spaziergängen geschehn. Als Vorbild für den Vortrag nimm Dir statt der Redeübung in der Schule lieber die Vorträge im Verein, der wirklich eine ausgezeichnete Einrichtung zu sein scheint. So ausgezeichnet allerdings, daß er auch Stellen vermittelt, scheint er aber nicht zu sein. (Nebenbei: dieses überschriebene »aber« ist ganz interessant, es ist offenbar wie auch das Mit-Bleistift-schreiben eine Nachahmung Deiner Art, so wie ich schon früher z. B. in Deinen Briefen Wendungen gefunden habe, die sich auffällig oft wiederholten von

66

Brief zu Brief und, trotzdem sie ganz gutes Deutsch waren, doch und besonders in ihrer Wiederholung ungewöhnlich und fast gesucht klangen, nicht das ausdrückten, was sie sagen wollten und doch einen guten, sichern, bloß nicht auffindbaren Untergrund hatten. Eigentlich habe ich es erst bei Deinem vorletzten Brief erkannt, daß es ganz gewiß Übersetzungen aus dem Tschechischen sind und zwar richtige Übersetzungen [nicht so wie letzthin einmal der Vater dem Herrn D. von irgendjemandem erzählte, mit dem er »na přátelské noze stojí«] die sich aber das Deutsche aufzunehmen weigert, allerdings soweit ich, ein Halbdeutscher, es beurteilen kann)

Das Inserat in der Zeitung ist freilich nicht schön, es stört geradezu mein Weltbild, nun wäre man also einer Adjunktenstellung seinen Kenntnissen nach würdig, also für die Welt unbedingt unentbehrlich, kann aber keine Arbeit bekommen. Damit stimmt ja übrigens auch überein, daß in unserer Anstalt, soviel ich weiß, 2 Beamte sind, die früher Adjunkten waren (der Romeo und noch ein anderer ganz ausgezeichneter Mann) und daß beide glücklich sind, Beamte geworden zu sein, während man doch sonst viel eher, schon aus Redegewohnheit, jeden Tausch beklagt. Dagegen ist allerdings zu halten, daß der Adjunkt des Hausfreunds ein sehr fröhlicher Mann war und bis heute Adjunkt geblieben ist. Schließlich ist dagegen auch die »Bodenreform« zu halten. (Das Buch von Damaschke haben sie bei Euch nicht?)

– Eben habe ich vor meinem Balkon ein landwirtschaftliches Gespräch gehört, das auch den Vater interessiert hätte. Ein Bauer gräbt aus einer Grube Rübenschnitte aus. Ein Bekannter, der offenbar nicht sehr gesprächig ist, geht nebenan auf der Landstraße vorüber. Der Bauer grüßt, der Bekannte in der Meinung, ungestört vorbeigehn zu können, antwortet freundlich: »Awua«. Aber der Bauer ruft ihm nach, daß er hier feines Sauerkraut habe, der

Bekannte versteht nicht genau, dreht sich um und fragt verdrießlich: »Awua?« Der Bauer wiederholt die Bemerkung. Jetzt verstehts der Bekannte, »Awua« sagt er und lächelt verdrießlich. Weiter hat er aber nichts zu sagen, grüßt noch mit »Awua!« und geht. – Es ist hier viel zu hören vom Balkon.

Wie willst Du den Posten suchen und warum mußt Du vorher mit der Mutter sprechen? Ich verstehe das nicht ganz. Daß Du gelegentlich einer aus anderem Grund zu machenden Prager Reise mit der Mutter darüber sprechen würdest, könnte ich verstehen. Auch daß der Vater immer gut gelaunt ist, wäre noch kein großer Grund, besonders da es wahrscheinlich nur ein Gerücht ist. Ich bleibe zumindest noch 3 Wochen hier, solange mein neuer Urlaub reicht, werde also nicht in Prag sein. Jedenfalls könntest Du aber in Prag die gleichen Leute abgehn, bei denen Du wegen der Schule warst. Also Herrn Klein, der Dich vielleicht dem Herrn Zuleger vorstellen könnte, dann Herrn Oberinspektor (Smichow Žižkagasse 30) dann Deinen Landeskulturratsfreund.

Das Buch ist sehr verlockend, aber schick es mir nicht her. Vor 8–10 Tagen bekäme ich es nicht, in 3 Wochen bin ich wahrscheinlich in Prag und außerdem habe ich merkwürdigerweise hier wenig Zeit. Außerdem kann ich nicht viel von Büchern erwarten, viel mehr von einer Schule, am meisten aber von Not, vorausgesetzt daß man noch Kraft hat, dort wo es nötig ist ihr zu widerstehn. Aber laß das Buch, wenn Du kannst, in Prag für mich liegen. Ist es denn besser als der »Pflug«? Und sind nicht vielmehr alle diese Bücher ausgezeichnet, wenn sie von ausgezeichneten Schülern in die Hand genommen werden?

Daß Du Maxens Bemerkung lange nicht aus dem Kopf bekamst, wundert mich eigentlich. Es ist doch keine fernliegende, sondern eine selbstverständliche Bemerkung, die Du doch selbst schon tausendmal gemacht haben wirst.

Daß Du etwas außerordentliches tust und daß das Außerordentliche gut zu tun eben auch außerordentlich schwer ist, weißt Du. Vergißt Du nun aber niemals die Verantwortung so schweren Tuns, bleibst Dir bewußt, daß Du so selbstvertrauend aus der Reihe trittst, wie etwa David aus dem Heer und behältst Du trotz dieses Bewußtseins den Glauben an Deine Kraft, die Sache zu irgendeinem guten Ende zu führen dann hast Du – um mit einem schlechten Witz zu enden – mehr getan, als wenn Du 10 Juden geheiratet hättest

Franz

Nr. 69

[Stempel: Liboch – 24. II. 19]

Aber Ottla was sollte ich denn gegen die Reise haben, im Gegenteil, diese jederzeitige und sofortige Reisebereitschaft ist ausgezeichnet. Nur die Begründung hat mir gar nicht gefallen, weil es keine war. Was soll mit der Mutter über einen Posten gesprochen werden, den Du nicht hast, es wäre denn daß Du mit der Mutter darüber sprechen wolltest, daß Du keinen Posten suchen willst. Aber Du willst doch einen Posten suchen. Oder doch nicht? Auch die Laune des Vaters war mir ein zu merkwürdiger Grund, besonders da sie vom Fräulein beobachtet war, zu der er immer freundlich ist und hinter der er donnert, wenn sie die Tür schließt oder gar offen läßt. Und daß schließlich das Leben kurz ist, spricht nicht weniger für die Fahrt, als gegen sie. Das waren die Gründe; wenn Du aber sagst daß Du fährst, weil Du Dich freust, alle und einen wiederzusehn, so habe ich natürlich gegen die Reise gar nichts, besonders wenn Du mir dafür bürgen kannst, daß die Vorfreude, die Reise und die Nachtrauer nicht die kleinste Mitschuld daran haben wird, wenn Du den Vortrag nicht zustande bringst.

Den Direktor scheinst Du sehr gut zu beobachten, aber nach Deinen Ergebnissen scheint von der Unterredung wirklich nicht viel zu erwarten zu sein. Solchen Menschen kommt man vielleicht besser als durch feierliche Unterredungen dadurch bei, daß man die Sache, um die es sich handelt, lieber nur nebenbei erwähnt, aber nicht einmal, sondern 25 mal und bei den unerwartetsten Gelegenheiten. Die Hauptvoraussetzung des Gelingens ist allerdings, daß er überhaupt, auch wenn er den Willen hätte, helfen kann.

Hier ist jetzt auch sehr warm und schön, noch jetzt gegen Abend sitze ich ohne Decken auf der Veranda und gemittagmahlt habe ich bei offenem Fenster im Sonnenschein. Unten vor dem Fenster, Meta und Rolf, die Hunde, die auf mein Erscheinen oben mit den Resten des Essens gewartet haben, wie die Leute auf dem Altstädter Ring die Apostel erwarten.

Letzthin habe ich wieder allerdings mittelbar von Dir geträumt. Ich führte in einem Kinderwagen ein kleines Kind herum, dick, weiß und rot (das Kind eines Anstaltsbeamten) und fragte es, wie es heißt. Es sagte: Hlavatá (Name eines andern Anstaltsbeamten) »Und wie mit dem Vornamen?« fragte ich weiter. »Ottla« »Aber« sagte ich staunend »ganz so wie meine Schwester. Ottla heißt sie und hlavatá ist sie auch«. Aber ich meinte das natürlich gar nicht böse, eher stolz.

Was Max betrifft, so dachte ich nicht an eine bestimmte Bemerkung, sondern an alle zusammen und ihren gemeinsamen Grund. Er meint doch (abgesehen davon, daß er darin auch noch einen Verlust des Judentums und Dein Verlieren des Judentums für Dich und die Zukunft beklagt, aber darin sehe ich nicht genug klar) daß Du etwas außerordentliches, etwas außerordentlich schweres tust, das Dir aber natürlich auf der einen Seite, der Herzensseite, sehr leicht fällt, so daß Du das Außerordentliche auf der andern

Seite übersiehst. Das nun glaube ich aber nicht und habe deshalb keinen solchen Grund zu klagen.

Grüß alle in Prag von mir und mach bitte durch richtige für den einzelnen Fall passende Bemerkungen das gut, was ich durch ungenügendes oder Nichtschreiben schlecht gemacht habe.

Dein Franz

Nr. 70

[Postkarte]

[Stempel: Liboch – 27. II. 19]

Liebe Ottla, Sonntag zwischen 2 und 3 Uhr erwartet Dich Frl. Olga Stüdl in ihrer Prager Wohnung am Radetzkyplatz. Je pünktlicher Du bist, desto besser, desto empfehlender. Sie hat zwei, allerdings noch fast vollständig unsichere Anstellungsmöglichkeiten für Dich, eine davon bei ihrer Tante, deren Mann vorgestern gestorben ist, und die außer andern riesigen Dingen auch ein riesiges Gut hat. Damit der Empfehlungsbrief Frl. Stüdls überzeugter begründet ist, habe ich ihr vorgeschlagen, sie möge mit Dir selbst sprechen. Sag ihr also ausführlich, was Du kannst und willst. – Es ist nun freilich nicht ganz ausgeschlossen, daß Frl. Stüdl am Sonntag noch nicht in Prag ist, dann würdest Du eben den kleinen Weg nutzlos gemacht haben und Frl. Stüdl würde schreiben, ohne mit Dir gesprochen zu haben. Montag bist Du wohl nicht mehr in Prag, sonst könntest Du noch Montag bei Stüdl anfragen. Sonntag geh aber jedenfalls hin.

Grüß alle und mach alles gut.

Franz

Nr. 71

[Postkarte]

[Stempel: Tetschen-Deutschbrod – 6. III. 19]

Liebe Ottla, sei so gut, schreib mir etwas über die Dinge
zuhause. In dem letzten Brief vom Dienstag schreibt die
Mutter so merkwürdig aufrichtig über eigene Aufregung
und noch größere Aufregung des Vaters, so als wäre noch
viel mehr verschwiegen. Wie war es zuhause? Auch Du
scheinst ja merkwürdig lange dort geblieben zu sein, erst
Mittwoch bist Du weggefahren. – Das Reformblatt, das
ich Dir geschickt habe, hast Du wohl bekommen? Herzliche
Grüße

Dein Franz

Nr. 72

[Schelesen, Mitte März 1919]

Liebste Ottla, wir spielen ja nicht gegeneinander, sondern
wir haben ein gemeinsames Spiel und sitzen beisammen,
aber eben weil wir einander so nah sind, unterscheiden wir
nicht immer, was der andere will, ob stoßen, ob streicheln.
Es geht auch wirklich in einander über. So war auch z. B.
der »volle Mund« nicht eigentlich gegen Dich, sondern viel
eher in Deinem Namen an jenes »Unbestimmte und Unsichtbare« gerichtet. Du siehst selbst aus Deinem Briefe,
daß es eine Antwort gibt, wenn auch nur eine seinem
Wesen entsprechende »unbestimmte«. Etwas ist es
immerhin.
Ich sah Dich, nicht viel, aber ein wenig unruhig, in der
Prüfungszeit hin und her fahren, fürs Lernen nicht ganz
zusammengefaßt zu sein, sogar gerne einen Zug versäu-
men, denn ich habe den Aberglauben, daß Du nur versäu-
men kannst wenn Du es stark willst – aus diesen Gründen

fragte ich. Ich wollte damit zweierlei: Für den Fall, daß Du jetzt in der Prüfungs-Ausnahmezeit die äußern Schwierigkeiten übertrieben groß sehen solltest, wollte ich sie mit der Frage in das richtige ungefährliche Licht stellen. Äußere Schwierigkeiten, an denen man innerlich Schaden nimmt, darf man nicht anerkennen; da ist es besser an jenen Schwierigkeiten ganz zugrundezugehn. Das meint z. B. der Vater nicht anders, wenn er eine Heirat ohne finanziellen Rückhalt für ein Unglück hält, er sieht eben im Fehlen des Rückhalts jenen schweren, innern, letzten Schaden. Wir haben dafür einen andern Blick, wenigstens jetzt.

Das war das eine was ich wollte. Für den Fall aber, daß das nicht zutraf – ob es nicht irgendwie zutrifft, weiß weder ich noch Du – wollte ich durch die Frage zeigen, daß Du kein Recht zu Unruhe und Ungeduld in dieser Richtung hast, denn das »Unsichtbare« das ja Du selbst bist, wird zu seiner Reifezeit entscheiden. Du hältst, soweit meine Menschenaugen sehn, Dein Schicksal so selbstherrlich in der Hand, in einer kräftigen, gesunden, jungen Hand, wie man es sich nur irgendwie wünschen kann.

Du hast recht: »voller Mund« ist nicht gut, aber es gibt glücklicherweise keinen, soweit »voller Mund« bedeutet: etwas endgültiges endgültig zu sagen. Ich glaube Raskolnikow klagt einmal über den »vollen Mund« des Untersuchungsrichters. Du weißt, der Untersuchungsrichter liebt ihn fast, wochenlang unterhalten sie sich freundschaftlich über dies und das, plötzlich einmal aus einem Witz heraus beschuldigt der Untersuchungsrichter den Raskolnikow geradezu, beschuldigt ihn, weil er ihn eben nur »fast« liebt, sonst hätte er wahrscheinlich nur gefragt. Jetzt ist alles endgültig zuende glaubt R., aber davon ist keine Rede, im Gegenteil, es fängt erst an. Nur der Untersuchungsgegenstand, der beiden dem Richter und R. gemeinsame Untersuchungsgegenstand, das Raskolnikowsche Problem, hat für beide ein freieres, erlösenderes Licht bekom-

men. Übrigens fälsche ich hier den Roman schon. – Aber
über das alles können wir auch nach der Prüfung sprechen
und besser. Jetzt antworte mir nur auf einer Karte paar
Zeilen über Blattern Lernen und Gesinnung (mir
gegenüber)

Franz

Nr. 73

[Stempel: Liboch – (Anfang) XI. 19]

Liebe Ottla, wie in vielem andern, überlasse ich Dir die
Entscheidung, ob Oskar kommen soll. Ich habe einige
kleine Bedenken, die allerdings fast ausschließlich mich
persönlich betreffen also nicht sehr nobel sind und überdies
wesenlos werden, wenn nur irgendwie zu erwarten ist, daß
die drei Tage Urlaub Oskar von Nutzen sein werden, denn
dann würde ich den Nutzen mit ihm teilen. Immerhin sage
ich die Bedenken: wir müßten in einem Zimmer wohnen, ich
könnte nicht bis 11 Uhr im Halbschlaf liegen, ich müßte
mehr als bisher spazieren gehn, er würde in unserem gemeinsamen Zimmer arbeiten, ich müßte ihn öfters stören, ich
würde den noch kaum angefangenen Brief an den Vater
nicht fertig bringen und – schließlich – würde er mir eine
abscheuliche »Auskunft« mitbringen aus welcher mir Max
schon einiges erzählt hat. Diese alle Bedenken können aber
auch ganz zusammenfallen, die Wirklichkeit kann viel einfacher sein: wir können jeder auch in eigenem Zimmer vielleicht wohnen, es können auch andere mit ihm spazieren
gehn, er kann Gefallen am Liegen finden, der Brief an den
Vater kann trotzdem fertig werden oder kann, was wahrscheinlicher ist, trotz seines Nichtkommens ungeschrieben
bleiben, die Auskunft allerdings wird er auf jeden Fall mitbringen.
Motive hast Du also genug, entscheide, jedenfalls aber
wäre es mir lieb, wenn Du zu Oskar giengest, sei es ihn zu

grüßen, sei es ihn einzuladen. Mir geht es, da keine Anforderungen an mich gestellt werden, erträglich gut, allerdings
war Max bisher hier.
Du schreibst mir nicht.

Franz

Grüß alle vom Vater bis zu Chana hinab.

Nr. 74

[Schelesen, ca. 10. November 1919]

Liebe Ottla, vor lauter Bedenken wegen Oskars Reise habe
ich das allerdings selbstverständliche vergessen, daß Du,
abgesehen davon, wie Du Dich wegen Oskar entscheidest,
wenn Du Lust hast jedenfalls herkommen sollst, schon um
den (vorläufig fast nur in meinem Kopf lebenden) Brief zu
beurteilen. Allerdings wird es dazu eigentlich schon zu spät
sein, wenn Du, wie Du es früher beabsichtigt hast, erst
Samstag kommst; nun ich könnte ja den Brief erst Montag
abschicken lassen, es wird nicht viel schaden, wenn er ankommt und ich schon in Prag bin.
Frl. Stüdl ist lieb und gut, über den Brief habe ich noch
nicht mit ihr gesprochen. Sie leidet viel durch Frl. Therese,
trägt es aber so, daß man es kaum bemerkt. Viel neues in
der Wirtschaft.
Es sind noch 2 junge Herrn hier und ein Mädchen, Eisner,
eine Teplitzerin. An und für sich gefällt sie mir gar nicht,
hat auch alle Hysterie einer unglücklichen Jugend, aber ist
doch ausgezeichnet, offenbar sind sie alle ausgezeichnet, sei
froh, daß Du ein Mädchen bist.
Vergiß nicht das Hochzeitsgeschenk, bis 200 K darf es
kosten und schreib etwas Freundliches dazu
Grüß alle   F

[Schelesen, 13. November 1919]

Dieser Brief trifft Dich hoffentlich nicht mehr, denn Du bist schon allein oder mit Oskar auf der Reise, d. h. wenn Du erst Samstag fährst, kann er Dich noch treffen. Sonntag abend fahren wir dann zusammen nach Prag.

Über Dein Nichtschreiben klagte ich nur deshalb, weil ich annehmen mußte, daß in Deinen Dingen etwas Wesentliches (da doch alles wesentlich ist) geschehen sei und ich daran teilhaben wollte.

Es geht mir wenn ich allein bei mir bin erträglich, im Beisammensein mit den andern bin ich sehr traurig. Aber Du wirst ja alles sehn. Also komm.

Der vorlesende Vater ist eine große Erscheinung, ich hatte sie als Kind nie.

Von Frl. W. schreibst Du nichts.

F

Grüß alle, danke ausdrücklich der Mutter für ihre liebe Karte.

Nr. 76

[Briefkopf: Gasthof Emma, Meran, Pragserwildsee]

[Stempel: Meran – 6. IV. 20]

Liebe Ottla, müde vom Wohnungssuchen, es gibt soviele
Wohnungen, die Grundfrage ist: große Hotelpension (z. B.
die wo ich jetzt recht gut lebe, vegetarisch gut, nicht gerade
sehr durchdacht, aber immerhin) oder kleine Privatpen-
sion. Erstere hat den Nachteil daß sie teuerer ist (ich weiß
allerdings nicht wie viel es ausmachen wird, ich esse nicht
in Pension) vielleicht nicht so gute Liegemöglichkeit gibt,
wie die kleine Pension, auch wird man wohl in der kleinen
persönlich interessierter behandelt, worauf ein Vegetarianer vielleicht mehr angewiesen ist, als ein anderer aber
einen großen Vorteil hat sie, es sind die großen freien
Räume, das Zimmer selbst, der Speisesaal, die Vorhalle,
selbst wenn man Bekannte hat, ist man frei, unbedrückt,
die kleine Pension hat dagegen etwas von einer Familien-
gruft, nein das ist falsch, etwas von einem Massengrab. Sei
das Haus noch so gut instand gehalten (ist es das nicht,
auch solche sah ich, dann möchte man sich gleich hinsetzen
und über die Vergänglichkeit weinen) es ist doch notwendig eng, die Gäste sitzen aneinander, man schaut einander
immerfort in die Augen, es ist eben wie bei Stüdl, nur daß
allerdings Meran unvergleichlich freier, weiter, mannigfal-
tiger, großartiger, luftreiner, sonnenstärker als Schelesen
ist. Das ist also die Frage. Was hältst Du z. B. von der
Ottoburg, dem einzigen brauchbaren Ergebnis des Nachmittags (des dritten Meraner, und des ersten unverregneten
Nachmittags) Preis 15 Lire, der gewöhnliche Preis der Pri-

vatpensionen, reines Haus, die Wirtin eine fröhliche sehr dick- und rotbackige Frau des Buchhändlers Taussig, erkennt sofort mein Prager Deutsch, interessiert sich sehr für meinen Vegetarianismus, zeigt dabei aber völligen Mangel vegetarischer Phantasie; das Zimmer ist recht gut, der Balkon gestattet alle Nacktheit, dann führt sie mich in den gemeinsamen Speisesaal, ein hübscher Saal, aber doch niedrig, so sitzt man beisammen, die gebrauchten Servietten in den Ringen bezeichnen die Plätze, Schneewittchen hätte keine Lust gehabt, hier Späße zu machen. Nun? Ehe Deine Antwort kommt dürfte ich mich schon entschieden haben, versprochen habe ich, daß ich morgen vormittag schon komme.

Die Reise war sehr einfach, der Südamerikaner war nur ein Mailänder, aber dafür ein liebenswürdiger, rücksichtsvoller, schöner, eleganter, im Körper eleganter Mensch, ich hätte nicht besser wählen können und man kann gewiß für dieses im Grunde abscheuliche enge Beisammensein, es war auch sehr kalt, gelegentlich sehr schlecht wählen. Die Francs habe ich nicht gebraucht, es werden offenbar wenn sich die Reisenden an ein bestimmtes System gewöhnt haben, sofort neue Systeme eingeführt, die weitere Karte war in österr. Kronen zu zahlen; wieviel kostet die Karte von der Grenze bis Innsbruck? An 1300 K, soviel hatte ich allerdings nicht. Die Lire waren in Innsbruck ganz leicht zu wechseln.

Vorläufig genug, ich muß noch (nach meiner Vorschrift) Orangenlimonade trinken gehn. Schreibe mir ausführlich von Dir, besonders von Sorgen, wenn Du willst auch Träumen, in die Ferne hat auch das Sinn. Grüße alle, auch Max oder Felix, wenn Du sie sehen solltest.

Dein F

Meine liebe Ottla, was ich von den Sorgen schrieb, habe ich natürlich nicht so ernsthaft gemeint, ein guter Kopf hat keine Sorgen und ein schlechter wird sie nie los, aber in der Ferne bekommt man so eine besondere Beziehung zum Zuhause, man ist dem Fernen gegenüber, das man in seinen Einzelnheiten also gerade in seinem Gefährlichen nicht mehr sieht, besonders mächtig und klardenkend, man glaubt, wenn Du z. B. eine Sorge hättest, müßte man sie von hier aus mit einem geraden Strich beseitigen können und deshalb, also nicht Deiner Sorgen wegen sondern um meiner Macht willen wollte ich, daß Du mir alle Sorgen schreibst. Gut daß Du keine hast, mein Strich wäre wohl auch in Wirklichkeit nicht scharf genug. (Jetzt ruft draußen in den Gärten irgendjemand »Halloh« mit einer Stimme, die der Maxens erstaunlich ähnlich ist)

Sehr deutlich ist in Deinem Brief, wie der Vater meine Karte zum zweitenmal liest, dieses zweite Lesen, wenn er so zufällig nach dem Spiel nach irgendetwas auf dem Tisch sich herumtreibendem Geschriebenem greift ist ja viel wichtiger als das erste Lesen. Wenn man sich nur immer der Verantwortung bewußt bliebe, wenn man schreibt. Als ob ich z. B. den Vater jemals mündlich um eine Zuckersendung bitten würde, aber geschrieben wird es ohne weiters und sinnlos. »Da hast Du Deinen Herrn Sohn. In was für eine Spelunke er da wieder gekrochen ist, nicht einmal Zucker haben sie dort«. So oder ähnlich. Nun wäre mir ja nicht eingefallen um Zucker zu schreiben, wenn mir nicht den Abend vorher Frau Fröhlich gesagt hätte, daß sie sich schon öfters aus Prag Zucker hat schicken lassen, und wenn ich dann nicht gleich nächsten Morgen das abscheuliche Sacharin bekommen hätte. Also ich schrieb nicht aus Not sondern aus Zufall und Gedankenlosigkeit, auch war es in jenen ersten Tagen, wo ich an Limonaden mich nicht satt trinken konnte und diese eben das Ehepaar mit dem eigenen Zucker selbst machte. Um in dieser Sache ganz vollständig zu sein: im Hotel war genug Zucker schlechter aber, weil dieses pauschale Zuteilung bekommt, während die Pension genau rationiert ist und den Zucker für Mehlspeisen braucht. Soviel Zucker wie Böhmen hat ja kaum ein anderes Land in Europa. Also das ist die lange Geschichte. Aber wie gesagt auch den Zucker brauche ich nicht mehr. Honig ersetzt ihn und an Limonaden habe ich mich für Wochen sattgetrunken.

Sonst ist aber meine Pension großartig und wenn ich jetzt vom Tisch aus durch die ganz offene Balkontür in den Garten hinausschaue, lauter voll blühende mächtige baumartige Sträucher knapp am Geländer und weiterhin das Rauschen großer Gärten – übertrieben, es ist nur die Eisenbahn – so kann ich mich nicht erinnern einen ähnlichen Prospekt im Teater (durch das elektrische Licht hat es jetzt teaterähnliche Beleuchtung) gesehen zu haben, außer wenn die Wohnung eines Prinzen oder wenigstens einer sehr hohen Persönlichkeit glaubhaft gemacht werden sollte.

Und das Essen, das ist eben für mich viel zu reichlich. Das Nachtmahl, das ich gestern der Mutter beschrieben habe, hat mich z. B. weil ich mich in ekelhafter, äußerlich allerdings gar nicht auffälliger Weise übernommen habe, fast den ganzen Schlaf der letzten Nacht und sonstige Unannehmlichkeiten gekostet. Um Mißdeutungen vorzubeugen: ich habe heute schon wieder sehr viel gegessen. Daß man gerade dem Magen des Andern nicht glaubt und der Lunge z. B. ohne weiters und beides ist doch objektiv in gleicher Weise festzustellen. Niemand sagt: Wenn Du mich ein bischen lieb hast, hör auf zu husten. Andererseits ist es ja ein ganz feines und verläßliches Gefühl, das z. B. im Vegetariersein (es bekommt in fremden Augen leicht etwas Berufsmäßiges: von Beruf Vegetarianer) etwas sich Vereinsamendes, etwas Wahnsinnsverwandtes wittert, nur vergißt man in schrecklicher Oberflächlichkeit, daß hiebei der Vegetarianismus eine ganz unschuldige Erscheinung ist, eine kleine von tieferen Gründen hervorgebrachte Begleiterscheinung und daß man sich also gegen diese tieferen aber wahrscheinlich unzugänglichen Gründe wenden müßte.

So gesprächig bin ich also geworden, weil mein letzter Brief statt Dir Spaß, der Mutter Sorge gemacht hat und davon wie es mir sonst geht habe ich nicht viel gesagt. Nächstens. Letzthin habe ich im Traum einen Aufsatz von Dir in der Selbstwehr gelesen. Überschrieben war es: »Ein Brief«, vier lange Spalten, sehr kräftige Sprache. Es war ein an Marta Löwy gerichteter Brief, der sie über eine Krankheit des Max Löwy trösten sollte. Ich verstand nicht eigentlich, warum er in der Selbstwehr stand, aber ich freute mich doch sehr. Alles Gute!

Franz

Hat Felice schon geantwortet? Wenn nicht, wird man ihr wohl noch einmal unter voller Adresse schreiben müssen Daß ich es nicht noch zu sagen vergesse: Du mußt ja jetzt wirklich sehr viel zu tun haben, das Frl. allerdings auch und vor allem. Keine Bedienerin?

Nr. 78

[Meran, ca. 1. Mai 1920]

Meine liebste Ottla, ich glaube, daß das eine Verwechslung ist. Gewiß, er wird Dir durch seine Arbeit sehr entzogen, durch das Sokoltum, durch die Politik; von mir aus würde ich jedes auch nicht so gut begründete Fernbleiben gut verstehn (F. war zum erstenmal in Prag, ich hätte leicht Urlaub haben können, faulenzte aber lieber im Bureau, war nur Nachmittag bei ihr und erkannte eigentlich erst den Fehler, als sie viel später in Berlin mir ihn vorhielt, aber Lieblosigkeit war es nicht gewesen, Furcht vor dem Beisammensein vielleicht) von ihm aus verstehe ich es allerdings nicht ganz. Aber auf das alles kommt es glaube ich nicht so sehr an. Diese Arbeit und diese Interessen wären kein eigentliches Fernbleiben, wenn Du imstande wärest sie wenigstens teilweise auf Dich zu beziehn, sie wären dann für Dich geleistet, das Fernsein würde dann im Nahesein förmlich gerechtfertigt. Ich kann nur wieder ein F.-Beispiel vorbringen: sie wäre z. B. zweifellos imstande gewesen sich für die Arbeiterunfallversicherung auf das äußerste, mit Verstand und Herz zu interessieren, ja sie wartete wahrscheinlich ungeduldig auf die Einladung hiezu, auf ein flüchtiges Wort nur; als es ewig nicht kam, wurde sie freilich müde, sie wollte immer tätig sein, suchte einen Weg, aber da war keiner. Aber hier ist es doch anders, ihn freut sein Beruf, er lebt unter seinem Volk, ist fröhlich und gesund, im Wesentlichen (auf das Nebenbei kommt es nicht an) mit Recht mit sich zufrieden, mit seinem großen Kreis zufrieden, mit Recht (es ist nicht anders auszudrücken, so wie eben ein Baum auch mit Recht in seinem Boden steht) und in ganz bestimmten Richtungen mit den andern unzufrieden – ich weiß nicht, es ist aber gewissermaßen fast das »Gut« das Du Dir seit langem wünschst, der feste Boden, der alte Besitz, die klare Luft, Freiheit. Alles das unter der Voraussetzung allerdings, daß Du es erwerben willst. Was Du so oft sagst vom: »er braucht mich nicht« »es geht ihm besser ohne mich« ist Spaß, ernst war daß Du gezögert hast. Das Zögern hast Du nun aufgegeben, ein Rest aber ist noch geblieben und der besteht im Trauern um seine mit Fremden – warum Fremden? – hingebrachte Zeit, besteht in dem Unnatürlichen – warum Unnatürlichen? – der Bureaubeleuchtung, von der Moldau aus gesehn. Gewiß es wäre möglich, daß er zwischen Sonntag und Donnerstag von sich hören läßt und ich verstehe nicht, warum er es nicht tut, aber wichtiger ist das andere und gut daß er

durch sein Verhalten, ohne Absicht allerdings, Dich darüber belehrt.

Ist es zu streng, was ich sage? Ich bin nicht streng zu Dir,
Ottla, wie könnte ich streng zu Dir sein, da ich doch
schon mir gegenüber windelweich bin. Eher bin ich heute
ein wenig nervös, ich schlafe nicht gut, das hat natürlich
auch die Gewichtszunahme schlecht beeinflußt, immerhin
ist sie noch leidlich: 6. IV.: 57.40, 14. IV.: 58.70, 16. IV.:
58.75, 24. IV.: 59.05, 28. IV.: 59.55 (beim letzten hatte ich
durch ein vorher getrunkenes Glas Milch nachgeholfen)
Dabei geht es mir in allen Einzelnheiten ausgezeichnet,
nichts könnte eigentlich besser sein, nur der Schlaf zeigt,
daß etwas fehlt, aber frag ihn, wenn er nicht da ist. Jedenfalls, Fleisch und Sanatorium könnten dem Schlaf eher
schaden als nützen, beim Doktor aber war ich gestern, er
findet meine Lunge ausgezeichnet d. h. er findet dort überhaupt fast nichts Störendes, gegen das Vegetarische hat er
nichts, einige Ratschläge für das Essen hat er mir gegeben,
gegen Schlaflosigkeit (es ist nicht Schlaflosigkeit, ich wache
nur fortwährend auf) Baldriantee, also Baldriantee hat
mir gefehlt. Übrigens ein guter teilnehmender Arzt, Dr.
Josef Kohn aus Prag.

Ich träumte heute von Dir, es war das obige Thema. Wir
saßen zu dritt und er machte eine Bemerkung die mir, wie
das im Traum so geht, außerordentlich gefallen hat. Er
sagte nämlich nicht, daß das Interesse der Frau für die
Arbeit und das Wesen des Mannes selbstverständlich oder
erfahrungsgemäß sei sondern es »sei historich nachgewie-
sen«. Ich antwortete, durch das Interesse für das Allgemeine der Frage von dem besondern Fall ganz abgelenkt:
»Ebenso das Gegenteil«.

Wege willst Du haben? Heute zwei, erstens die Schwimmschulkarte und zweitens bestell für Dich auf meine Rechnung bei Taussig Memoiren einer Sozialistin von Lilli
Braun Verlag Langen, 2 Bände, gebunden. Über einen drit-

ten Weg, zum Direktor, schreibe ich Dir nächstens, ich
werde nämlich vielleicht doch länger als 2 Monate bleiben,
wenns mir weiter gut geht und der Schlaf besser wird.
Über die Wahlen habe ich nur wenig aus dem Večer erfahren, der hier im Einzelverkauf zu haben ist. Felix schickt
mir die Selbstwehr nicht, trotzdem ich ihn darum gebeten
habe. Max fuhr nach München, wie ich von Dr. Kohn gehört habe, der ihn auf der Reise gesehen hat. Gibt es
Familien- und Geschäftsneuigkeiten?
Leb wohl!   Dein Franz

Meinen letzten Brief hast Du inzwischen wohl bekommen?

Nr. 79: *An Julie, Hermann und Ottla Kafka*

[Meran, 4. Mai 1920]

Liebe Eltern, besten Dank für Euere Nachrichten. Das
Wetter war nun allerdings paar Tage sehr schön, sehr heiß,
so daß ich schon mit dem Gedanken gespielt habe, irgendwohin höher in die Berge zu fahren, heute aber gießt es
wieder und ist stürmisch, ich bleibe also noch ein Weilchen
hier, es ist auch sehr gut für mich gesorgt. – Ich habe zwei
Monate Krankenurlaub, die wären Ende Mai zuende, nun
habe ich aber noch den Anspruch auf den gewöhnlichen
5 Wochenurlaub, den ich erst im Herbst ausnützen wollte.
Nun scheint es mir aber, da ich nun schon einmal hier bin,
besser, auch den regulären Urlaub gleich mitzuverwenden,
ganz oder wenigstens zum Teil. Der Doktor hält es auch für
besser, Ihr wohl auch? Allerdings muß das zuerst die Anstalt erlauben das zu erwirken will ich jetzt Ottla bitten.

———

Liebe Ottla, also krank? Vorläufig will ich es so nehmen,
wie es die Mutter schreibt, nämlich, daß es »Halsentzün-

84

dung« ist, am 30. IV. »schon viel besser« war, heute am 4. V. also schon vorüber ist. Aber merkwürdig ist es, daß Du zwar mir schreibst, aber nichts von der Krankheit. Nun von der Ferne ist leicht alles merkwürdig, nur verliert es durch diese Erkenntnis nichts von der Merkwürdigkeit. Schreib mir bald. Meine 2 Briefe hast Du wohl bekommen?

Den Weg zum Direktor werde ich Dir jedenfalls gleich beschreiben, geh aber natürlich erst hin, bis Du ganz gesund bist. Es ist im Grunde sehr einfach, die Bitte wird auch sicher bewilligt werden, nur will ich es formell einwandfrei machen, da der Direktor sich schon einmal in einem ähnlichen Fall wegen einer Formlosigkeit über mich geärgert hat. Es handelt sich um folgendes. Ich bekam 2 Monate Krankenurlaub und außerdem wurde mir vom Direktor ausdrücklich der normale 5 wöchentliche Urlaub zugesagt, den ich aber erst im Herbst nehmen wollte, da ich damals nur an Meran dachte, wo man im Juni angeblich schon zu sehr unter der Hitze leidet, und nicht an die Berge. Nun möchte ich aber doch lieber den Urlaub im ganzen nehmen, das wird auch beim Direktor keine Schwierigkeiten machen denn erstens hat er mir selbst einmal unter dem starken Eindruck des ärztlichen Gutachtens gesagt: »wenn es Ihnen dort gut geht, schreiben Sie an die Anstalt und Sie können auch länger als 2 Monate dort bleiben« d. h. der Krankenurlaub kann (unbeschadet des normalen Urlaubs) verlängert werden zweitens verlange ich ja gar nicht die Verlängerung des Krankenurlaubs sondern nur die Bewilligung den normalen Urlaub gleich im Anschluß an den Krankenurlaub verwenden zu dürfen, was die Direktion ohne weiters ohne erst den Vorstand zu fragen sofort bewilligen kann. Ich habe also das beiliegende von Dir noch zu korrigierende Gesuch geschrieben, ganz kurz erstens weil ich die Geschichte nicht allzusehr aufbauschen will, zweitens weil meine Sprachkenntnisse gegenüber dem unfehlbaren Tschechisch des Direktors zum Aufbauschen nicht ausreichen und drittens weil Du einen Weg willst. Willst Du nicht hingehn kannst Du es auch schicken und die Antwort abholen. Ich denke es mir so: Du gehst hin zum großen Fikart, beratest Dich mit ihm ob Du den Direktor nicht gerade störst und läßt je nach dem Ergebnis der Beratung entweder das Gesuch dort (mit der Drohung daß Du in 1, 2 Tagen um die Erledigung kommst) oder gehst zum Direktor, überreichst ihm das Gesuch mit einem ehrerbietigen Knicks (ich habe Dir ja solche Knickse schon öfter vorgemacht) und sagst, daß ich mich ihm schön empfehle (einen Brief, allerdings einen deutschen, habe ich ihm geschickt) daß es mir recht gut geht, daß ich bis jetzt täglich 10 dkg zugenommen habe, daß bis jetzt recht schlechtes Wetter war, daß der Arzt es für besser hält, wenn ich die Kur ununterbrochen fortsetze (auch der Anstaltsarzt hat ja eine 3 monatliche Kur empfohlen) daß es bei dem jetzigen Stand der Lira hier verhältnismäßig nicht sehr teuer ist (allerdings habe ich nicht sehr vorteilhaft gekauft und die günstigsten Kauftage schon vorübergehen lassen) im Herbst jedenfalls viel teurer sein wird, daß ich nun schon einmal die Reise hinter mir habe, u. dgl. Das Gesuch habe ich nicht direkt an die Anstalt geschickt weil es mir darauf ankommt baldige Antwort (telegraphiere mir dann vielleicht »bewilligt«) zu bekommen, damit ich mich rechtzeitig danach einrichten kann. Dank, alles Gute und herzliche Grüße dem Fräulein.

Franz

Vielleicht grüßt Du bei der Gelegenheit Hr. Treml von mir und siehst nach, ob dort irgendwelche Post für mich ist

Nr. 80

[Postkarte]

[Stempel: Meran – 8. v. 20]

Liebe Ottla, noch nicht gesund? Noch keine Nachricht? Was ist denn das? Ich habe mich hier immerfort gegen Fleischesser- und Biertrinker-Ratschläge zu wehren und wenn mir nichts mehr einfällt, sage ich: »Gewiß ich bin äußerlich kein besonders starker Beweis für das Nichtfleischessen (habe aber schon 3.25 zugenommen) aber meine Schwester u.s.w.« Und nun wirst Du krank und Ihr schreibt mir gar nicht darüber. Und überdies habe ich immerfort Wege nötig; wer wird nur sie machen? Heute z. B.: Kauf mir bitte bei Borový auf der Kleinseite 20 Exemplare des »Kmen« Nr. 6., ein Stück kostet nur 60 h, später wird es nicht mehr zu haben sein und man kann damit billige Geschenke machen, es steht drin nämlich der »Heizer« von Frau Milena übersetzt

F.

Nr. 81

[Meran, Mitte Mai 1920]

Liebe Ottla, Dank für die zwei Briefe und das Telegramm. Ich hätte Dir schon früher geantwortet, aber die Schlaflosigkeit, die eine Zeitlang fast unmerklich war, ist seit einiger Zeit wieder abscheulich ausgebrochen, was Du daraus beurteilen kannst, daß ich zur Bekämpfung allerdings fast mit Gegenerfolg einmal Bier getrunken, einmal Baldriantee getrunken und heute Brom vor mir stehen habe. Nun es wird wieder vorübergehn (vielleicht ist übrigens die Meraner Luft daran mitschuldig, Bädecker behauptet es) aber man wird manchmal unfähig zu schreiben.

Als ich Dir den Brief mit den Belehrungen schrieb, fiel mir natürlich nicht ein, zu denken, sie könnten noch aktuell sein, wenn sie ankämen, ich hielt es bloß nicht für ausgeschlossen daß sie wieder aktuell geworden sein könnten. Es waren übrigens gar nicht Belehrungen sondern nur Fragen.

Wegen Deiner Krankheit war ich deshalb einen Augenblick erschrocken, weil ich kurz nach dem Lesen Deines damaligen Briefs Herrn Fröhlich, der mir, sicher in Übertreibungen von einer Blatternepidemie in Prag erzählte. Ich bin überzeugt daß naturgemäße Lebensweise Blattern übersteht, aber ich will nicht daß der Beweis von Dir geführt wird.

Daß die Hochzeit im Juli sein wird – wie sollte mich das überraschen? Ich dachte vielmehr, sie werde Ende Juni sein. Du sprichst manchmal davon, wie wenn Du mir damit ein Unrecht tätest, während es doch das Gegenteil ist. Beide sollten wir nicht heiraten, das wäre abscheulich und da Du von uns beiden dazu gewiß die geeignetere bist, tust Du es für uns. Das ist doch einfach und die ganze Welt weiß es. Dafür bleibe wieder ich ledig für uns beide.

Ich werde wohl noch im Juni kommen und vom Urlaub noch ein Stück mir aufheben, gar wenn die Schlaflosigkeit mir in den Kurerfolg hineinfährt. Zuletzt hatte ich 3.50 zugenommen, jetzt habe ich mich einige Tage nicht gewogen.

Jene Beruhigung hast Du sehr gut ausgeführt, ich schreibe recht regelmäßig, aber da war wohl doch eine Lücke.

Den Eltern danke bitte für ihren lieben Brief, ich schreibe ihnen bald, auch an die dort angegebenen Adressen. Wann fahren die Eltern ins Bad oder verschieben sie es wegen der Hochzeit? Kommt Onkel Alfred?

Das Wetter ist jetzt sehr schön, der früher gefürchtete Regen wird jetzt gewünscht und kommt auch regelmäßig zu seiner Zeit. Ich bin den größten Teil des Tages fast nackt und kann den Leuten die von 2 nahen Balkonen manchmal zufällig herüberschauen, nicht helfen, denn es ist wirklich sehr heiß. Vielleicht übersiedle ich für die paar Wochen noch nach einem andern Ort, aber nicht wegen der Hitze, sondern wegen der Schlaflosigkeit, es tut mir leid, denn eine so gute Pension und Behandlung finde ich nicht wieder.

Allerdings dachte ich das im Hotel Emma auch. Der Vater würde sagen: »Wenn man ihn nicht prügelt und hinauswirft, ist es eine großartige Pension«. Er hat recht, aber ich auch.

Warst Du schon bei Oskar? Grüß ihn vielmals von mir und erkläre ihm, warum ich noch nicht geschrieben habe. Allerdings hast Du jetzt vielleicht wegen der Vorarbeiten gar keine Zeit. Brief an Felice?

Grüße auch sonst alle und das Fräulein besonders. Wir haben noch immer kein Dienstmädchen?

F

Nr. 82

[Postkarte]

[Stempel: Meran – 21. V. 20]

Liebste Ottla, ich bekam heute zwei Päckchen von Dir, die Selbstwehr (die mir übrigens jetzt Felix auch zu schicken anfängt) und eine Menge tschechischer Zeitungen alle vom 16. Mai. Warum diese? Zuerst dachte ich es seien vielleicht Aufsätze darin über Versicherungswesen oder dgl. die ich gern gelesen hätte, aber es war nichts darin. Jedenfalls hebe ich die Zeitungen auf, bis Du mir darüber schreibst. Schließlich fiel mir ein daß Du vielleicht meine letzte Karte dahin mißverstanden haben könntest. Aber das ist doch nicht möglich, ich bat doch deutlich bei Borový auf der Kleinseite 20 Exemplare (es genügen aber reichlich auch 10) der Nr. 6 der Zeitschrift Kmen zu kaufen (vom 22. April), aber nicht mir zu schicken sondern aufzuheben.

Herzliche Grüße den Eltern und allen   F

Nr. 83

Liebe Ottla, das hast Du also ausgezeichnet gemacht, allerdings hätte ich an Deiner Stelle die Gesundung des Herrn Fikart abgewartet aus dem Grunde weil er es mir vielleicht übelnehmen wird ihn übergangen zu haben. Aber trotzdem bin ich froh noch ein wenig hierbleiben zu können. Vielleicht fahre ich dann im Juni des Übergangs halber noch auf paar Tage nach Böhmen irgendwohin, aber nicht eigentlich weil es mir hier zu heiß wäre. Zum arbeiten allerdings ist sehr heiß, man klagt sogar in den Zeitungen über vorzeitige Hitze, nicht einmal am Abend (nur am Morgen) halte ich es aus eigentlich im Garten zu arbeiten (ganz leichtes natürlich Unkraut durchhacken, Kartoffeln behäufeln, Rosen beschneiden, eine tote Amsel begraben u. dgl.) aber für das Daliegen ist es im Durchschnitt kühl und schön, nicht wärmer als in Prag. Und an der Passer, die aus dem Hochgebirge kommt und kalte Luft mitgerissen bringt, gibt es eine quergestellte Bank, wo es einen in der größten Mittagshitze fast kalt durchweht.

Daß der Direktor Dich nicht viel angeschaut hat, beweißt kein Mißfallen, ich hätte Dich darauf vorbereiten sollen. Es ist das eher ein rhetorischer Effekt oder richtiger ein Verzicht auf das Auskosten der Wirkung. Der gute Redner oder der welcher es zu sein glaubt, verzichtet in seinem Selbstbewußtsein auf das Ablesen der Wirkung vom Gesicht des andern, vielmehr er muß gar nichts ablesen, ist tief von der Wirkung überzeugt, braucht diese Anregung nicht. Übrigens spricht doch der Direktor wirklich außerordentlich gut, bei so formellen Gelegenheiten ist es vielleicht nicht so zur Geltung gekommen.

Ich danke Dir auch noch nachträglich für die Zeitungen, an dem Tag, als ich sie bekam war ich so unausgeschlafen, daß ich nicht begreifen konnte, daß eine solche Menge Zeitungen ohne einen bestimmten Zweck etwa gar zur Unterhaltung gelesen werden könnten. Später habe ich doch manches Interessante in ihnen gefunden. Die Rundschau hebe mir auf, ich brauche sie hier nicht.

Aus den Worten des Direktors könnte man annehmen, daß er sehr bereit wäre mich zu pensionieren. Es ist doch sinnlos einen Beamten zu halten, den man für so erholungsbedürftig hält, daß man immer wieder ihm Urlaub geben will. Oder ist es das Zeichen weiteren Weltuntergangs? Letzthin erzählte einer von einem Gespräch von früheren Heereslieferanten. Sie klagten über die Menge Kriegsanleihe, die sie liegen haben. Nur einer, gerade der welcher am meisten geliefert hatte, sagte, er habe keine. Er erklärte das damit, er habe sich gleich gesagt bei den Preisen, die er mache, könne kein Staat auf die Dauer bestehn, deshalb habe er nicht gezeichnet. Könnte das nicht mancher auch der Welt gegenüber sagen?

Wilder Kopf? Nun es ist schon lange und der Kopf ist wieder gut geworden.

Der General – ich habe von ihm schon geschrieben, nicht? – hat heute im Biergarten (ja, ich ich habe ein kleines Bier zwischen den Fingern gedreht) seine feste Überzeugung ausgesprochen, daß ich heiraten werde und hat auch meine künftige Frau beschrieben. Er kennt nämlich mein Alter nicht und hält mich für etwas ganz Junges, bei ihm ist es angenehm, ich habe ihn gern und sage ihm mein Alter nicht. Dabei ist er viel jünger und ich könnte nicht in Weisheit sein Großvater sein. Er ist 63 Jahre alt, hat aber eine so schlanke, straffe, beherrschte Gestalt, daß er z. B. im Halbdunkel des Gartens, im kurzen Überzieher, die eine Hand an der Hüfte, die andere auf der Zigarette am Mund wie ein junger Wiener Lieutenant aus den alten österreichischen Zeiten aussieht.

Alles Gute   Franz

Grüß doch einmal ganz besonders Elli und Valli ordentlich von mir. Und dann in anderem Ton das Fräulein natürlich. Oskar? Felice? Memoiren einer Socialistin? Schwimmschule?

Nr. 84

[Meran,] Freitag [, 11. Juni 1920]

Liebe Ottla, schweigsam? Das ist ein wenig undeutlich, denn das kann ebenso ein wunderbarer als auch ein abscheulicher Zustand sein, ich will nicht deuten, sondern Deinen nächsten Brief abwarten. Ja, leicht ist ja nichts und auch das Glück, sogar das wahre Glück – Blitz, Strahl, Befehl aus der Höhe – ist eine entsetzliche Last. Aber das ist nichts für Briefe, das ist für »das Badezimmer«.

Wenn Du zu Oskar giengest wäre es mir doch sehr lieb, ich habe ihm noch gar nicht geschrieben: wie soll man ihm auch schreiben, wenn jeder Brief notwendig öffentlich ist. Gib ihm das zu verstehn, wenn dafür Gelegenheit ist. Oder lieber nicht. Aber geh bitte hin und grüß ihn von mir dann auch die Frau und den Jungen.

Hüte oder dergleichen brauchst Du nicht? Um Dich auf dem Weg aufzuhalten, meine ich. Ich habe ihr das Schlimmste getan, was vielleicht möglich ist, und es ist wahrscheinlich zuende. So spiele ich mit einem lebendigen Menschen.

Herr Fröhlich ist gestorben, vorgestern habe ich es zufällig gehört, Ihr wißt es wahrscheinlich schon länger. Kondolieren werde ich nicht, ich muß es ja nicht wissen. Hoffentlich ist dieses scheinbar sehr glückliche Leben ohne große Schmerzen zuende gegangen, ich weiß keine Einzelnheiten.

Wenn die Eltern nicht nach Franzensbad fahren – da am 6. Juni noch ruhig Karten gespielt werden, scheint es so (wo war denn die Mutter an dem Abend?) – werde ich

Ende Juni direkt nach Prag fahren. Das Wetter ist sehr
günstig, wäre nicht der rebellierende Kopf, wäre alles in
Ordnung

Dein Franz

Fräulein besonders grüßen! Was könnte ich ihr mitbringen?
Brief an Felice? Hanne? Schwimmschulkarte? Memoiren?
Onkel Alfred?
Bestelle bitte bei Taussig von der Berliner Zeitschrift: Die
Weltbühne das Heft Nr 23. Herausgeber Jakobsohn

Nr. 85

[Postkarte]

[Stempel: Meran – 28. VI. 20]

Liebste Ottla vor der Abfahrt vor dem Einpacken noch
schnell: Danke für die guten Nachrichten und sei nicht zu
streng bei der Besichtigung, wenn ich komme (Ende der
Woche) Ich schaue in den Schrankspiegel und finde mich
noch sehr ähnlich. Ich fürchte mich nicht wenig, man wird
sagen, in Schelesen in 14 Tagen hätte ich das auch erreichen
können, nun aber es gab auch anderes und vielleicht ist es
nicht gar so schlimm, nur konnte ich nach den ersten 1 1/2
Monaten mit Recht viel mehr erwarten. Also nicht streng
sein. Auf Wiedersehn. Übrigens hast Du ja wahrscheinlich
so viel zu tun, daß Du gar nicht Zeit haben wirst mich anzusehn und sonst ist ja niemand zuhause. Dein F.

Nr. 86

[Postkarte]

[Stempel: Prag – 25. VII. 20]

Liebste Ottla Du fragst nach dreierlei, nach meinen Sachen, nach Hr. Treml und nach der Gesundheit, die Reihenfolge des Wohlbefindens ist die: Treml, Sachen, Gesundheit womit aber nicht etwa gesagt ist, daß die Gesundheit nicht gut ist, nein gar nicht, nur ist eben das Befinden des Hr. T. so unübertrefflich. Und daß ich nichts verloren habe, weiß ich sehr gut, hast Du denn etwa seit der Hochzeit die Ohren verloren? Und da Du sie noch hast, darf ich nicht etwa mit ihnen mehr spielen? Nun also. Deinem Mann habe ich sehr interessante politische Neuigkeiten zu erzählen, doch ist es nicht nötig, die Reise deshalb abzukürzen (im Gegenteil, die Mutter wollte sie wegen Euerer Wohnung eher noch ein wenig verlängert haben) sie gleichen merkwürdigerweise zum Verwechseln den alten Neuigkeiten, die ich ihm schon hie und da verraten habe.

Alles Gute Euch beiden

Dein F

Frl. Skall läßt grüßen
Viele Grüße von mir u. dem Vater an Euch beide.

Nr. 87

[Ansichtspostkarte: Gmünd]

[Gmünd, 14. oder 15. August 1920]

Liebe Ottla, es geht mir hier sehr gut, ich huste überhaupt nicht und ich komme morgen früh und das Ganze ist diktiert

Franz

Er konnte damit nicht fertig werden. Ich grüße Sie herzlichst

Nr. 88

Liebe Ottla, also der Bericht, er ist natürlich auch für die Eltern bestimmt, ich schicke ihn aber lieber Dir, damit Du, wenn etwas Anstößiges darin stehn sollte, es bei der Weitergabe milderst.

Die Fahrt war sehr einfach, in Tatra Lomnitz war allerdings der Koffer nicht da, aber man erklärte es glaubwürdig, er werde den nächsten Tag kommen, er ist auch gekommen und fehlerlos.

Der Schlitten erwartete mich, die Fahrt bei Mondschein durch den Schnee- und Bergwald, das war noch sehr schön, dann kamen wir zu einem großen, hotelartigen, hellerleuchteten Gebäude, hielten aber nicht dort, sondern fuhren ein kleines Stückchen weiter zu einem recht dunklen, verdächtig aussehenden Haus. Ich stieg aus, im kalten Flur (wo ist die Centralheizung?) niemand, lange muß der Kutscher suchen und rufen, endlich kommt ein Mädchen und führt mich in den ersten Stock. Es sind zwei Zimmer vorbereitet, ein Balkonzimmer für mich, das Zimmer nebenan für Dich. Ich trete in das Balkonzimmer und erschrecke. Was ist hier vorbereitet? Eingeheizt ist zwar aber der Ofen stinkt mehr, als er wärmt. Und sonst? Ein Eisenbett, darauf ohne Überzug ein Polster und eine Decke, die Tür im Schrank ist zerbrochen, zum Balkon führt nur eine einfache Tür und selbst die sitzt nicht fest, wie es mir überhaupt vorkommt, daß »durch alle Fugen der Wind heult«. Das Mädchen, das ich zum Zimmer rechne und deshalb auch nicht leiden kann, sucht mich zu trösten, z. B. wozu brauche ich eine doppelte Balkontür? Bei Tag liege ich doch draußen und in der Nacht schlafe ich bei offener Tür? Das ist richtig, denke ich, am besten wäre es, auch noch die letzte Tür wegzunehmen. – Und Ofenheizung sei doch viel besser als Centralheizung? Centralheizung ist nur drüben in der jetzt vollbesetzten

Hauptvilla. »Aber hier ist doch nicht einmal Ofenheizung« wende ich ein. Das sei nur heute so, weil in diesem Zimmer noch nicht geheizt war. – So verteidigt sich das Mädchen immerfort, unnötigerweise, denn ich weiß ja, daß sie nicht imstande ist, mir etwa das feste und warme Zimmer aus der Villa Stüdl herzuzaubern.

Aber es kam noch ärger, denn schließlich hatte mich ja bis jetzt nur das Zimmer enttäuscht, den Lockbrief der Besitzerin hatte ich aber noch in der Tasche. Nun kam sie selbst, um mich zu begrüßen, eine große Frau (keine Jüdin) in langem schwarzen Samtmantel, unangenehmes Ungarisch-Deutsch, süßlich aber hart. Ich war sehr grob, ohne es genau zu wissen, natürlich; aber das Zimmer schien mir zu arg. Sie immer überfreundlich, aber ohne jede Lust oder Fähigkeit zu helfen. Hier ist Dein Zimmer, hier wohne. Nach Weihnachten werden in der Hauptvilla Zimmer frei. Ich hörte dann gar nicht mehr darauf hin, was sie sagte. Auch was sie über das Essen sagte, war beiweitem nicht so schön wie der Brief. Sie war mir so unleidlich, daß ich sehr bedauerte, ihr den Gepäckschein anvertraut zu haben (sie wollte nächsten Tage bei der Bahn anfragen lassen, ob der Koffer schon gekommen sei) Der einzige Lichtpunkt war, daß im Ort ein Arzt sein sollte, ja er sollte sogar auf dem gleichen Gang, nur paar Türen weiter, wohnen, das schien mir allerdings sehr unglaubwürdig.

Jedenfalls hatte ich, als sie fortgegangen war, meinen Plan fertig: die Nacht werde ich mit meinem Fußsack und meiner Decke hier irgendwie verbringen, vormittag telephoniere ich nach Smokovec (hoffentlich ist der Ausnahmezustand schon vorüber und Telephongespräche schon erlaubt) und nachmittag wenn der Koffer da ist, zahle ich Reugeld wieviel man will, gebe mich nicht erst mit der Elektrischen ab, sondern nehme einen Schlitten und fahre hin über Berg und Tal. Immerfort hatte ich die tröstliche Vorstellung, wie ich mich morgen abend aufatmend auf das feine gefederte Kanapee in Smokovec hinwerfen werde.

Ich glaube, Du wärest diesem ersten Schrecken ebenso erlegen, vielleicht hättest Du aber den Schlitten schon abend zu nehmen versucht.

Da kam dem Mädchen ein Einfall; ob ich mir nicht, wenn mir dieses Zimmer so mißfalle, das (für Dich vorbereitete) Nebenzimmer anschauen wolle, liegen könne ich ja auf diesem Balkon und nebenan wohnen. Ich ging ohne jede Hoffnung hinüber, aber da ich gar nicht mehr verwöhnt war, gefiel es mir ausgezeichnet. Es war auch wirklich viel besser, größer, besser beheizt, besser beleuchtet, ein gutes Holzbett, ein neuer Schrank, das Fenster weit vom Bett, da blieb ich.

Und damit begann die Wendung zum Guten (die ich zum Teil Dir verdanke, denn hättest Du Dich nicht angemeldet, wäre das Zimmer nicht geheizt gewesen und wäre es nicht geheizt gewesen, wäre es dem Mädchen kaum eingefallen mich hinzuführen). Ich ging dann in die Hauptvilla zum Essen, auch dort gefiel es mir ganz gut, einfach (ein neuer großer Speisesaal wird erst morgen eröffnet) aber rein, gutes Essen, die Gesellschaft ausschließlich ungarisch (wenig Juden) sodaß man schön im Dunkel bleibt. Und erst am nächsten Tag sah alles noch viel besser aus. Die Villa in der ich wohne (Tatra heißt sie) war plötzlich ein hübsches Gebäude, es gab weder Wind noch Fugen, der Balkon lag genau in der Sonne. Als man mir für die nächste Woche ein Zimmer in der Hauptvilla anbot, hatte ich nicht die geringste Lust mehr dazu, denn die »Tatra« hat große Vorteile gegenüber der Hauptvilla: vor allem ist man gezwungen dreimal zum Essen hinüberzugehn (oder vielmehr man ist nicht dazu gezwungen, man kann es sich auch bringen lassen) und wird nicht so faul und unbeweglich, wenn man wie z. B. in Schelesen im gleichen Haus wohnt und ißt und immer nur aus dem ersten Stock ins Parterre stiefelt und wieder zurück. Dann ist die Hauptvilla wie man mir bestätigt hat sehr lärmend, immerfort läuten die Glocken, die Küche macht Lärm, die Restauration macht Lärm, die Fahrstraße, die dort eng vorüberführt, eine Rodelbahn, alles macht Lärm. Bei uns ist es ganz still, ich glaube, nicht einmal die Glocke läutet (sie läutet ja gewiß nur habe ich sie noch nicht gehört) Dann ist drüben eigentlich nur eine gemeinsame Liegehalle und selbst die liegt nicht so in der Sonne wie mein Balkon. Endlich ist auch die Ofenheizung viel besser. Es wird zweimal eingeheizt, früh und abend, nur mit Holz, so daß ich nachlegen kann, wie viel ich will. Jetzt am abend ist z. B. so warm, daß ich ohne Kleider halb nackt dasitze. Und, wenn man auch das als Vorteil ansehn will der Arzt wohnt tatsächlich auf meinem Gang, links, drei Türen weiter.

Auch Frau Forberger war am nächsten Tag ganz anders, mit dem Samtmantel (oder war es Pelz?) hatte sie alles Böse abgelegt und war sanft und freundlich bei der Sache. Das Essen ist genug erfindungsreich, ich erkenne die Dinge, aus denen es zusammengesetzt ist, gar nicht auseinander; es wird zum Teil eigens für mich gekocht, trotzdem an 30 Gäste da sind. Auch der Arzt gibt seine Ratschläge dazu. Zuerst wollte er natürlich eine Arsenkur anfangen, dann besänftigte ich ihn durch einen Pauschalvertrag, wonach er mich täglich – 6 K kostet es – besucht. Ich soll vorläufig 5 mal täglich Milch und 2 mal Sahne trinken, kann es aber nur bei größter Anstrengung 2 1/2 hinsichtlich der Milch und 1 mal hinsichtlich der Sahne.

Jedenfalls wären also alle äußeren Voraussetzungen für ein gutes Gelingen gegeben; bleibt nur der Feind im Kopf.

Denkt der Vater wirklich daran herzukommen? Wohlfühlen würde er sich hier sicher nur wenn die Mutter mitkäme und selbst dann erst wenn die Tage länger werden. Es sind hier nämlich kaum 1, 2 Herren die für ihn in Betracht kämen, sonst nur Frauen, Mädchen und junge Männer, die meisten können Deutsch sprechen aber am liebsten ungarisch (Auch die Zimmer-Küchenmädchen, Kutscher u.s.f. Gut slowakisch glaube ich bisher nur einmal – allerdings fuhr ich ja zweiter Klasse – in der Eisenbahn von zwei jungen Mädchen haben sprechen hören, sie sprachen sehr eifrig und rein, bis dann allerdings die eine auf eine erstaunliche Mitteilung hin, welche ihr die andere machte, ausrief: oiŏiŏiŏi̅!) Das wäre also für den Vater nichts. Sonst aber könnte sich Matliary jetzt vor ihm sehen lassen, die heute neu eröffneten Säle (Speise- Billard und Musiksaal) sind geradezu »hoch-elegant«.

Und was machst Du? Honig? Turnen? Schwindel bei Aufstehn? Zeitunglesen für mich? Viele Grüße Dir und Deinem Mann (dem ich den guten Platz im Coupé verdanke) und allen andern, jedem besonders, bis zum Wurm hinunter.

Warst Du bei Max?   Dein Franz

Den Eltern mußt du den Brief gar nicht zeigen, ich schreibe ihnen ja häufig

Nr. 89

[Matliary, 3. Januarwoche 1921]

Liebste Ottla um Zeit zu sparen, schreibe ich im Liegestuhl. Zuerst eine Bitte. Kein »Weg«. Wege hast Du vielleicht nicht mehr gern. Es handelt sich um einen Brief an den Direktor den ich in schönes Tschechisch gebracht haben möchte. Ich werde ihn jetzt zusammenstellen:

Sehr geehrter Herr Direktor

Jetzt bin ich schon über 4 Wochen hier, habe schon einen gewissen Überblick und erlaube mir Ihnen sehr g. H. D. kurz über mich zu berichten. Untergebracht bin ich gut (Tatr. Matl. Villa Tatra) die Preise sind zwar viel höher als in Meran, aber für die hiesigen Verhältnisse doch mäßig. Mein Leiden und seine Besserung kann ich im allgemeinen nur am Gewicht, Fieber, Husten und an der Atemkraft erkennen. Das Aussehn und Gewicht hat sich sehr gebessert, ich habe – kg zugenommen und werde wohl weiter zunehmen. Das Fieber tritt immer seltener auf, oft tagelang nicht und ist ganz gering, allerdings liege ich ja meistens und vermeide jede Anstrengung. Der Husten ist noch kaum geringer geworden, aber wohl leichter, er schüttelt mich nicht mehr. Hinsichtlich der Atemkraft schließlich hat sich noch kaum etwas gebessert. Es ist eben eine sehr langwierige Sache, der Arzt behauptet, ich müsse hier ganz gesund werden, sehr hoch muß man natürlich solche Behauptungen nicht einschätzen.

Im ganzen fühle ich mich hier besser als in Meran und hoffe mit bessern Ergebnissen zurückzukommen. Übrigens werde ich vielleicht nicht dauernd hierbleiben; gegen das Frühjahr zu soll es hier sehr lebhaft werden, wie man mir sagt und

da ich Ruhe fast mehr brauche als Essen und Luft würde ich
dann wahrscheinlich in ein anderes Sanatorium nach Nový
Smokovec übersiedeln.

Indem ich Ihnen sehr geehrter Herr Direktor nochmals für
die Güte danke, mit der sie mir den Urlaub gewährt haben,
bleibe ich mit herzlichen Grüßen

Ihr sehr ergebener

Das ist also der Brief. Du mußt ihn richtig verstehn, er ist
zwar im wesentlichen richtig, aber doch absichtlich etwas
düster gehalten, ich sehe nämlich, daß ich länger werde
bleiben müssen, wenn ich der Sache irgendwie gründlicher
beikommen will, anders wird es kaum gehn, sonst komme
ich wieder nach Prag, zwar besser als aus Meran, aber doch
unfähig einen vollen menschenwürdigen Atemzug zu tun.
Darauf also soll der Brief den Direktor vorläufig leise
vorbereiten. (Was das Fieber betrifft, so ist das nicht Prager
Fieber, denn hier messe ich unter der Zunge, was 3 bis
4 Zehntel höhere Ergebnisse hat, hienach hätte ich in Prag
unaufhörlich Fieber gehabt, während ich das Prager Fieber
hier überhaupt nicht mehr habe) Auch hinsichtlich Smokovec siehst Du daß ich nicht hartnäckig bin, vorläufig
aber ist es hier viel besser, verschiedene Berichte haben mir
das noch bestätigt, das einzige was mich von hier vertreiben
könnte, wäre Lärm. Schließlich hat der Brief natürlich noch
einen Zweck und deshalb ist er so ausführlich, Herr Fikart
soll etwas Großes zum Einlegen haben.

(Schon Mittagessen-Läuten! Der Tag ist so kurz. Man mißt
7mal die Temperatur und hat kaum Zeit das Ergebnis in
den Bogen einzutragen, schon ist der Tag zuende)

Für die Übersetzung wirst Du, denke ich, nicht genügen,
Dein Mann wird mir die Freundlichkeit tun müssen, zumindest Deine Übersetzung durchzusehn, ich vergesse hier
Tschechisch. Es kommt vor allem darauf an, daß es klassi-
sches Tschechisch ist, also gar nicht auf Wörtlichkeit (fällt

Dir etwas dazu ein, kannst Du es auch einfügen) nur auf Klassicität.

Von mir schreibst Du viel, von Dir wenig, mach es nächstens umgekehrt. Denk nur, wenn ich länger hierbleibe, werde ich ja das kleine Ding nicht einmal aufwachen sehn. Darüber hätte ich noch einiges zu schreiben, aber es ist zu spät, nächstens. Herzliche Grüße Deinem Mann, grüß auch besonders Elli und Valli. Auch das Frl. natürlich.

Dein F.

Nr. 90: *An Josef David*

[Matliary, 4. Januarwoche 1921]

Milý Pepo,

krásně, krásně jsi tu udělal, teď já tam jen ještě udělám několik malých chyb, ne aby tam byly chyby vůbec, neboť, odpusť, chyby najde můj ředitel také ve Tvém dopise a našel by je v každém, ale aby tam byl přiměřený počet jich.

Zde namahám se žíti klidně, sotva že někdy noviny dostanu do ruky, ani Tribunu nečtu, nevím ani co dělaji kommunisté ani co říkají Němci, jen co Maďaři říkají slyším ale nerozumím; je toho bohužel hrozně mnoho a byl bych stažtěn, kdyby toho bylo méně. Nač báseň, Pepo, nenamahej se, k čemu novou báseň? Vždyt Horáz již mnoho pěkných básní napsal a my jsme teprvé půldruhé přečtli. Ostatně jednu báseň od Tebe tu již mám. Je tu na blízku malý vojenský léčebný oddíl a večer to táhne přes silnici a nic jiného než ty pardalové se pořád točejí. Čeští vojáci nejsou ostatně ty nejhorší, ty saňkují a smějí se a křičejí jako děti ovšem jako děti s vojenskými hlasy, ale je tu také několik uherských vojáků a jeden z nich se naučil pět slov o těch pardalech a patrně ztratil tím rozum; kdykoliv se objeví, to řve. A ty krásné hory a lesy v okruhu dívají se na to tak vážně jako kdyby se jim to líbilo.

To vše není ale zlé, trvá to jen chvilku denně, mnohem horší jsou v tom ohledu ďábelské hlasy v domě, ale také to se dá překonati, nechci naříkat, je tu Tatra a Sabinské hory jsou jinde a snad nikde.

Pozdravuj prosím ode mne Tvé rodiče a sestry. Jak to dopadlo s Narodním divadlem?

Tvůj F

Deutsche Übersetzung:

[Lieber Pepa,

schön, schön hast Du das gemacht, jetzt setze ich nur noch ein paar kleine Fehler hinein, nicht etwa damit überhaupt irgendwelche Fehler darinstehn, denn, verzeih, Fehler wird mein Direktor auch in Deinem Brief finden und würde sie in jedem finden, ich tue es nur, damit eine angemessene Zahl von Fehlern darin steht.

Hier bemühe ich mich, ruhig zu leben, kaum daß ich mal eine Zeitung in die Hand bekomme, nicht einmal die »Tribuna« lese ich, ich weiß auch weder, was die Kommunisten machen, noch was die Deutschen sagen, nur was die Magyaren sagen, höre ich, aber ich verstehe es nicht; leider sagen sie sehr viel und ich wäre glücklich, wenn es weniger wäre. Wozu ein Gedicht, Pepa, strenge Dich nicht an, wozu ein neues Gedicht? Es hat doch schon Horaz viele schöne Gedichte geschrieben und wir haben erst eineinhalb gelesen. Übrigens ein Gedicht von Dir, das habe ich schon. Es ist hier in der Nähe eine kleine Militär-Kranken-Abteilung und Abend zieht das die Straße entlang und nichts als diese »Panther« und immer »drehen sie sich«. Die tschechischen Soldaten sind übrigens nicht die ärgsten, sie rodeln und lachen und schreien wie Kinder mit Soldatenstimmen, aber da sind auch ein paar ungarische Soldaten dabei und einer von ihnen hat fünf Worte von diesen Panthern gelernt und offenbar hat er darüber den Verstand verloren; wo immer er auftaucht, brüllt er das Lied. Und die schönen Berge und Wälder im Umkreis schauen all dem so ernsthaft zu, als ob es ihnen gefiele.

Das alles ist aber nicht schlimm, es dauert täglich nur ein Weilchen, viel ärger sind in dieser Hinsicht die teuflischen Lärmstimmen im Hause, aber auch das läßt sich überwinden, ich will nicht

klagen, es ist die Tatra hier und die Berge des Sabinerlands sind
anderswo und vielleicht nirgends.
Bitte grüße Deine Eltern und Schwestern von mir. Wie ist das mit
dem Nationaltheater ausgefallen?

Dein F]

Nr. 91

[Matliary, ca. 10. Februar 1921]

Liebe O t t l a , die erste Stunde am ersten schönen Tag gehört
Dir. Mir war nicht ganz gut, es war zwar nicht mehr als ich
den Eltern geschrieben habe (von andern in der Erinnerung
noch viel kleineren Störungen abgesehn) immerhin, ich
mußte auf die Gewichtszunahme konzentriert bleiben.
Manchmal komme ich mir, mit der kleinen Gewichtszunahme im Arm, vor wie der Vater im »Erlkönig«, die Gefahren sind vielleicht nicht so groß wie dort, aber der Arm
ist auch nicht so fest.
Wie ist es mit Tante Julie ausgegangen? Die Mutter schreibt
mir nichts von ihr, ich will nicht fragen. Merkwürdig ist sie
mir in der Erinnerung, es kommt mir vor, als hätte ich niemals ein Wort mit ihr gesprochen, was ja auch wahr sein
wird, aber ohne Bedeutung ist sie für mich nicht.
Du erwähnst daß es für mich schwer ist, »Ruhe zu gewinnen«. Das ist wahr, aber Du erinnerst mich damit an ein
sehr gutes Mittel gegen Nervosität, es gehört dem Herrn
Weltsch-Vater und ist aus den »Hugenotten«. In der
schrecklichen Bartholomäus-Nacht, in der alle Protestanten
in Paris ermordet wurden, alle Glocken läuten, überall hört
man Bewaffnete, öffnet (ich glaube, ich kenne die Oper
nicht) Raoul das Fenster und singt wütend: »– – ist denn
in Paris nicht Ruh zu gewinnen?« Der hohe Ton liegt auf
Ruh, laß es Dir von Felix vorsingen (ich habe ihm noch
immer nicht geschrieben und habe ihn so gern, auch Oskar
nicht). Also das ist ein gutes Mittel. Wenn z. B. unten der

Zahntechniker mit seinen Patienten dreistimmig zu singen anfängt – ich will nicht übertreiben, es ist bisher nur einmal geschehn: er selbst aber singt und pfeift eine Menge, er ist wie ein Vogel, kaum berührt ihm die Sonne den Schnabel fängt er an, aber auch bei Mondschein, aber auch bei finsterem Himmel, und immer erschreckend, plötzlich, kurz abbrechend, mir schadet er jetzt nicht mehr sehr viel, ein Freund von ihm, der Kaschauer der auch sehr gut zu mir ist, hat mir viel geholfen, aber seinem Zimmernachbar, einem Schwerkranken, macht er das bittere Leben noch bitterer – wenn also etwas derartiges geschieht, beugt man sich über das Geländer und denkt: ist denn in Paris u.s.w. und schon ist es nicht mehr ganz so schlimm.

Du fragst nach Freunden. Zuerst wollte und konnte ich ganz allein bleiben, später gieng es doch nicht ganz. Von den Frauen als solchen habe ich mich zwar nach Deinem Rat ganz zurückgehalten, es macht mir nicht viel Mühe und ihnen kein Leid, sonst aber waren zunächst die Tschechen da, in einer höchst unglücklichen Zusammensetzung, drei die gar nicht zu einander passen, ein schwerkranker älterer Herr, ein schwerkrankes Fräulein und ein wohl nicht sehr krankes junges Mädchen, nun war da zwar noch ein vierter Tscheche, ein jüngerer Herr, äußerst gefällig, besonders gegenüber Frauen ein Muster uneigennütziger Ergebenheit und Aufopferung, der hat gut vermittelt und mich unnötig gemacht und seit gestern ist er auch wieder hier, aber er war längere Zeit verreist und da fühlte ich den verschiedenartig unglücklichen Drei gegenüber eine unbedingte Verpflichtung. So verloren zu sein zwischen Ungarn, Deutschen und Juden, alle diese zu hassen und wie z. B. das Fräulein außerdem schwer krank zu sein, das ist nicht wenig. Es gibt hier zwar genug tschechische Offiziere aus einem nahen Barakenspital und aus Lomnitz, aber sie ziehen im allgemeinen die Ungarinnen und Jüdinnen vor. Und die Kleine, wie schmückt sie sich für diese schönen Offiziere! Ich will nicht beschreiben, warum sie unmöglich begehrenswert werden kann, es ist ja auch nicht so schlimm, manchmal sprechen sie auch mit ihr, von einem hat sie auch schon einen Brief bekommen, aber wie wenig ist das gegenüber dem, was wahrscheinlich in dem Marlittroman, den sie liest, jeden Tag zu geschehen pflegt.

———

Dann war gestern Mittag, nachmittag war zu kalt zum Schreiben, abend war ich zu traurig, und heute, heute war wieder zu schön, starke Sonne. Traurig war ich abend, weil ich Sardellen gegessen hatte, es war gut zubereitet, Mayonnaise Butterstückchen, Kartoffelbrei, aber es waren Sardellen. Schon einige Tage war ich lüstern auf Fleisch gewesen, das war eine gute Lehre. Traurig wie eine Hyäne bin ich dann durch den Wald gezogen (ein wenig Husten war das menschliche Unterscheidungszeichen) traurig wie eine Hyäne habe ich die Nacht verbracht. Ich stellte mir die Hyäne vor, wie sie eine von einer Karawane verlorene Sardinenbüchse findet, den kleinen Blechsarg aufstampft und die Leichen herausfrißt. Wobei sie sich vielleicht vom Menschen noch dadurch unterscheidet, daß sie nicht will aber muß (warum wäre sie sonst so traurig warum hätte sie vor Trauer die Augen immer halb geschlossen?) wir dagegen nicht müssen, aber wollen. Der Doktor hat mich früh getröstet: warum traurig sein? I c h habe doch die Sardellen gegessen und nicht die Sardellen mich.

———

Also weiter von den Menschen: Die Kleine hat mich also ein wenig beschäftigt z. B. am Abend vor dem Nachtmahl sieht sie, daß im Saal 2 Offiziere sitzen, sofort läuft sie in ihr Zimmer und schmückt und frisiert sich, kommt viel zu spät zum Nachtmahl, die bösen Offiziere sind inzwischen fortgegangen, nun soll sie in ihrem schönsten Kleid nutzlos gleich wieder schlafen gehn? Nein, wenigstens getröstet will sie sein. Dann ist also noch das schwerkranke Fräulein da, ein armes Wesen, dem ich am ersten Abend sehr Unrecht getan habe, ich war so entsetzt über die neue Nachbarin, sie kam vor etwa 14 Tagen, daß ich abend noch in meinem Zimmer an der peinlichen Erinnerung fast körperlich litt, ich will nicht die Einzelnheiten erzählen.

———

Entzückt war ich nur von einem Ausspruch den sie damals nicht zu mir, sondern zu jenem gefälligen Herrn getan hatte: die ihr liebste Zeitung sei der Venkov undzwar wegen der Leitartikel. Ich beschloß die Enthüllung (es ist ein Unglück, daß man sich niemals gleich vollständig vorstellen kann) erst dann vorzunehmen, wenn sie etwas auf keine Weise mehr Gutzumachendes gesagt haben würde; dann würde ich von ihr befreit sein. Aber es zeigte sich, daß mein erster Eindruck hinsichtlich aller der nicht erwähnten lästigen Einzelnheiten übertrieben war, daß sie ein armes freundliches Wesen ist, sehr unglücklich (die Krankheit hat in ihrer Familie gerast) aber doch fröhlich, hat mich auch nach der Enthüllung nicht »ausgerottet« sondern war noch ein wenig freundlicher zu mir, wie auch ich zu ihr, nachdem ich von ihrem Unglück gehört hatte und als sie jetzt mit ihrem ewigen Fieber eine Woche lang in ihrem kalten Nordzimmerchen lag (nicht jeder wagt sich in meine sonnige Villa) war sie mir sehr leid.
[Das ist übrigens ein Gewinn des Zusammenseins mit andern Kranken: man nimmt die Krankheit ernster. Sie wird zwar nicht für vererblich gehalten und ich meinesteils glaube auch an Ansteckung nicht, aber der schönste Glaube hilft nicht gegenüber den Tatsachen und mit dieser Krankheit besonders kleine Kinder küssen oder vom gleichen Teller essen lassen, ist ein abscheuliches Unrecht] Dann ist also noch der ältere Herr da, sehnsüchtig nach ein wenig Unter-

haltung dabei leider nicht wählerisch in der Richtung seines Hustens, was soll er mit den zwei Frauenzimmern anfangen? Aber allein kann er auch nicht sein. Nun, jetzt ist jener gefällige Herr wieder da und der macht alles ausgezeichnet.

Dann habe ich noch zwei junge Leute da, einen Kaschauer und einen Budapester, die sind wirklich wie meine Freunde. Als ich jetzt drei Tage im Bett lag, kam z. B. der Budapester, er ist Medicinstudent, noch um 9 Uhr abends von der Hauptvilla herüber um mir einen (an sich unnötigen) äußerst sorgfältigen Prießnitzumschlag zu machen. Was ich will, holen sie mir, verschaffen sie mir, richten sie mir ein, und alles genau und sofort und ohne die allergeringste Aufdringlichkeit. Es sind Juden, aber nicht Zionisten, der Kaschauer ist ungarischer Socialist mit Betonung des Ungarischen, den Budapester führen Jesus und Dostojewski. Dem Budapester der sehr literarisch ist möchte ich gern eine Freude machen und ihm paar für ihn wichtige Bücher borgen. Wenn Du in meinem Bücherkasten etwas von folgenden Büchern findest, schick es mir bitte rekommandiert (vielleicht zuerst 2 und später wieder 2 oder wie du willst): Kierkegaard: Furcht und Zittern, Plato: Das Gastmahl (von Kassner übersetzt), Hoffmann: Biographie Dostojewskis (ich glaube, es ist von Hoffmann, Du kennst ja das Buch), Brod: Tot den Toten. Die Rundschau schick vorläufig nicht, für das Inhaltsverzeichnis danke ich, ich dachte schon: Solltest Du inmitten Deiner vielleicht jetzt großen Arbeit das Inhaltsverzeichnis zu schicken vergessen haben. Nein, Du hast es nicht vergessen.

Wege? Du willst Wege? Ist das kein Spaß? Dann könnte ich also 2, 3 Gilettemesser brauchen, sie können wohl in den Brief gelegt werden. Sind sie nicht zu haben, genügen Mem-Messer. Es hat aber gar keine Eile. An die Selbstwehr könntest Du mit dem beiliegenden Erlagschein 56 K schicken. Die Karte an Ewer hast Du wirklich weggeschickt?

Übrigens kannst Du ausgezeichnet einkaufen. Die Seife die Du mir zuletzt von Prochaska gebracht hast und wegen der ich Grimassen gemacht habe, hat mich hier in den Ruf gebracht, daß es in meinem Zimmer am besten riecht undzwar merkwürdig, unerforschlich gut. Zuerst hat es die Verwalterin bei einer Inventuraufnahme bemerkt, dann das Stubenmädchen, schließlich hat es sich herumgeredet. In aller meiner Eitelkeit hätte ich es gern durch mein Nicht-Fleischessen erklärt, aber es war doch nur die Seife.

Noch Wege? Es wird wohl ein Weg in die Anstalt nötig werden, aber ich bin noch nicht entschlossen. Übrigens hast Du ja das Geld geholt, hast Du mit niemandem gesprochen? Ein kleiner Geldbetrag in Mark sollte für mich in die Anstalt gekommen sein, etwa 125 M.

Und wann ist der Tag?

Alles Gute und Liebe und Schöne
Franz

Und Elli grüßen und Valli und die Kinder. Das Fräulein grüßen.

Ist nicht eine Rechnung von Taussig gekommen?

Von Minze kam ein einziger Brief, sie hat unglaubliche Sachen ausgeführt, ernährt sich selbst, ich bin sehr stolz auf sie.

Nr. 92: *An Josef David*

[Ansichtspostkarte: Am Krivan. Im Hintergrunde die Liptauer Alpen]

[Stempel: Tatranské-Matliary – 4. III. 21]

Milý Pepo, dobře mě varuješ, ale pozdě, zůčastnil jsem se totiž velkých lyžarských závodů v Poliance – zajisté si o tom v Tribuně četl – a zatrh jsem si při tom nehet pravého malíčka. Nevadí. Potom jsem na lyžích šel zpět do Matliar.

Na Křivanu jsem se dal fotografovat jak to na druhé stránce vidíš. Přemýšlím tam, ...

Deutsche Übersetzung:

[Lieber Pepa, mit Recht warnst Du mich, aber zu spät, denn ich habe mich nämlich an den großen Skirennen in Polianka beteiligt – sicher hast Du davon in der Tribuna gelesen – und habe mir dabei den Nagel des rechten kleinen Fingers eingerissen. Macht nichts. Darauf bin ich auf den Skiern nach Matliary zurückgegangen. Auf dem Krivan habe ich mich photographieren lassen, wie Du auf der Rückseite siehst. Ich überlege dort, ...]

Nr. 93

[Matliary, 9. März 1921]

Liebste Ottla nur paar Worte, ich komme ja bald, eigentlich liegt schon lange ein Brief für Dich da, so lange bis er veraltet ist und ich ihn weggeworfen habe.

Zunächst noch Dank für alles, alles hast Du sehr gut gemacht, – außer bei Taussig! Das war sehr schlecht, den Rat einen Schwindler nennen! – so als wärest Du nicht schon eine große Frau, die nur noch für große Dinge Zeit hat. Wie bist Du doch eigentlich im Rang verändert seit dem letzten Jahr!

Auf dem einen Bild ist die tschechische Gesellschaft, neben mir die 18jährige, neben ihr das kranke Fräulein, unten der gefällige Herr. Warum ich gar so verkrümmt dastehe, weiß ich nicht.

Auf dem andern Bild ist der Aufrechtstehende mit den Schneeschuhen der Kaschauer, die hebräische Widmung ist von ihm. Es heißt: »Als Zeichen der großen Ehre, die ich habe Dir gegenüber«. Es ist nicht ganz verständlich, aber gewiß sehr gut gemeint, wie alles, was er für mich tut. Überhaupt, erstaunlich gut war man hier mir gegenüber.

Noch 2 Porträts von mir lege ich bei, das eine ist von der 18jährigen, es ist leider meine Schuld, daß ich nicht so aussehe, so süß und stark.

Die Bücher haben dem Mediciner große Freude gemacht. Sein erster Dank als ich sie ihm gab, bestand darin, daß er »Herr Doktor!« rief und mit den Büchern weglief. Er hat mich übrigens in der letzten Zeit sehr beschäftigt.

Was Du von der Anstalt und Palästina sagst, sind Träume. Die Anstalt ist für mich ein Federbett, so schwer wie warm. Wenn ich hinauskriechen würde, käme ich sofort in die Gefahr mich zu verkühlen, die Welt ist nicht geheizt.

Jetzt kurz vor der Abfahrt von hier werde ich unsicher, wie übrigens bei jedem Abschied (nur in Meran wußte ich, daß es höchste Zeit war wegzufahren aus jenem Bergkessel, der Kessel in jeder Hinsicht war) die wunderbaren Tage jetzt nach dem überstandenen Winter locken zu bleiben (zeitweilig war das Wetter eine Qual für mich wie noch niemals), der Doktor droht mir täglich mit allem Bösen wenn ich wegfahre und verspricht mir alles Gute wenn ich bis zum Herbst bleibe, aber ich bin müde des um-Urlaubbittens, müde des für-Urlaub-dankens, nur dann würde ich es gern annehmen, wenn der Direktor mir z. B. schriebe: »Lieber Herr Kollega, gestern in der Nacht ist mir eingefallen, ob Sie nicht vielleicht noch länger draußen bleiben sollten. Ich bitte Sie dringend noch ein Jahr Urlaub anzunehmen. Telegraphieren Sie mir einfach »ja« und Sie haben den Urlaub; mit tschechischen Gesuchen und Dank-Briefen müssen Sie sich nicht anstrengen, Sie würden ja damit doch nur Ihre Frau Schwester und Ihren Herrn Schwager bemühen. Einer hoffentlich günstigen Antwort entgegensehend und Ihnen baldige oder spätere Genesung wünschend, bleibe ich Ihr dankschuldiger u.s.w.« Ja, dann würde ich gern noch bleiben. Auch deshalb würde ich gern bleiben, weil mir hier Lungenkranke (und andere, ihnen nicht sehr entfernte, noch schlimmere Leute) viel verdächtiger geworden sind als früher. Ich glaube auch weiterhin nicht an Ansteckung, die Küchenmädchen hier z. B. essen die Überreste von den Tellern solcher Kranker, denen gegenüber zu sitzen ich mich scheue, und sie werden dadurch gar nicht krank, sondern noch blühender und ein liebes kleines Kind ist hier in der Küche (seine Mutter arbeitet dort, sein Vater ist unbekannt) das wird auch ganz bestimmt nicht krank werden, trotzdem es sich von solchen Resten nährt. (Übrigens das abgerissenste und fröhlichste Wesen hier, auch sehr klug, ich kann mich aber mit ihm nicht verständigen, es spricht nur ungarisch; als jemand sah wie es nahe der Rodelbahn spielte und in Gefahr war überfahren zu werden – es ist noch kaum 5 Jahre alt – sagte der Mann, es solle sich in achtnehmen. Der kleine Junge aber sagte: Mich d ü r f e n sie nicht überfahren, ich bin doch ein Kind) Also an eine Ansteckung der Gesunden glaube ich nicht, aber in der Stadt ist niemand ganz gesund oder wenigstens nicht so stark daß er unter allen Umständen der Ansteckungsgefahr widerstehen könnte. Ich verstehe diese Ansteckungsmöglichkeit nicht, (die ärztlichen Erklärungen, soweit ich sie verstehe, gefallen mir nicht) aber an diese Möglichkeit glaube ich, auch deshalb also gehe ich nicht gern auf meinen Platz in das häusliche Nest zurück, wo sich ringsherum die kleinen Schnäbel aufmachen, um vielleicht das Gift aufzunehmen, das ich verteile.

Ich schreibe wie wenn ich doch nicht schon in paar Tagen käme, nun bis Sonntag hat der Direktor Zeit den Brief zu schreiben. Im übrigen aber freue ich mich schon, Dich zu sehn und Elli und Valli.

Dem Fräulein Skall danke besonders schön für ihren Gruß. Traurig, was Du von ihr schreibst. Aber diesem Verhältnis (nicht ihr) stand das Unglück auf der Stirn geschrieben.

Von Tante Julie schreibst nun auch Du nichts mehr. Nun ich komme ja.

Dein

Übrigens fahre ich vielleicht schon Montag oder Dienstag von hier weg, weil die Lomnitz-Poprader Bahn vom 15. III. bis 15. V. nicht fährt und es mit der elektrischen Bahn zu umständlich ist.

Nr. 94: *An Julie und Hermann Kafka*

[Matliary, ca. 13. März 1921]

Liebste Eltern, durch besondere Folgerichtigkeit zeichnen sich meine Briefe nicht aus, zuerst will ich fort, dann will ich bleiben, dann will ich wieder fort und schließlich bleibe ich. Aber es erklärt sich ein wenig dadurch, daß es mir im Ganzen hier sehr gut gefällt, gar in diesen wunderbaren Tagen, daß aber doch andererseits auch 1/4 Jahr eine lange Zeit ist, man ist hier schon zu häuslich eingerichtet und auch das Essen wird einförmig. Nun also, da Ottla so gut war und mir – ich kann nicht verstehn auf welche Weise, ein ärztliches Zeugnis habe ich erst später Max Brod geschickt – 2 Monate erwirkt hat bleibe ich vorläufig. Nächste Woche werde ich nach Polianka fahren – der leitende Arzt des dortigen ausgezeichneten Sanatoriums – es ist freilich fast so teuer wie Smokovec – ist jetzt verreist und kommt erst nächste Woche zurück – werde mich dort untersuchen lassen, hören, was er hinsichtlich einer Kur und besonders ihrer Dauer sagt und dann vielleicht wenn ich aufgenommen werde – es wird nicht jeder aufgenommen auch ist das Sanatorium voll besetzt – hin übersiedeln (vorausgesetzt daß ich die Kraft habe mich hier loszureißen). Der Vorschlag des Onkels – Sommerfrische, Gartenarbeit – gefällt mir allerdings besser als alle Sanatorien, nur ist es jetzt für eine Sommerfrische noch etwas zu früh, auch weiß ich nicht, wo es sein sollte, wenn Ihr vielleicht von etwas derartigem hört, schreibt mir bitte.

Wenn ich nun noch länger hier bleibe, werde ich allmählich

verschiedene Sachen brauchen, leichtere Kleider u.s.w. – eigentlich habe ich hier nur ein Kleid in welchem ich schon ein 1/4 Jahr jeden Tag herumgehe und liege, ein Festkleid ist es nicht mehr – wie wird man das herschaffen? Dringend ist es aber noch nicht. Dann ist auch zu überlegen, was ich mit den Wintersachen machen soll, die übrigens den ganzen Winter über – es ist hier nicht Sitte – nicht geklopft worden sind.

Ein wenig habe ich diese Woche doch zugenommen 63.50 wiege ich, 6 kg 10 Zunahme.

Herzliche Grüße
allen
Euer Franz

Nr. 95

[Matliary, 16. März 1921]

Liebste Ottla, vor paar Tagen fragte mich ein Bekannter ob ich nicht doch vielleicht noch länger hier bleiben wollte. Ich sagte ja, ich möchte noch bleiben und ich habe auch nach Prag so geschrieben, aber ich habe es nur als Spaß geschrieben und gleichzeitig um der Sache jede Möglichkeit des Ernstes zu nehmen, den Abfahrtstermin so festgesetzt, daß in der Zwischenzeit fast unmöglich bei der Anstalt etwas unternommen werden könnte. Der Bekannte fragte, was für einen Sinn ein solches Schreiben habe. Mir fiel dazu eine chassidische Geschichte ein, die ich allerdings nur sehr unvollkommen kenne, sie ist etwa so: ein chassidischer Rabbi erzählt, er habe von 2 betrunkenen Bauern in der Schenke eine große Erkenntnis bekommen. Die Bauern saßen dort einander gegenüber, der eine war traurig und der andere tröstete ihn mit Schmeichelworten, bis der Traurige ausrief: »Wie kannst Du behaupten, daß Du mich lieb hast und weißt doch nicht einmal was mir fehlt«. Alles war in der Trunkenheit gesagt, der Traurige wußte gar nicht warum er traurig war.

Ich war überzeugt, daß Du nichts machen würdest, vor allem, weil Du nichts machen könntest, deshalb schrieb ich 2 Tage später an Max und wollte Dich so umgehn aber Du hast Dich nicht umgehn lassen.

Es ist so schwer um Urlaub zu bitten aus vielen Gründen von denen Du ja die meisten kennst. Wenn man vor ihm steht und er nun wieder die so und so vielte Urlaubsbewilligung aussprechen soll, verwandelt er sich fast in einen Engel, man senkt unwillkürlich die Augen, es ist ebenso wunderbar wie widerlich, man könnte vielleicht mit äußerster Zusammenfassung einen Engel auf freiem Feld ertragen, aber in der Direktionskanzlei? Wo man doch gerechterweise immer nur auf die gröbste irdische Weise ausgeschimpft werden sollte. Sein »ja« möchte ich als Elli's Bruder am liebsten mit verstopften Ohren überleben wollen. Ähnlich geht es mir sogar gegenüber Deinem geschriebenem Bericht. Das einzige, was mich ein wenig tröstet ist der südafrikanische Plan. Es ist so wie wenn er sagen würde: »ich gebe ihm Urlaub in das schöne Land, wo der Pfeffer wächst.« Aber das sind Dummheiten, unglaublich gut ist er, ich begreife nicht, warum; bloß die Rücksicht darauf, daß ich sachlich höchst entbehrlich bin, kann doch nicht der einzige Grund dafür sein.

———

Ich bin unterbrochen worden, wie jetzt öfters: Der unglückliche Mediciner. Ein solches dämonisches Schauspiel habe ich in der Nähe noch nicht gesehn. Man weiß nicht, sind es gute oder böse Mächte die da wirken, ungeheuerlich stark sind sie jedenfalls. Im Mittelalter hätte man ihn für besessen gehalten. Dabei ist er ein junger Mensch von 21 Jahren groß breit stark, rotbackig – äußerst klug, wahr selbstlos, zartfühlend. Näheres später einmal im Badezimmer in ruhigen Zeiten, wenn das Kindchen schläft.

Auf der Hetzinsel ist es freilich schöner als oben in den traurigen Gassen. Aber vor allem ist es ja die Armut die Dich lockt, nur daß man nicht arm ist, wenn man Geld hat und daß man von außen nur in sehr glücklichen großen Ausnahmsfällen die Armut erreichen kann, im allgemeinen ist das was man dann an Stelle der Armut findet, nur Elend. Das nebenbei, aber über der Insel werde ich in Gedanken wachen mit allen Kräften.

Ist der Arzt nur ein Freund, dann mag es angehn, sonst aber ist es unmöglich sich mit ihnen zu verständigen. Ich z. B. habe 3 Ärzte, den hiesigen, Dr. Kral und den Onkel. Daß sie verschiedenes raten, wäre nicht merkwürdig, daß sie gegensätzliches raten (Dr. Kral ist für Injektionen, der Onkel gegen) ginge auch noch an, aber daß sie einander selbst widersprechen, das ist unverständlich z. B. Dr. Kral hat mich wegen der Höhensonne, an der ihm sehr viel lag, hergeschickt, jetzt da sie zu scheinen anfängt, rät er mir das tiefliegende Pleš an, weiter, er hat mir sehr zugestimmt, daß ungarische und tschechische Sanatorien deutsche nicht erreichen können und rät mir doch Pleš an. Ich bin ja nicht eigensinnig (nur der Qual des Fleischessens, der ich auch jetzt zum Teil ausgesetzt bin, möchte ich gern entgehn) ich gehe auch nach Pleš, nur möchte ich, ehe ich von hier fortgehe einen Platz irgendwo gesichert haben um nicht wochenlang den Urlaub, den Du mir so großartig verschafft hast, in Prag zu verschwenden. In den nächsten Tagen fahre ich übrigens nach Smokovec und Polianka und lasse mich dort untersuchen. Hat Dr. Kral das Gutachten gelesen, ich habe noch eine Abschrift, die ich ihm schicken könnte.

Wandern? Ich weiß nicht. Und Bayern? Das hat mir noch kein Arzt angeraten (trotzdem sich auch ein solcher finden würde) auch nehmen sie dort Fremde nur sehr ungern an und Juden nehmen sie nur auf, um sie zu erschlagen. Das geht nicht.

Das Zeugnis hast Du also, das Gesuch liegt bei, ich schicke es

Dir, weil ich eben das Zeugnis mir nicht noch einmal schreiben lassen will. Von den Tschechen ist nur die 18jährige hier
und ihre Kenntnisse sind mir verdächtig, sie bewundert
nämlich mein Tschechisch. Den Brief schreibe ich vielleicht
Deutsch.

Aber hast Du denn noch immer Zeit und Lust für anderes
als für die Hauptsache? Und ist das recht?

Dein

Elli, Valli schön grüßen. Und das Fräulein

———

Ich habe auch noch die Zeugnisabschrift beigelegt, übrigens
übersichtlicher angeordnet als das Original, diese Abschrift
ist eventuell für Dr. Kral oder den Onkel, zum Gesuch ist
natürlich das Originalzeugnis beizulegen. Ich spiele damit,
wie wenn es das Gutachten über das Innere einer kostbaren
Geige wäre und doch ist da nur Knistern und Knacken
u. dgl.

Nr. 96

[Briefkopf: ein Blatt Tatranské-Matliary, klimatischer
Höhenkurort]

[Matliary, April 1921]

Liebste Ottla und Věruška (? die Mutter schrieb den Namen so, was ist das für ein Name? Věra etwa oder Vjera
so wie Frau Kopals Tochter heißt? Was für Überlegungen
giengen der Namensgebung vor?) also ein Weg bitte! Frau
Forberger braucht für ihren Bruder den Markensammler

100 Stück	2 Heller	Eilmarken	
100 „	80 „	Marken	} mit dem
100 „	90 „	„	} Bild von Hus

Laß Dir bitte das Geld von meinem Geld geben man wird es mir hier bezahlen. Diese Marken werden Ende Mai außer Geltung gesetzt, müssen also sofort gekauft werden und sind angeblich nur in Prag zu haben.

Ist der Weg für Euch zwei zu schwer (wie soll man auch mit dem Kinderwagen in die Hauptposthalle hinauffahren? (Hast Du einen schönen Wagen? Ist Frau Weltsch ein wenig neidisch?) dann könnte vielleicht Pepa so gut sein (ja fährt er denn nicht nach Paris?) Ihm kannst Du dann auch das beiliegende Feuilleton der Brünner Lidové Noviny zur Beurteilung vorlegen; hält er die Sache für gut, natürlich müßte man auch noch mit Dr. Kral sprechen, könnte er sich vielleicht auch noch erkundigen, wo man Plätze für die Sanatoriumsschiffe bekommen kann und wie teuer das Ganze ist. Mußt ihm nicht gleich sagen, daß es leider in der Nummer vom ersten April stand, es stand ganz ernst drin, ein armer Kranker hier hat es voll Hoffnungen dem Doktor zur Beurteilung gegeben der brachte es mir, ich solle es durchlesen weil er tschechisch nicht versteht und ich war damals von dem Darmkatarrh so geschwächt daß ich wirklich 1, 2 Stunden daran glaubte.

Das sind die äußern Anlässe, im übrigen wollte ich Dir schon längst schreiben, aber ich war zu müde oder zu faul oder nur zu schwer, das ist ja kaum zu unterscheiden, auch habe ich immer irgendeine Kleinigkeit, jetzt z. B. wieder einen wilden Abscess, mit dem ich kämpfe. Daß Ihr zwei so flink seid, freut mich, aber Ihr sollt nicht zu flink sein, hier ist eine junge Bauersfrau, mittelkrank, übrigens lustig und lieb und hübsch in ihrer dunklen Tracht mit dem hin und herwehenden Ballerinenrock, die ist von ihrer Schwiegermutter immer zu sehr zur Arbeit angehalten worden trotzdem der Arzt dort immer gewarnt und gesagt hat:

> Junge Frauen muß man schonen
> so wie goldene Citronen

was zwar nicht ganz verständlich, aber doch sehr einleuch-
tend ist, weshalb ich mich auch zurückhalte neue Wege zu
erfinden.

Immerhin, ein Weg wird notwendig werden, zum Direktor;
es ist, um sich die Lippen zu zerbeißen. Am 20. Mai läuft
der Urlaub ab (er hat Dich wirklich von der Urlaubsbewilligung verständigt?) was dann? Wohin ich dann fahre oder
ob ich etwa noch bis Ende Juni hier bleibe ist eine neben-
sächlichere Überlegung (Seit dem Darmkatarrh der meiner
Meinung nach vom Fleisch kam ist es so eingerichtet, daß
ein Fräulein in der Küche, ich glaube einen großen Teil
ihrer Zeit damit verbringt nachzudenken, was man mir
kochen könnte. Beim Frühstück macht man mir Vorschläge
inbetreff des Mittagessens, bei der Jause inbetreff des
Nachtmahls. Letzthin träumte das Fräulein aus dem Fenster hinaus, ich dachte, sie träume von ihrer Heimat Budapest, bis sie dann plötzlich sagte: »Ich bin aber wirklich
gespannt, ob Ihnen abend das Salatgemüse schmecken
wird«.) Wie soll ich aber wieder den Urlaub verlangen?
Und wo ist ein Ende abzusehn? Es ist sehr schwer. Vielleicht einen Urlaub mit halbem Gehalt verlangen? Ist es
leichter, um einen solchen Urlaub zu bitten? Es wäre leicht
um Urlaub zu bitten, wenn ich mir und andern sagen
könnte, daß die Krankheit etwa durch das Bureau verschuldet oder verschlimmert worden ist, aber es ist ja das
Gegenteil wahr, das Bureau hat die Krankheit aufgehalten.
Es ist schwer und doch werde ich um Urlaub bitten müssen.
Ein Zeugnis werde ich natürlich vorlegen können, das ist
sehr einfach. Nun, was meinst Du?

Doch darfst Du nicht glauben, daß man sich hier immerfort mit solchen Gedanken abgibt, gestern habe ich z. B.
gewiß den halben Nachmittag mit Lachen verbracht und
zwar nicht mit Auslachen, sondern mit einem gerührten,
liebenden Lachen. Leider ist die Sache nur anzudeuten, unmöglich in ihrer ganzen Großartigkeit zu vermitteln. Es

ist hier ein Generalstabshauptmann, er ist dem Barakenspital zugeteilt, wohnt aber wie manche Offiziere hier unten, weil es oben in den Baraken zu schmutzig ist, das Essen läßt er sich von oben holen. Solange viel Schnee war, hat er ungeheure Skitouren gemacht, bis nahe an die Spitzen, oft allein, was fast tollkühn ist, jetzt hat er nur 2 Beschäftigungen, Zeichnen und Aquarellmalen ist die eine, Flötenspiel die andere. Jeden Tag zu bestimmten Stunden malt und zeichnet er im Freien, zu bestimmten Stunden bläst er Flöte in seinem Zimmerchen. Er will offenbar immer allein sein (nur wenn er zeichnet, scheint er es gern zu dulden, wenn man zusieht) ich respektiere das natürlich sehr, ich habe bisher kaum 5 mal mit ihm gesprochen, nur wenn er mich etwa von der Ferne ruft oder wenn ich unerwartet irgendwo auf ihn stoße. Treffe ich ihn beim Zeichnen, mache ich ihm paar Komplimente, die Sachen sind auch wirklich nicht schlimm, gute oder sehr gute dilettantische Arbeit. Das wäre alles, wie ich sehe, noch immer nichts Besonderes, ich sage ja und weiß es: es ist unmöglich das Wesen des Ganzen mitzuteilen. Vielleicht wenn ich versuche zu beschreiben wie er aussieht: Wenn er auf der Landstraße spazieren geht, immer hoch aufgerichtet, langsam bequem ausschreitend, immer die Augen zu den Lomnitzer Spitzen erhoben, den Mantel im Wind, schaut er etwa wie Schiller aus. Wenn man in seiner Nähe ist und das magere faltige (zum Teil vom Flötenblasen faltige) Gesicht ansieht, mit seiner blassen Holzfärbung, auch der Hals und der ganze Körper ist so trocken hölzern, dann erinnert er an die Toten (auf dem Bild von Signorelli, ich glaube es ist unter den Meisterbildern) wie sie dort aus den Gräbern steigen. Und dann hat er noch eine dritte Ähnlichkeit. Er kam auf die phantastische Idee, mit seinen Bildern in der Haupt-

———

nein es ist zu groß, ich meine: innerlich. Kurz, er veranstaltete also eine Ausstellung, der Mediciner schrieb eine Besprechung in eine ungarische Zeitung, ich in eine deutsche, alles im Geheimen. Er kam mit der ungarischen Zeitung zum Oberkellner, damit er es ihm übersetze; diesem war es zu kompliciert, er führte daher in aller Unschuld den Hauptmann zu dem Mediciner, er werde es am besten übersetzen. Der Mediciner lag gerade mit ein wenig Fieber im Bett, ich war bei ihm zu Besuch, so fieng es an, aber genug davon; wozu erzähle ich es, wenn ich es nicht erzähle.

Übrigens, um wieder an das Vorige anzuknüpfen, Du darfst auch nicht glauben, daß man immerfort lacht, wirklich nicht.

Die Rechnung von Taussig lege ich jetzt bei, ferner einen Ausschnitt für Elli, Felix betreffend, auch für die Deine kann es in Betracht kommen nach 10 Jahren, das ist nicht sehr lang, man dreht sich auf dem Liegestuhl einmal von links nach rechts, schaut auf die Uhr und die 10 Jahre sind vorüber, nur wenn man in Bewegung ist, dauert es länger.

Elli und Valli lasse ich natürlich wieder ganz besonders grüßen. Wie meinst Du es? Ich lasse sie grüßen, weil grüßen leicht ist und schreibe ihnen nicht, weil schreiben schwer ist? Gar nicht. Ich lasse sie grüßen, weil sie meine lieben Schwestern sind und schreibe ihnen nicht besonders, weil ich Dir schreibe! Am Ende wirst Du sagen daß ich auch Deine Tochter nur grüßen lasse, weil Schreiben schwer ist. Und doch ist Schreiben nicht schwerer, als alles andere, eher ein wenig leichter.

Leb wohl mit
den Deinen
F

Bitte grüße das Fräulein von mir

Nr. 97

Also wirklich, meine arme kleine Schwester ist von ihrer
großen Věra so in Anspruch genommen, daß sie mich ohne
weiteres auf Aprilscherz-Sanatoriumsschiffen auf die hohe
See hinausfahren läßt. So spiele ich also doch mit Deinem
Ohr und wollte es gar nicht, schrieb ja daß das Feuilleton aus der Nummer vom ersten April kommt, aber bei
dieser Briefstelle weinte wahrscheinlich Věra und wetzte
ihre kleine Zunge.

Die Sommerfrische. Gewiß, das wäre das schönste, ich antwortete damals nur deshalb nicht, weil es mir damals so
wie heute nicht durchführbar vorkommt. Mir wird übel,
wenn ich daran denke, wie widerlich (nicht der Leichtsinn
darin beleidigt mich, aber die Widerlichkeit, die gespen-
sterhafte Widerlichkeit) ich mich in dieser Hinsicht in Prag
benommen habe. Nun würde ja wenn ich mich vor jeder
Berührung mit Věra hüten würde, keine wirkliche Gefahr
für sie bestehn, der Arzt wird es bestätigen, aber im Gehirn bleibt ein Risiko doch, und nicht nur in meinem, auch
in dem der andern. Darum glaube ich können wir nicht
zusammenfahren.

———

Die Mutter, so lieb, schreibt mir heute wiederum wegen
der Schiffe. Beim Hereinfall in Aprilscherze seid Ihr wirklich sehr hartnäckig, dabei hatte ich es nur auf Pepa abgesehn, aber Ihr wolltet ihn nicht allein lassen. Ich fürchte
mich nur immerfort, daß Ihr Euch aus mir einen Spaß
macht.

———

Wegen Věra mach Dir nicht zu große Sorgen, bedenke
doch wie schwer es für Erwachsene ist, sich an Neues zu
gewöhnen, selbst wenn sie zur Verteidigung des Bestehen-

den nichts Wesentliches anführen könnten. Du erwähnst die Käsl auf dem Tisch und sprichst die mit Furcht gemischte Hoffnung aus, die auch ich immerfort habe. Nun hat Věra den himmlischen Tisch verlassen und sieht von Deinem Arm auf den irdischen Tisch hinunter und er gefällt ihr nicht oder vielmehr es ist von Gefallen gar nicht die Rede, sie muß sich nur an ihn gewöhnen, das muß eine schreckliche für uns unvorstellbare Arbeit sein. Nur um sich dafür zu stärken, muß sie so viel »essen«, vielleicht auch um sich zeitweilig zu betäuben. »Die Welt ist ja nicht zum Aushalten« sagt sie sich manchmal »nur schnell sich volltrinken«. Und dann trinkt sie und dann weinst Du. – Ich mußte letzthin nur ins Nebenzimmer übersiedeln, in ein Zimmer überdies, auf dessen Balkon ich seit 4 Monaten liege und fast alle meine Möbel wurden mit hinübergenommen und doch hatte ich Mühe mich zu gewöhnen, bis sich schließlich nach paar Stunden ergab, daß dieses Zimmer mit der großen Balkontüre und mit viel Luft und Licht noch viel besser war als das vorige. So wird es Věra auch gehn. – Du mußt auch bedenken, daß für Věra das Essen der nächstliegende und am leichtesten zu erobernde Teil der großen Welt ist und so nützt sie aus und Du mußt es leiden.

———

Das ärztliche Zeugnis liegt bei. Mach also den schweren Weg und bald bitte. Ich bin dafür, gleich jetzt nur das halbe Gehalt zu verlangen, ich werde auch damit auskommen und es wird mir leichter sein es anzunehmen.

———

Grüß Elli und Valli trotz meiner gereizten Bemerkungen letzthin. Es ist eben an manchen Tagen so. Auch das Fräulein   Dein

Viel Glück zu Pepas Reise.

Nr. 98

[Briefkopf: Tatranské-Matliary, klimatischer Höhenkurort]

[Stempel: Tatranské-Matliary – 21. V. 21]

Liebste Ottla, also wieder einmal hast Du es fertig gebracht, wie oft willst Du es noch machen? Sooft, bis auch der sanfteste Direktor endlich rufen wird: »Genug! Hinaus! Kein Wort mehr!« So oft? Es ist aber wirklich ein eigentümlicher Posten, eigentümlich erstens dadurch daß er zwei Dinge vereinigt, die sonst selten beisammen sind, nämlich äußerste Entbehrlichkeit des Beamten und äußerst gute Behandlung und zweitens dadurch daß ich ja niemals so gut behandelt werden könnte, wenn ich nicht eben so sehr entbehrlich wäre. Nun freilich, jeder dieser Urlaube ist, so vornehm er, fast ohne daß ich bitte, gegeben wird, doch nur ein Almosen und es ist eine Schande, daß ich es annehme. Womit ich aber nicht sagen will, daß mir das während der Urlaubszeit besonders wehtut, nein, nur wenn ich bitte und wenn es bewilligt wird. Und diesmal wurde sogar mehr bewilligt als ich wollte. Leider kann ich dem Direktor nicht einmal tschechisch danken, wieder nur deutsch und selbst das ist schwer.

———

Daß Herr Fikart kleiner geworden ist, kann ich nicht recht glauben, wohl aber bist Du Mutter also so viel größer geworden und deshalb scheint es Dir daß alles kleiner wird (Du kennst ja die Relativitätsteorie und die Schiffe) nur Věra wird größer und füllt den Horizont (und sich) Wie sieht sie denn aus und was steht auf ihrer Stirn geschrieben? Natürlich darfst Du Dich beim Lesen nicht mit der oberflächlichen Schrift begnügen, dort heißt es natürlich bloß: »ich will essen«.

Schade nur daß sie Dich hindert herzukommen, vielleicht

wird es aber z. B. im nächsten Frühjahr doch schon möglich sein. Ich weiß nämlich nicht, wie ich von hier loskommen soll, wenn Du mich nicht abholst. Man liegt im Wald an der Sonne, auf dem Balkon zu hause, geht früh im sonnigen Wald herum, lacht oder langweilt sich oder ist traurig oder freut sich sogar manchmal, zweimal täglich weint man über dem Essen (gestern beim Mittagessen sagte ich unbewußt klagend »Ach Gott!« und merkte es erst nachher), ein wenig nimmt man auch zu, es geht schon gegen das 8te Kilo – kurz, es ist eine in sich geschlossene Welt, in der man Bürger ist, und so wie man im allgemeinen auch aus der Erdenwelt, wenn man eingebürgert ist, erst loskommt, wenn einen der Engel holt, so auch hier. Also im nächsten Frühjahr?

Wenn es Dir nicht viel Mühe macht, könntest Du noch ehe Du wegfährst, zu Krätzig – Darfst ihm nicht sagen, daß er kleiner geworden ist! – (dem Dienstältern daher mehr Ehrfurcht beanspruchenden) und Treml gehn? Vielleicht ist auch zufällig Post dort.

Und sag mir bitte nächstens auch paar Worte von Elli, Valli und den Kindern.   Dein

Grüß Pepa
Das Fräulein grüßen!!
Wenn das Paket noch nicht abgeschickt ist, könnte man noch etwa 3 Hemden weiche, wenn irgendwelche gute da sind, beilegen

Nr. 99: *An Ottla und Josef David*

                          [Matliary, Anfang/Mitte Juni 1921]
Liebe Ottla,

          ich habe Dir schon lange nicht geschrieben, denn wenn es mir gut geht, im Wald, in der vollkommenen Stille, mit Vögeln, Bach und Wind wird man auch still und wenn ich verzweifelt bin, in der Villa, auf dem Balkon, in dem vom Lärm zerstörten Wald kann ich nicht schreiben, weil meinen Brief auch die Eltern lesen. Das Letztere ist leider viel häufiger, das erstere kommt aber auch vor, die letzten 2 Nachmittage z. B. war es so, heute nicht mehr ganz; ich wundere mich aber nicht darüber, so viel Ruhe, als ich brauche, gibt es auf der Welt nicht, woraus folgt, daß man soviel Ruhe nicht brauchen dürfte. Daß man sie aber doch manchmal hier haben kann, trotzdem doch schon alles hier überfüllt ist und vom 1. ab die Überfülle wahrscheinlich noch einmal überfüllt werden wird (es wohnen dann Leute in Badekabinen, in jedem Verschlag und ich habe ein schönes Balkonzimmer) – dafür bin ich sehr dankbar und deshalb vor allem neben andern Gründen habe ich mich bisher nicht weggerührt. Jetzt z. B. es ist etwa 7 Uhr abend liege ich im Liegestuhl am Rand einer dreiwandigen Hütte mit 2 Decken Pelz und Polster, vor der Hütte ist eine Waldwiese, groß etwa wie ein 1/3 des Zürauer Ringplatzes, ganz gelb, weiß, lila von bekannten und unbekannten Blumen, ringsherum alter Fichtenwald, hinter der Hütte rauscht der Bach. Hier liege ich schon 5 Stunden, heute ein wenig gestört, gestern und vorgestern ganz allein nur mit der Milchflasche neben mir. Dafür muß man doch dankbar sein und ich verschweige heute Dinge für die man nicht dankbar sein muß. Übrigens, wenn jeder Nachmittag so wäre und die Welt mich hier ließe, ich bliebe hier solange, bis man mich mit dem Liegestuhl forttragen müßte. Inzwischen kämest Du einmal doch mich besuchen?

Was Taus betrifft, so habe ich einige Bedenken nach dem Vers: »Greif nur hinein ins volle Menschenleben, wo Du es packst, dort hälst Du 10 Bedenken.« Der Oberinspektor hatte dafür keinen Vers, aber ein kräftiges Wort. Erstens daß es dort auf den nördlichen Abhängen des Böhmerwaldes zu rauh ist (ich habe mich ja zurückentwickelt zu einem Kind und nicht zu einem Kind wie Věra ist) zweitens daß dort nicht genug Ruhe ist, im Wald wohl, aber nicht so nah, daß man sie mit dem Liegestuhl erreichen könnte drittens daß es zu nahe beim Špičák ist (jemand ist, um nicht in meiner Nähe zu sein, statt in die Tatra auf den Špičák gefahren und nun sollte ich auch dorthin fahren?) viertens habe ich der Badedirektion auf die dringende Frage ob ich über den 1. Juli hierbleibe (für Juli und August werden nämlich die Zimmer nur monatsweise abgegeben) gesagt, daß ich bleibe, was ja auch wahr ist und fünftens müßte ich, wenn ich über Prag fahre, in die Anstalt gehn, was eine sehr quälende Ceremonie wäre, denn die Anstalt ist mir (bis auf ihr Geld) ferner als der Mond aber drohend und vorwurfsvoll. Die Bedenken 4 und 5 und zum Teil 3 habe ich selbst zu überwinden, über die ersten zwei aber könntest Du mir erst dann etwas sagen, wenn Du dort wohnst. Darum wäre es am besten mit der Zimmermiete bis dahin zu warten, nicht wahr?

Über die Besuche bei Treml und Krätzig sagst Du auffallend wenig, trotzdem das doch bedeutende Ereignisse waren. Sollten die zwei sehr böse auf mich sein und sehr Böses gesagt haben? Post war keine dort? Und sonst etwas Böses?

Daß Du Dir von meinem Aussehn keine besonders großartigen Vorstellungen machst, ist gut, ich habe zwar 8 kg zugenommen (weiter gehts nicht, eher hinunter) und Fieber habe ich im allgemeinen gar nicht, aber sonst – in Zürau war mir besser, fast möchte ich sagen, ehe ich herfuhr, war mir unwissender Weise besser, im Winter freilich war mir viel, viel schlechter als jetzt; ich erzähle das nur, damit ich mich vorstelle, ehe ich ankomme und damit, nicht so wie bei der Rückkehr aus Meran, die Omellette schon fertig ist wenn ich komme.

Und nun sei mir nicht böse und geh zu Věra und ehe Du ihr zu essen gibst, gib ihr unter den andern Küssen auch einen für mich   Dein

Milý Pepo, hodný jsi byl, vzpomněl jsi na mně, rozčiloval si mně pohledy na Paříž. O Paříži musíš mi ještě vypravovat a o strýci a tetičce; vyřídil jsi jí všechny pozdravy tatínka, žádný si nevynechal? Na Věru se těším, zajisté je velmi nadaná, vždyť již mluví, jak mi píšeš, hebrejský. Haam jest totíž hebrejský a znamená: národ; ovšem trochu nesprávně to slovo vyslovuje, říká se totiž haám, ne háam. Oprav ji to prosím; navykne-li si chybu v mládí, mohlo by jí to pak zůstat.

Srdečný pozdrav Tvým rodičům a sestrám   Tvůj F

Ottla, wie ist es mit dem Wackelzahn? Muß er verloren gehn?
Wie ist Vallis Adresse?

Deutsche Übersetzung des an Josef David gerichteten Briefteils:

[Lieber Pepa, brav warst Du, hast Dich an mich erinnert, mich mit den Ansichtskarten aus Paris aufgeregt. Von Paris mußt Du mir noch erzählen und vom Onkel und von der Tante; hast Du ihr alle Grüße vom Vater ausgerichtet, keinen weggelassen? Auf Věra freue ich mich, sicher ist sie sehr begabt, sie spricht ja schon, wie Du schreibst, hebräisch. Haam ist nämlich hebräisch und bedeutet: Volk; allerdings spricht sie das Wort etwas unrichtig aus, man sagt nämlich haám, nicht háam. Bessere ihr das aus, bitte; gewöhnt sie sich den Fehler in der Jugend an, so könnte er ihr dann bleiben.

Herzlichen Gruß an Deine Eltern und Schwestern   Dein F]

Nr. 100: *An Julie und Hermann Kafka*

[Ansichtspostkarte: Kafka in Matliary inmitten von Patienten und Personal]

[Matliary, Juni 1921]

Liebste Eltern, wie Ihr aus dem Bild seht, bin ich schon, wenigstens auf der rechten Wange, ziemlich dick. Herrn Glauber werdet Ihr wohl erkennen, sonst kennt Ihr aus Briefen nur Frau Galgon (Hutreparatur!) im Kopftuch, aber eine richtige Vorstellung von ihr bekommt Ihr nach dem Bild leider nicht.
Herzlichste Grüße auch für Onkel und Tante.   Euer F

Habt Ihr Euch in Franzensbad nicht auch photographieren lassen?

Nr. 101

[Postkarte]

[Stempel: Tatranská-Lomnice – 28. VII. 21]

Liebe Ottla, natürlich hast Du Dich schon an D. gewöhnt, wie könnte es anders sein. Allerdings, eine Stadt ist es und in Städten ist man verlassener als im Dorf. Übrigens schriebst Du ja daß Du es kennst, erwähntest einen Ort Babylon. – Hinzukommen, daran denke ich nicht mehr. Es ist auch hier nicht ganz so lärmend wie ich gefürchtet habe, der Lärm der Kinder ist angenehmer als der der Erwachsenen erstens ist er notwendiger und zweitens wird man für ihn durch das Dasein der Kinder belohnt. Vielleicht ist es bei Věra auch so. – Vor allem will ich aber am 20ten August, dem Ablaufstag des Urlaubs in Prag sein, nicht nur weil man nicht ewig betteln kann und außerdem Du die Fürbitterin nicht in Prag bist, sondern weil auch der

Arzt eine weitere Besserung für unwahrscheinlich hält wenigstens sagt er es manchmal und es mag auch so sein. – Augenblicklich brennt mich am Schienbein der wildeste Absceß, den ich bisher hier hatte, ich lege mich lieber nieder.

Dein

In Domažlic gibt es Erinnerungen an Božena Němcová!

Nr. 102

[Ansichtspostkarte: Vysoké Tatry (Hohe Tatra)]

[Stempel: – – 8. VIII. 21]

Mein erster Ausflug

Věra habe ich gleich erkannt, Dich mit Mühe, nur Deinen Stolz habe ich gleich erkannt, meiner wäre noch größer, er gienge gar nicht auf die Karte. Ein offenes, ehrliches Gesicht scheint sie zu haben und es gibt glaube ich nichts besseres auf der Welt als Offenheit, Ehrlichkeit und Verläßlichkeit

Dein

Annie Nittmann
Ilena Roth

Nr. 103: *An Josef David*

[Matliary, 22. oder 23. August 1921]

Milý Pepíčku, odpust, odpust, nejdřív v to s těma kalhotama a teď zase to. Víš bylo to dost nepříjemné, velká horečka, celé noce kašel a když jsem se ráno do toho psaní na ředitele pustil nebyl jsem ovšem v nejlepší náladě. Tak odpust tedy. Ostatně nebyla Otla doma, že ty si tu věc musel vyřídit? Udělal jsi to ovšem výborně. Pan rada je velmi citlivý pán, je velmi dobře, že si tak vážně s ním jednal, je to ovšem také třeba, neboť já zacházím už s tím ústavem, jako dítě s rodiči by se zacházeti neodvážilo.

O tu dovolenou žádat nebudu, nemělo by to smyslu, buď bude třeba abych se dále léčil totiž buď bude nádeje že bych se mohl ještě dále vyléčit, o tom rozhodnou lékaři, pak by tak malá dovolená ničeho nepomohla a jinak jí nepotřebuji. Přinesu jednoduše lékarské vysvědčení, že jsem teď tak a tak dlouho ležel a to postačí.

Děkují ti Pepíčku mnohokráte za nábídku, že si pro mě přijedeš. Pro mne to ovšem není nijak zapotřebí, ale pro tebe by to ovšem bylo velmi krásné. Teď ty skoro již podzimně chladno-teplé dny a to krásné vandrování, to je snad v jistém ohledu zde lepší než v Alpách; i na nejvyšší hory se může lehce bez vůdců. Já bych ovšem mnoho z toho neměl kdybys přišel, ráno bys mi vyprávěl kam půjdeš, a večer kde si byl. Proč si v Praze, když máš ještě prázdniny?

Tak tedy v pátek asi příjdu. Na shledanou Pepíčku, pozdravuj pěkně Ottlu a Věru. Tvůj F

Deutsche Übersetzung:

[Lieber Pepi, verzeih, verzeih, erst das mit den Hosen und jetzt wieder das. Weißt Du, es war recht unangenehm, hohes Fieber, ganze Nächte Husten, und als ich früh den Brief an den Direktor zu schreiben begann, war ich gewiß nicht in der besten Laune. Also verzeih. War übrigens Ottla nicht zuhause, daß Du diese Sache erledigen mußtest? Du hast es freilich ausgezeichnet gemacht. Der Herr Rat ist ein sehr empfindlicher Herr, es ist sehr gut, daß Du so ernst mit ihm verhandelt hast, das ist allerdings auch notwendig, denn ich gehe ja mit der Anstalt um, wie ein Kind mit seinen Eltern umzugehen sich nicht trauen würde.

Um Urlaub werde ich nicht ansuchen, es hätte keinen Sinn, entweder wird es notwendig sein, daß ich länger in Behandlung bleibe, also entweder besteht eine Hoffnung, daß sich meine Gesundheit bessern kann, das werden die Ärzte entscheiden, dann würde ein so kurzer Urlaub gar nicht helfen, sonst aber brauche ich ihn nicht. Ich werde einfach ein ärztliches Zeugnis mitbringen, daß ich jetzt so und so lange gelegen bin, und das wird genügen.

Ich danke Dir, Pepi, vielmals für Dein Angebot, mich abzuholen. Meinetwegen ist das allerdings keineswegs nötig, für Dich aber wäre es freilich sehr schön. Jetzt diese schon fast herbstlich kühl-warmen Tage und das schöne Herumwandern, das ist vielleicht hier in mancher Hinsicht besser als in den Alpen; selbst auf die höchsten Berge kommt man leicht ohne Führer. Ich hätte freilich nicht viel davon, wenn Du kämest, am Morgen würdest Du mir erzählen, wohin Du gehst, und am Abend, wo Du gewesen bist. Warum bist Du in Prag, wenn Du noch Ferien hast?

Ich komme also wahrscheinlich am Freitag an. Auf Wiedersehen, Pepi, grüße schön Ottla und Věra.   Dein F]

Nr. 104

[Postkarte]

[Stempel: Berlin-Steglitz – 26. 9. 23]

Der intime Brief ist vorläufig nicht nötig, er wäre auch
nicht schlimm geworden, nur eine Bitte um Rat und dgl.,
aber meine Beschäftigung während des größten Teiles der
Reise war er. Ich war freilich auch ein wenig stumpfsinnig,
denn die Nacht vorher war eine der allerschlimmsten gewesen, etwa dreiteilig zuerst ein Überfall durch alle Ängste,
die ich habe, und so groß wie diese ist kein Heer der Weltgeschichte, dann stand ich auf, weckte das arme gute Fräulein (das wegen der Schienenlegung der Elektrischen in
meinem Zimmer schlief, müde, nach schrecklich umständ-
lichem Kofferpacken) und holte mir Foligan aß es gierig
und dämmerte dann eine Viertelstunde, dann aber war es
zuende und ich beschäftigte mich den Rest der Nacht mit
der Koncipierung des Absagetelegrammes an den Vermie-
ter nach Berlin und mit der Verzweiflung darüber. Aber
früh (dank Dir und Schelesen) fiel ich nicht um, als ich
aufstand und fuhr weg, vom Fräulein getröstet, von Pepa
geängstigt, vom Vater liebend gezankt, von der Mutter
traurig angeschaut.
Wie geht es dem Fräulein Ella Proch.?
In Beřkowitz war ich gekränkt, daß Du die Kinder und
Fini nicht auf der Bahn waren.

Nr. 105

[Postkarte]

[Stempel: Berlin-Steglitz – 26. 9. 23]

Ottla, ein Nachtrag: Butter ist hier zu haben soviel man
will, nur essen kann man sie nicht. Wenn Du mir hie und
da ein Päckchen Muster ohne Wert schicken wolltest nebylo
by to špatné bylo by to spíše dobré, denn nur von Butter
werde ich ein wenig dick und die Schelesner Dicke habe ich
zum Teil in der Nacht vor der Abfahrt verloren (hätte
freilich auch niemals wegfahren können, wenn ich nicht die
Dicke gehabt hätte, um sie zu verlieren) Willst Du also
schicken? Wir verrechnen es dann, etwa 5 K kostet das
ganze Päckchen, ich habe schon einmal hierher Butter geschickt, versuchswegen, sie kam gut an, das Mädchen sagte,
sie hätte bis dahin die hiesige Butter für sehr gut gehalten,
erst durch das Paket hätte sie erfahren, daß es so viel bessere Butter überhaupt gibt. Alles Gute Dir, Pepa den Kindern, Fini.   F

Nr. 106

[Postkarte]

[Stempel: Berlin-Steglitz – 2. 10. 23]

Liebste Ottla, eben bekomme ich kurz nach Deinem lieben
Brief eine entzückende Nachricht: die Hausfrau ist angeblich mit mir zufrieden. Freilich, leider, das Zimmer kostet
nicht mehr 20 K sondern für September etwa 70 K und für
Oktober zumindest 180 K, die Preise klettern wie die
Eichhörnchen bei Euch, gestern wurde mir fast ein wenig
schwindelig davon und die innere Stadt ist davon und
auch sonst für mich schrecklich. Aber sonst, hier draußen,
vorläufig, hier ist es friedlich und schön. Trete ich abends

17 Krivan mit Liptauer Alpen (Hohe Tatra), Bildseite von Nr. 92

Liebste Eltern, ich habe wenn ich nicht irre, schon 10 Tage keine Nachricht von Euch das ist recht lange, und überhaupt ist es so, das in der Korrespondenz immerfort von mir die Rede ist und ich von den vielen kleinen Merkwürdigkeiten (hoffentlich geschehen keine großen) die doch jeden Tag auch bei Euch geschehn, gar nichts erfahre. Das ist doch nicht richtig. Mir geht es weiterhin gut. Da Euch keine "Merkwürdigkeiten" mich betreffend verspre... verdanke ich die spezielle Mitteilungen dahin, daß der erste Fruchtsaft zum einen ausgezeichneten König berechnet worden

18 Teilfaksimile von Nr. 113

19 Kafka im Kreis von Mitpatienten und Personal in Matliary (Hohe Tatra), Bildseite von Nr. 100

20 Matliary, im Vordergrund die Villa Tatra

Milý Lojzíčku, odpusť, odpusť,
nejdřív to s těma kalkotama
a teď zase to. Víš bylo to
dost nepříjemné velké horečka,
celé noce kašel a když jsem
se pánů do toho psaní na
ředitele pustil nebyl jsem ovšem
v nejlepší náladě. Tak odpusť
tedy. Ostatně nebyla Otla doma,
že by ni tu věc musel vyřídit? Udělal jsi to ovšem
výborně. Sam pada je velmi
citlivý pán, je velmi dobře,
že ni tak vážně s ním jednal
je to ovšem také třeba neboť
já zacházím ni s tím ústavem
jako dítě s rodiče by se
zacházeti neodvážilo.

21 Faksimile von Nr. 103

O tu dovolenou řádět nebudu, nemělo by to smyslu, buď bude třeba abych se dále léčit, protiž buď bude naděje že bych se mohl ještě dále vyléčit o tom pozhodnou lékaři, pak by tak malá dovolená ničeho nepomohla a zmate ji nepotřebuji. Přineju jednoduše lékařké vysvědčení, že jsem teď tak a tak dlouho ležel a to postačí!

Děkuji Ti Pepíčku mnohokráte za nabídku, že si pro mě přijedeš. Pro mne to ovšem není nijak zapotřebí, ale pro tebe by

to ovšem bylo velmi krásné.
Teď ty skoro již podzimně
chladno-teplé dny a to
krásné vandrování to je
snad v jistém ohledu zde
lepší než v Alpách, i na
nejvyšší hory se může lehce
bez vůdců. Já bych ovšem
mnoho z toho poznal kdybys
přišel, páni bys mi vyprávěl kam půjdeš, a večer
kde si byl! Prvé ni v
Praze, když máš ještě prázd-
ny.² Tak tedy v pátek
ať přijdu. Na shledanou
Pepíčku, pozdravuj pěkně
Otku a Věru. Tvůj F

22 Teilfaksimile von Nr. 115 mit Grüßen Dora Dymants an Ottla

was bei dem Direktor gesprochen wurde und auch mit dem Ton, in dem es geschah. Von Palästina scheint der 2. T. nicht gesprochen zu haben, auch von meiner Berliner Geschäftsgründung. Kann ich in dem Brief davon schweigen ist es mir natürlich sehr recht. Sollte der Brief an den Direktor persönlich gerichtet sein? Oder wäre er an die Anstalt? Das letztere würde eine größere Nüancierung verlangen. Aber der Brief an den Direktor mag wirklich genügen. Soll ich aber außer dem offiziellen Brief noch einen kleinen persönlichen Dankbrief (der deutsch sein könnte) an den Direktor schreiben? Ob das nötig wäre, würde von dem Eindruck abhängen den Du vom Direktor hattest.

Warum geht es Dir diesen Monat gar so gut? Offenbar hast Du die Suppen zu früh zum Verkauf. Andererseits freilich ist Vera bei Dir und läßt sich schreiben, woraus man schließen könnte, daß sie gespannt das Ohr auf den Rauch der Suppe gelegt hat und rührt sie es dort spricht. Jedenfalls, wenn die Suppe nichts anderes erreicht den Begriff, den sich Vera von Berlin macht wird sie entscheidend beeinflussen. — Rede nicht immerfort von Geld, das Du schuldig bist. Ich habe die paar Tage von Dir (erst hätte ich, ich glaube ich einer behördlichen Redensart gesagt: von Deinem Tod) gelesen, das Papier auf dem ich schreibe ist von Dir die Feder von Dir u. s. w. ; wenn jemand auf ausgezeichnet Rotspitzige Weise eine Berliner Reise machen will, dann soll er als mein Gast kommen. Alles Gute! Und jammert Euch nicht meinetwegen! Und wegen der Kaiser macht Dir keine Sorgen. Er hat sie selbst.

23 Kafkas Berliner Wohnung in Steglitz, Grunewaldstraße 13,
vgl. Nr. 112

24 Teilfaksimile von Nr. 116

25 Ottla (um 1918)

an diesen lauen Abenden aus dem Haus kommt mir aus
den alten üppigen Gärten ein Duft entgegen, wie ich ihn in
dieser Zartheit und Stärke nirgends gefühlt zu haben
glaube, nicht in Schelesen, nicht in Meran, nicht in Marienbad. Und alles andere entspricht dem bisher. Ja es ist eine
Zürauer Reise, freilich es sind erst 8 Tage vorüber und
wenn Du nach Arbeit und Zeiteinteilung fragst, weiß ich
noch nichts zu sagen. Näheres beschreiben ist schwer, den
Eltern gegenüber bemühe ich mich es zu tun, übrigens,
hättest Du keine Lust, es Dir anzuschauen?
Ich hoffe, Du würdest mich noch nicht auf der Kirchentreppe
ausgestreckt finden zwischen den Kindern. – Die Butter ist
bis jetzt Dienstag leider nicht gekommen, man wird aufhören müssen sie zu schicken. Ich bekomme übrigens knapp
erträgliche, auch Milch.
Was macht mein lieber Pepa? Wieviele events versäume
ich! Grüß die Kinder und Fini.
Von der Ella Prochaska hast Du nichts geschrieben.

Nr. 107: *An Josef David*

[Postkarte]
                    [Stempel: Berlin-Steglitz – 3. 10. 23]

Milý Pepo buď tak dobrý a napiš mi několik řádků, kdyby
se něco zvláštního doma přihodilo. Dnes je středa, večer,
jsem zde 10 dnů a dostal jsem celkem 2 zprávy z domova.
To by úplně stačilo jen že to nebylo dobře rozdělené, ty
2 zprávy přišly rychle za sebou. Tak mi napíšes, kdyby se
něco stalo, že? A co děláš ty, když nemás nikoho, kterému
můžeš dělat strach před Berlinem. Pepo, mě dělat strach!
To je tak jako Eulen nach Athen tragen. A je to zde sku-
tečně hrozné, žít ve vnitřním městě, bojovat o živobytí,
číst noviny. To vše ovšem nedělám, nevydržel bych to půl
dne, ale zde venku je to pěkné, jen někdy vytryskne nějaká

zpráva, nějaký strach až ke mě a potom musím s nimi bojovat, ale je to v Praze jinak? Kolikeré nebezpečí hrozí tam každodenně takovému bojácnému srdci. A jinak je to zde krásné, přiměřeně k tomu jsou k příkladu kašel a teplota lepší i než v Železích. – Těch 20 K předal jsem jednomu Kinderhortu podám ti o tom ještě bližší zprávu. – Kdyby si chtěl nějaký referát o Berlinském eventu tak mi jen napiš. Ovšem ty Berlinské cený! Bude to drahý referát. Otevři si ostatně poslední Selbstwehr. Ten prof. Vogel tam zase píše proti footbalu, snad teď football vůbec přestane.

Pozdravuj pěkně rodiče a sestry p. Svojsíka.

Teď přišel ostatně dopis od Elli, je tedy vše v pořádku

Deutsche Übersetzung:

[Lieber Pepa, sei so gut und schreibe mir ein paar Zeilen, wenn zuhause etwas besonderes geschehen sollte. Heute ist Mittwoch abends, ich bin seit 10 Tagen hier und habe insgesamt 2 Nachrichten von zuhause erhalten. Das würde vollkommen genügen, nur war es nicht gut verteilt, die 2 Nachrichten kamen schnell nacheinander. Also Du wirst mir schreiben, falls etwas geschehen sollte, nicht wahr? Und was machst Du, wenn Du niemanden hast, dem Du vor Berlin Angst machen kannst. Pepa, mir Angst machen, das ist so wie Eulen nach Athen tragen. Und es ist hier wirklich schrecklich, in der inneren Stadt leben, um Lebensmittel kämpfen, Zeitungen lesen. Das alles tue ich allerdings nicht, ich würde es keinen halben Tag aushalten, aber hier draußen ist es schön, nur manchmal dringt eine Nachricht durch, irgendeine Angst bis zu mir, und dann muß ich mit ihnen kämpfen, aber ist es in Prag anders? Wie viele Gefahren drohen dort täglich einem so ängstlichen Herzen. Und sonst ist es hier schön, dem entsprechend sind zum Beispiel der Husten und die Temperatur sogar besser als in Schelesen. – Die 20 K übergab ich einem Kinderhort, darüber werde ich Dir noch Näheres berichten. – Wenn Du ein Referat über die Berliner Zustände haben möchtest, dann schreibe mir nur. Allerdings die Berliner Preise! Es wird ein teueres Referat sein. Schlage übrigens die letzte Selbstwehr auf. Professor

Vogel schreibt dort wieder gegen den Fußball, vielleicht hört der Fußball jetzt überhaupt auf.

Grüße mir schön die Eltern und die Geschwister und Herrn Svojsík.

Übrigens kam jetzt ein Brief von Elli, es ist also alles in Ordnung.]

Nr. 108

[Berlin-Steglitz, 8. Oktober 1923]

Liebe Ottla, kein »intimer Brief«, nur ein Ansatz zu ihm, und nach einer ein wenig unruhigen Nacht:

Ob Du mich stören würdest, darüber müssen wir nicht sprechen. Wenn mich alles in der Welt stören würde – fast ist es so weit –, Du nicht. Und außer der Freude Dich hier zu haben, wäre mir dadurch vielleicht eine Reise erspart.

Das bist also Du. Über Dich hinaus aber, das muß ich sagen fürchte ich mich sehr. Dazu ist es viel zu früh, dazu bin ich nicht fest genug hier eingerichtet, dazu schwanken mir die Nächte zu viel. Du verstehst es gewiß: das hat nichts mit Lieb-haben, nichts mit Willkommen-sein zu tun, – nicht in dem der kommt liegt der Grund dafür, sondern in dem der empfängt. Diese ganze Berliner Sache ist ein so zartes Ding, ist mit letzter Kraft erhascht und hat wohl davon eine große Empfindlichkeit behalten. Du weißt, in welchem Tone man manchmal, offenbar unter dem Einfluß des Vaters, von meinen Angelegenheiten spricht. Es ist nichts Böses darin, sondern eher Mitgefühl, Verständnis, Pädagogik u. dgl., es ist nichts Böses, aber es ist Prag, wie ich es nicht nur liebe, sondern auch fürchte. Eine derartige noch so gutmütige, noch so freundschaftliche Beurteilung unmittelbar zu sehen und zu hören, wäre mir wie ein Her-überlangen Prags hierher nach Berlin, würde mir leid tun und die Nächte stören. Sag mir bitte daß Du das genau mit allen seinen traurigen Feinheiten verstehst.

Ich weiß nun nicht ob Du wirst kommen können, aber ich weiß auch nicht, ob nicht vielleicht ich für paar Tage nach Prag fahren soll. Entscheide Du und rate mir. Ich will, wenn es nur irgendwie möglich ist, den Winter über in Berlin bleiben. Da sollte ich doch vielleicht vorher, jetzt solange noch erträgliches Wetter ist, nach Prag fahren, die Eltern sehn, mich richtig verabschieden, zur Vermietung meines Zimmers raten u. dgl. Außerdem müßte ich mir verschiedene Wintersachen holen (Mantel, Kleid, etwas Wäsche, Schlafrock, vielleicht Fußsack), die mir auf andere Weise zu schicken oder zu bringen, viel Umstände machen würde. Schließlich müßte ich eigentlich endlich auch mit dem Direktor sprechen, eine Sache allerdings, die ich, wenn Du Dich dazu drängen würdest, ohne Bedauern Dir überlassen würde. Jedenfalls wollte ich, wenn ich fahre, etwa am 20. wieder hier sein.

So, nun habe ich meine Sorgen auf Dich überwälzt. Vielleicht werde ich dadurch wieder so frei und so schön müde, wie gestern, wo ich zwar wie täglich nach 7 Uhr aufstand aber um 9 vor Müdigkeit guter Müdigkeit, ganz ohne Fieber, es nicht aushielt, mich ins Bett legte, wie Helene halb im Schlaf das Gabelfrühstück und das Mittagessen fletscherte und gegen 5 Uhr sehr mühselig nur deshalb aufstand, weil ein Besuch kommen sollte. Abend kam dann neben Deiner Karte eine Karte der Mutter, in welcher angezeigt war, daß Klopstock, der arme liebe unglückliche (augenblicklich wieder sehr unglückliche) Junge, ohne mir vorher davon zu schreiben, heute erschreckend hierherkommen soll. Nun vielleicht kommt er doch nicht; wenn man ihm doch nur äußerlich ein wenig helfen könnte, er hat kein Zimmer, sein Freitisch ist gefährdet, seine Hand verletzt, eine schwere Prüfung steht ihm bevor, Geld hat er wahrscheinlich auch keines und das alles ist für ihn ein Grund eine Besuchsfahrt nach Berlin zu machen. Nun, er wird wohl nicht kommen. Freilich, Prag ist auch nicht gut für ihn, aber die Studiermöglichkeiten in Berlin sind für ihn noch schwieriger als dort. Hier solltest Du eigentlich auch raten, große Mutter. – Lebwohl, grüß Pepa, die Kinder und Fini. Aussprüche der Věra? Fortschritte der Helene? Nun habe ich, in lauter schwierigen Dingen befangen, vergessen Dir für die Butter zu danken. Mittwoch kam sie, vielleicht also doch noch das erste Päckchen? Sie ist ausgezeichnet.

Nr. 109

[Postkarte]

[Stempel: Berlin-Steglitz – 13. 10. 23]

Liebe Ottla, Du bist wohl schon in Prag, aber ich versuche es noch schnell mit einer Karte nach Sch., nach Prag schreibe ich Dir dann ausführlicher. Irre ich nicht, bekam ich bisher 3 Päckchen von Dir, das dritte mit der Danbaer, die Du Montag schicktest überraschend schnell, am Donnerstag. Wir müssen ja auch wegen der Verrechnung die Zahl festhalten, ich will nicht Věras Mann die Butter vom Brot wegessen (trotzdem er gewiß Unmengen eigener Butter haben wird) Inzwischen habe ich ein Päckchen auch von der Mutter bekommen, so daß ich großartig versorgt bin. Nein andere Sachen zu schicken ist ganz und gar unnötig. Zu Deinem Brief die Reise betreffend werde ich Dir noch ausführlicher schreiben, heute nur: daß ich ganz mit Dir übereinstimme, daß ich nicht fahren soll und dann daß ich auch Pepa hinsichtlich seiner Besorgnisse recht gebe. Hier draußen ist bis jetzt tiefer Friede, ich glaube, Du könntest auch bei mir schlafen, aber jeden Augenblick kann in der Stadt natürlich etwas geschehn und die Bahnverhältnisse für die Mutter der Kleinen riskant machen. Darüber aber schreibe ich noch. Also vorläufig: František pozdravuje a je zdráv. Grüße Pepa die Kinder, Fini

Nr. 110

[Postkarte]

[Stempel: Berlin-Steglitz – 14. 10. 23]

Liebste Ottla, Du bist also schon in Prag? Noch vor dem 15ten? Ist der Zahn schuld? Und wie geht es ihm? Es gibt wenige Dinge, hinsichtlich welcher ich unbedingt zuversichtlich bin und eines davon sind Deine Zähne. Immerhin, daß Du schon in Prag bist bei dem doch noch erträglichen Wetter, ist auffallend. – Alle Päckchen sind angekommen, das mit 1 nummerierte und heute auch (Sonntag) das unnummerierte aus Prag, inzwischen auch das zweite von der Mutter, man kann nicht fürsorglicher behandelt werden. – Deine Reise. Wenn man so hinausschaut aus dem Fenster: der blaue Himmel, das viele Grün, dann zurück ins Zimmer: Obst, Blumen, Butter Kefir dann weiter denkt: die schönen Anlagen, der botanische Garten, der Grunewald dann noch weiter sich treiben läßt: eine unendlich teuere Teatervorstellung (ich war noch nirgends), Besichtigung (zu mehr wird unser Geld nicht reichen) der Auslagen von Kersten und Ticteur u. dgl. oder gar nichts davon und nur 2, 3 Tage beisammen sein in einer fremden Stadt, so möchte man ohne weiteres dazu raten, aber freilich, freilich, die Gefahr. Ich werde darüber noch schreiben, jedenfalls, nur auf eigene Verantwortung fahre keineswegs!! Grüß Pepa, Kinder, Fini

Nr. 111

[Postkarte]

[Stempel: Berlin-Steglitz – 16. 10. 23]

Liebste Ottla, bitte veranlasse, daß mir Geld geschickt wird, ich hatte nicht viel mit, die Mutter hatte damals keines, konnte mir nicht für Oktober vorausgeben, ich wußte ja

auch nicht, wie lange ich bleibe, aber sie versprach mir vom
1. Oktober ab in jedem Brief kleinere Beträge zu schicken.
Nun habe ich schon öfters darum gebeten, aber es kommt
nichts, heute ist der 16te und ich habe für diesen Monat
erst 70 K im Ganzen bekommen; sollte das Geld aus der
Anstalt nicht gekommen sein oder sollte ein Geldbrief
vielleicht doch verloren gegangen sein? Oder will man mich
auf diese Weise zum Geldverdienen erziehn, aber dann
hätte man mich nicht soviel Zeit verlieren lassen sollen.
Gestern z. B. haben Möbelpacker einen riesigen Flügel des
früheren Mieters aus meinem Zimmer transportiert. Wenn
es eine Möbelpackerschule gäbe, wo man aus jedem Menschen einen Möbelpacker machen kann, würde ich leiden-
schaftlich eintreten, vorläufig habe ich die Schule noch nicht
gefunden. – Die Butter kommt richtig an, heute auch das
große von Klopstock vermittelte Paket. Aber man braucht
auch anderes. So steht mir, fürchte ich eine große Ausgabe
bevor, der Ankauf einer Petroleumlampe. In meinem Zimmer ist nur mir nicht genügendes Gaslicht und eine zu
kleine Petroleumlampe.

Nr. 112

[Postkarte]

[Stempel: Berlin-Steglitz – 17. 11. 23]

Liebe Ottla, das erste in der neuen Wohnung geschriebene
Wort gehört Dir, schon deshalb weil Du ja vielleicht bald
in direkte Beziehung zu ihr kommen wirst. Sie wird Dir
gefallen, glaube ich. Was die Übersiedlung betrifft, kann
ich nicht sagen, daß sie mich sehr angestrengt hat. Um
1/2 11 etwa ging ich aus der alten Wohnung fort, fuhr in
die Stadt, war in der Hochschule, wollte dann zum Essen
gehn, um nachher gleich nach Steglitz zu fahren und doch
noch ein wenig an der Übersiedlung teilzunehmen, wurde

aber in der Friedrichstraße plötzlich angerufen, es war Dr. Löwy (die Müritzer aus unserer Familie kennen ihn), ich hatte ihn in Berlin noch nicht gesehn, er war sehr lieb und freundschaftlich, lud mich gleich zum Mittagessen bei seinen Eltern ein, wohin er eben ging, ich zögerte vor diesem Billionengeschenk, auch wollte ich ja nach Steglitz, aber schließlich ging ich doch, kam in den Frieden und die Wärme einer wohlhabenden Familie und ehe ich an der Gartentür in Steglitz läutete, war es schon 6 Uhr und die Übersiedlung restlos vollzogen. Ich vergaß daß kein Platz ist und habe noch eine Bitte. Die Mutter in der Empfindlichkeit ihrer Fürsorge macht mir gerade in dem Augenblick das Angebot einer Eiersendung, wo wirklich keine hier zu haben sind.

Wenn Du kommst, bring bitte Dir Bettwäsche mit, aber solche die Du hier lassen kannst. Dein hiesiges Bett ist herrlich.

Auch Fußsack wäre manchmal ganz nett

Nr. 9 ist vor paar Tagen richtig angekommen

Nr. 113: *An Julie und Hermann Kafka*

[Postkarte]

[Stempel: Berlin-Steglitz – 17. 10. 23]

Liebste Eltern, ich habe wenn ich nicht irre, schon 10 Tage keine Nachricht von Euch, das ist recht lange, und überhaupt ist es so, daß in der Korrespondenz immerfort von mir die Rede ist und ich von den vielen kleinen Merkwürdigkeiten (hoffentlich geschehen keine großen) die doch jeden Tag auch bei Euch geschehen, gar nichts erfahre. Das ist doch nicht richtig. Mir geht es weiterhin gut. Da ich keine »Merkwürdigkeit« mich betreffend vergesse, ergänze ich die Speisezettel-Mitteilungen dahin, daß das erste Frühstück um einen ausgezeichneten Honig bereichert worden ist, freilich kostet das Geld und nicht wenig. Der Kuchen hat Aufsehen erregt, die Hausfrau bittet um das Recept, ich sagte ihr freilich daß das Recept ohne des Fräuleins Hände nicht viel helfen wird. Das von Klopstock vermittelte Paket kam gestern Dienstag in ausgezeichnetem Zustand an. Vielen Dank

Herzlichste Grüße Euch und allen   F

Ist das Geld aus der Anstalt gekommen? Von den Geldbriefen bekam ich bisher nur Nr. I.

Nr. 114
[Berlin-Steglitz, 4. Oktoberwoche 1923]

Liebe Ottla, sehr schade daß ich diesmal am 28ten nicht in Prag bin, ich hatte große Pläne, nicht kleinliche Seidenpapierpackungen u. dgl. wie sonst, sondern etwas ganz großes, offenbar schon unter dem Einfluß des Berliner Geschmackes, so etwa wie die jetzige große Revue heißt: »Europa spricht davon«. Es hätte eine Nachbildung des Schelesner Bades werden sollen, das Dich so gefreut hat. Ich hätte einfach mein Zimmer ausgeräumt, ein großes Reservoir dort aufstellen und mit saurer Milch füllen lassen, das wäre das Bassin gewesen, über die Milch hingestreut hätte ich Gurkenschnitten. Nach der Zahl Deiner Jahre (die ich mir hätte sagen lassen müssen, ich kann sie mir nicht merken, für mich wirst Du nicht älter) hätte ich ringsherum die Kabinen aufgestellt, aufgebaut aus Chokoladeplatten (Da sich Pepa meist an der Übernahme der Geburtstagsgeschenke beteiligt, wäre dadurch auch meine alte Chokoladeschuld an ihn abgezahlt gewesen, falls es nicht schon früher und einigemal geschehen sein sollte) Die Kabinen wären mit den besten Sachen von Lippert gefüllt gewesen, jede mit etwas anderem. Oben an der Zimmerdecke, schief in der Ecke, hätte ich eine riesige Strahlensonne aufgehängt, zusammengesetzt aus Olmützer Quargeln. Es wäre bezaubernd gewesen, man wäre gar nicht imstande gewesen, den Anblick lange auszuhalten. Und wieviel Einfälle hätte ich sonst noch beim Aufbau mit dem Fräulein gehabt!

Nun, daraus wird also nichts, die ganze Pracht schrumpft in einen Geburtstagskuß zusammen, sei er desto fester, es ist ja auch mehr als es sonst bei Prager Geburtstagen gegeben hat.

Was Deine Reise betrifft, so kann ich mir vorstellen, daß es in vielfacher Hinsicht ein schwerer Entschluß ist. Wenn ich mir nur die Aufschriften im Prager Tagblatt vorstelle! Wäre ich damals nicht weggefahren, jetzt gewiß nicht. Ja, bin ich denn überhaupt weggefahren? Wie ich vor den Aufschriften gezittert habe und wie ich jetzt noch zittere tagtäglich fast, wenn ich auf dem Steglitzer Rathausplatz die ersten Seiten der ausgehängten Blätter in den Zeitungsfilialen überfliege (die Zeitung kaufe ich mir als Landbewohner nur Sonntag). Und dabei ist alles buchstäblich wahr im allgemeinen, aber im besonderen doch nicht und darauf kommt es an, möge es so bleiben, auch das kann sich natürlich plötzlich ändern, aber wo denn nicht in der weiten Welt?

Da mir Max die Wintersachen bringt, kannst Du ja den Termin der Reise, wenn sie überhaupt ohne Störung der Familie möglich wird, ganz nach den sonstigen Verhältnissen bequem bestimmen.

Das Verzeichnis der Sachen, die ich brauchen könnte, schließe ich gleich hier an, gib es bitte der Mutter und dem Fräulein, ich will es nicht direkt an die Eltern schicken, der Vater hätte nicht den richtigen Sinn dafür, also etwa: 3 weiche Hemden, 2 lange Unterhosen, 3 gewöhnliche Sokken, 1 P. warme Socken, 1 Frottierhandtuch, 2 dünne Handtücher, 1 Leintuch (es genügt so ein leichtes, wie ich es mithabe) 2 Deckenüberzüge, 1 Kissenüberzug, 2 Nachthemden.

Das wäre die Wäsche. An Kleidern:
den starken Mantel, einen Anzug (etwa den schwarzen, dessen dünneren Bruder ich mithabe) und irgendeine Hose, die ich zuhause tragen kann. Dann vielleicht den Schlafrock und mit noch größerem »vielleicht« den alten blauen Raglan, aus dem ich mir hier einen Hausrock machen lassen könnte. (Dieser Mantel hat sich ja als ziemlich unverkäuflich erwiesen und es ist lästig, zuhause immer im Straßenrock zu sein). Sollte ich später einmal bei offenem Fenster auf dem Kanapee liegen – ich werde es ja höchstwahrscheinlich nicht tun – oder auf dem Balkon, der mir hier auch zur Verfügung steht, käme noch der Fußsack, Pulswärmer und die Mütze in Betracht, diese Sachen hätten aber, selbst wenn man sich entschließt sie zu schicken, e r s t f ü r s p ä t e r h i n Z e i t, es würde ja eine ganz ungeheuerliche Sendung.
Irgendwelche Handschuhe für den Tag könnte man vielleicht auch beipacken, dann 1 Bügel fürs Kleid und 2 Bügel für die Mäntel.
Nun das wäre also alles, ein großer Haufen, in welchen Koffer wird man es packen?
Und nun noch ein besonders schweres Gepäckstück, der Besuch beim Direktor. Willst Du ihn wirklich machen? Ich werde darauf noch zurückkommen, vielleicht hast auch Du Einfälle dazu, heute mache ich nur einen Entwurf (Das Geld ist doch aus der Anstalt gekommen? die Mutter hat mir darauf nicht geantwortet): Es wäre zu erzählen daß ich vorigen Herbst und Winter an Lungenfieber und Magen- und Darmkrämpfen krank war, fast immer lag, sehr herunterkam. Gegen das Frühjahr zu wurde die Lunge besser, der Gesamtzustand aber viel schlechter, denn es begann eine oft ganz unerträgliche Schlaflosigkeit mit den abscheulichsten Kopfzuständen bei Tage, die mich zu allem unfähig machten, insbesondere auch zu einem Besuch in der Anstalt. Ich sah, daß, wenn ich irgendwie weiterleben wollte, ich

etwas ganz Radikales tun müßte und wollte nach Palästina fahren. Ich wäre ja dazu gewiß nicht imstande gewesen, bin auch ziemlich unvorbereitet in hebräischer und anderer Hinsicht, aber irgendeine Hoffnung mußte ich mir machen. (Hinsichtlich Palästinas wäre hinzuzufügen, daß es auch wegen der Lunge gewählt war und auch wegen der verhältnismäßig billigen Lebenshaltungskosten dort, da ich bei Freunden gelebt hätte. Von Billigkeit und Kosten wäre überhaupt der Wahrheit gemäß öfters zu reden) Dann kam mit meiner Schwester Hilfe Müritz und die Aussicht auf Berlin als Zwischenstation, Vorbereitungsmöglichkeit für Palästina. Ich versuchte es mit Berlin (auch hier Freunde erwähnen, und Lebenshaltungskosten) und es geht erträglich vorläufig. Lobe nicht übermäßig! Nun habe ich Furcht, daß, wenn ich längere Zeit hierbleibe, irgendwelche Abzüge an den 1000 K gemacht werden, dies würde mir dann die Berliner Möglichkeit nehmen (und damit eigentlich jede Möglichkeit) denn die Teuerung hier ist groß, in manchem fast größer als in Prag und ich brauche wegen meiner Krankheit mehr als ein anderer. Das Ziel bleibt für mich, einmal die Pension ganz entbehren zu können, für absehbare Zeit bin ich aber ganz abhängig von ihr. (Ein gefährliches Kapitel übrigens, da es beinhaltet, daß ich nicht mehr zurückkomme, sehr zart, nur im Fluge zu berühren) Das scheint mir vorläufig alles, bis auf die selbstverständlichen Erklärungen der Dankbarkeit und Freundschaft. Arme Ottla, schwere Aufgaben, aber für eine Mutter zweier Kinder wird es vielleicht auch zu bewältigen sein. (Gut wäre es vielleicht etwas über meine Beschäftigung hier zu sagen, das werde ich mir noch überlegen, Du könntest ja auch sagen, daß Du darüber nichts weißt.)

Gern hätte ich schließlich paar kleine Geschichten über Věra, Helene (es ist leicht hinzuschreiben, daß Věra mich nicht vergißt, aber wer kann mir die Sicherheit geben?). Dann auch sonst über die Familie und besonders über das

Fräulein. Aber natürlich nicht wie in Deinem letzten Brief, mitten in der Nacht. Wie es jetzt auch fast bei mir geworden ist. Leb wohl!   F

Und grüß Pepa!

Nr. 115: *An Ottla und Josef David*

[Berlin-Steglitz, Mitte Dezember 1923]

Liebste Ottla, siehst Du ich verspäte mich auch und habe keine solche Tat hinter mir, wie den Weg zum Direktor. Es war ein starkes Stück, ich danke Dir vielmals; daß es ganz so glatt ging wie Du es beschreibst, kann ich kaum glauben. Verschweigst Du mir nichts? Nun im letzten Grunde ist es nicht phantastischer, als das wunderbare Paket, das Ihr mir geschickt habt und die Ankündigung gar eines 15 kg Paketes, vor dem ich mich fast fürchte. Jedenfalls dem Vater den Dank zu unterbreiten, wage ich gar nicht mehr. Und der Mutter kann ich auch hier innerhalb Deines Briefs danken. Aber 15 kg scheint mir auch von der Seite des Bedarfs gesehn, zu viel; was kann darin nur alles sein? Und aus Deinem Haushalt gar? Ich durchsuche in der Erinnerung Deinen Besitz. Du hast doch gar nicht soviel. Manchmal freilich Vormittag, wenn der Vater zu Dir zu Besuch kam, hattest Du im Zimmer vielerlei Besitz, aber davon taugte kaum etwas zum Wegschicken. Den größten Eindruck machten übrigens auf D. merkwürdiger Weise die Abwisch- und Tischtücher, sie sagte, sie möchte am liebsten heulen und sie tat wirklich fast etwas derartiges. – In der Beilage schicke ich das Briefkonzept, das Pepa, bitte, zu übersetzen so gut sein möge. Aber lies und redigiere es bitte vorher, es muß sich ja decken mit allem was bei dem Direktor gesprochen wurde und auch mit dem Ton, in dem es geschah. Von Palästina scheinst Du z. B. nichts gespro-

chen zu haben, auch von meiner Berliner Beschäftigung
nichts. Kann ich in dem Brief davon schweigen ist es mir
natürlich sehr recht. Sollte der Brief an den Direktor persönlich gerichtet sein? Oder vielleicht an die Anstalt? Das
letztere würde eine gewisse Nüancierung verlangen. Aber
der Brief an den Direktor mag wirklich genügen. Soll ich
aber außer dem officiellen Brief noch einen kleinen persönlichen Dankbrief (der deutsch sein könnte) an den Direktor
schreiben? Ob das nötig wäre, würde von dem Eindruck
abhängen, den Du vom Direktor hattest.

Warum geht es Dir diesen Monat gar so gut? Offenbar
hast Du die Puppen mit großem Gewinn verkauft. Andererseits freilich ist Věra bei Dir und läßt Dich schreiben,
woraus man schließen könnte, daß sie gespannt das Ohr auf
den Bauch der Puppe gelegt hat und zuhört wie es dort
spricht. Jedenfalls, wenn die Puppe nichts anderes erreicht,
den Begriff, den sich Věra von Berlin macht, wird sie entscheidend beeinflussen. – Rede nicht immerfort von Geld,
das Du schuldig bist. Ich habe die paar Tage von Dir (fast
hätte ich, ich glaube nach einer hebräischen Redensart gesagt: von Deinem Fett) gelebt, das Papier auf dem ich
schreibe ist von Dir, die Feder von Dir, u.s.w.; wenn jemand auf ausgesucht kostspielige Weise eine Berliner Reise
machen will, dann soll er als mein Gast kommen. Alles
Gute! Und ruiniert Euch nicht meinetwegen! Und wegen
Dr. Kaiser mach Dir keine Sorgen. Er hat sein Geld.   F

Grüß Klopstock schön! Hat er zu essen? Und seine Gesundheit?
so muß ich mich drängen, um auch zu Wort zu kommen.
Kann ja auch nichts Kluges sagen. Ich wäre sehr neugierig
etwas über Vieras Ansicht über Berlin zu hören. Viele herz-
liche Grüße. Dora
Ich freue mich schon auf den Brief

Sehr geehrter Herr Direktor! Ich erlaube mir mitzuteilen daß ich mich für einige Zeit in Steglitz bei Berlin aufhalten möchte und bitte dies kurz erklären zu dürfen: Der Zustand meiner Lunge war im vorigen Herbst und Winter nicht gut und wurde noch verschlechtert durch schmerzhafte Magen- und Darmkrämpfe, nicht ganz klaren Ursprungs, die ich im Laufe jenes Halbjahres in voller Stärke einigemal hatte. Das Lungenfieber und jene Krämpfe bewirkten es, daß ich einige Monate das Bett kaum verließ. Gegen das Frühjahr zu besserten sich diese Leiden, wurden aber abgelöst durch eine äußerste Schlaflosigkeit, ein Leiden, das ich als Vorläufer und Begleiterscheinung der Lungenkrankheit schon seit Jahren hatte, aber doch nur zeitweilig und nicht vollständig und nur aus bestimmten Anlässen, diesmal aber kam es ohne bestimmten Anlaß und dauernd, es halfen kaum Schlafmittel. Der Zustand grenzte monatelang knapp ans Unerträgliche und verschlechterte auch noch die Lunge. Im Sommer fuhr ich mit Hilfe einer Schwester – selbst war ich weder zu Entschlüssen noch zu Unternehmungen fähig – nach Müritz an der Ostsee, der Zustand besserte sich dort im Grunde gar nicht, aber es fand sich dort die Möglichkeit, daß ich im Herbst nach Steglitz fahren könnte, wo Freunde ein wenig für mich sorgen wollten, was allerdings bei den schon damals schwierigen Berliner Verhältnissen eine unbedingte Vorbedingung für meine Reise war, denn allein hätte ich in meinem Zustand in der fremden Stadt nicht leben können.

Hoffnung gebend erschien mir ein zeitweiliges Leben in Steglitz unter anderem aus folgenden Gründen:

1.) Von einem vollständigem Wechsel der Umgebung und allem was damit zusammenhängt versprach ich mir einen günstigen Einfluß auf mein Nervenleiden. An das Lungenleiden dachte ich erst in zweiter Reihe denn sofort etwas gegen das Nervenleiden zu tun, war viel dringlicher.

2.) Es traf sich aber zufällig, daß die Wahl des Ortes –

wie mir schon mein Arzt in Prag sagte, der Steglitz kennt
– auch für das Lungenleiden nicht ungünstig war. Steglitz
ist ein halbländlicher, gartenstadtähnlicher Vorort von
Berlin, ich wohne in einer kleinen Villa mit Garten und
Glasveranda, ein halbstündiger Weg zwischen Gärten führt
zum Grunewald, der große botanische Garten ist 10 Minuten entfernt, andere Parkanlagen sind in der Nähe und von
meiner Straße ab führt jede Straße durch Gärten.

3.) Mitbestimmend war schließlich für meinen Entschluß
die Hoffnung, in Deutschland mit meiner Pension leichter
das Auskommen finden zu können, als in Prag. Diese Hoffnung erfüllt sich allerdings nicht mehr. In den letzten zwei
Jahren wäre dies zugetroffen, aber gerade jetzt im Herbst
hat die Teuerung hier die Weltmarktpreise erreicht und
vielfach überschritten, so daß ich nur äußerst knapp das
Auskommen finde und auch dies nur, weil mich Freunde
beraten und weil ich ärztliche Behandlung noch nicht auf-
suchte:

Im ganzen kann ich berichten, daß der Aufenthalt in Steglitz bis jetzt auf meinen Gesundheitszustand günstig ein-
wirkt. Ich wollte deshalb sehr gerne noch einige Zeit hierbleiben, immer freilich unter der Voraussetzung, daß die
Teuerung mich nicht vorzeitig zur Rückkehr zwingt.

Ich bitte nun höflichst sehr geehrter Herr Direktor um die
Bewilligung meines hiesigen Aufenthaltes von Seiten der
Anstalt und füge das Ersuchen bei, mir die Pensionsbezüge
auch weiterhin an die Adresse meiner Eltern überweisen zu
lassen wie bisher. Zu dieser letzteren Bitte werde ich dadurch veranlaßt, daß jede andere Überweisung mich finan-
ziell schädigen würde und ich bei der Knappheit meiner
Mittel jede Schädigung sehr schmerzlich fühlen würde.
Schädigen würde mich jede andere Überweisung deshalb,
weil sie entweder in Mark erfolgen würde (dann hätte ich
Kursverlust und Kosten) oder in Kč (dann hätte ich noch
größere Kosten) während die Eltern doch immer eine Mög-

lichkeit finden können, mir durch einen Bekannten der gerade nach Deutschland fährt, das Geld kostenlos, ev. gleich für zwei Monate zu schicken. Die Überweisung an die Eltern würde allerdings nicht hindern, daß ich immer rechtzeitig die vielleicht notwendige Lebensbestätigung, über deren Form ich mich zu belehren bitte, von hier aus direkt an die Anstalt senden würde.

Indem ich nochmals bitte dieses ganze für mich sehr wichtige Ersuchen günstig aufzunehmen

verbleibe ich

mit ergebenen Grüßen

Pepo, prosím, nezlob se k vůli te velké práci, za to přece zase Hakoah proti Slavii prohrála. Pozdravuj tvé rodiče a sestry. A Ottlo prosím vysvětli rodičům, že teď jen jednou nebo dvakrát týdně mohu psát, porto je už tak drahé jako u nás. Vám ale přikládám české známky, abych Vás také trochu podporoval.

Deutsche Übersetzung des tschechisch geschriebenen Schlußteils:

[Pepo, bitte, ärgere Dich nicht wegen der großen Arbeit, dafür hat doch wieder Hakoah gegen Slavia verloren. Grüße Deine Eltern und Schwestern. Und Ottla bitte erkläre den Eltern, daß ich jetzt nur ein- oder zweimal wöchentlich schreiben kann, das Porto ist schon so teuer wie bei uns. Euch lege ich aber tschechische Briefmarken bei, damit ich Euch auch ein bißchen unterstütze.]

Nr. 116

[Berlin-Steglitz, 1. Januarwoche 1924]

Liebe Ottla, ein schönes Bild, Věra, die alte Unschuld und Ruhe, übrigens Du hast Recht, ich fühlte mich von ihrem Blick gleich wiedererkannt. Ist sie nicht ein wenig schmäler im Gesicht oder ist es das kurze Haar, das diesen Eindruck macht. Großartig wie sich Helene (die deutsche Sprache nimmt fremde Vergleiche ohne weiters auf) zum Leben meldet. Und was Fini betrifft, so machte D. beim ersten flüchtigen Hinsehn die richtige Bemerkung, daß Du kaum wiederzuerkennen bist. – Die Marmelade ist wirklich Deine? Also ein weit vom Ziel abgelenktes und doch gut angekommenes Kompliment und wirklich aufrichtig, aber Linzer Torten kannst Du freilich nicht machen. Übrigens eine wirklich uneigennützige Frage: wie sind die Reineclauden ausgefallen? Ich frage nur weil ich doch gewissermaßen mitgearbeitet habe. – Noch eine andere viel traurigere Frage liegt mir am Herzen: wie ist Fräuleins Weihnachtsabend (die Schrift wird unwillkürlich klein, verkriecht sich) ausgefallen? Voriges Jahr hat sie mir die Hälfte des Geschenkes mit Bitten wieder aufgedrängt, ich habe es genommen und dieses Jahr muß man mir nichts mehr wiederaufdrängen. Schande? – Der Brief der Anstalt, den ich Dir verdanke, ist sehr freundlich und gar nicht kompliziert, zwei kleine Übersetzungen sind notwendig, diese: »Im Sinne der geschätzten Zuschrift der löblichen Anstalt vom –, für die ich ergebenst danke, erkläre ich, daß ich meine Eltern Hermann und Julie Kafka bevollmächtige meine Pensionsbezüge in Empfang zu nehmen.« Dann noch ein kleiner Dankbrief: »Sehr geehrter Herr Direktor!

Erlauben Sie mir noch, sehr geehrter Herr Direktor, für die günstige und so freundlich gefaßte Erledigung meines Ansuchens persönlich von Herzen zu danken, insbesondere auch für die liebenswürdige Aufnahme meiner Schwester und für die gütige Einsicht mit der Sie die nach außen hin vielleicht etwas sonderbare nach innen hin nur allzu wahre Geschichte meines letzten Jahres beurteilen.

Ihr herzlich ergebener

Das wären die zwei Übersetzungen, sie sind nicht groß, nicht wahr? (dafür war allerdings die vorige wohl eine schreckliche Arbeit? Was soll ich aber armer Junge – das gilt sowohl mir als Pepa – jetzt tun, nachdem ich nun schon einmal die Lüge meines prachtvollen Tschechisch, eine Lüge, die wahrscheinlich niemand glaubt, in die Welt gesetzt habe) und da sie nicht groß sind, könnte ich sie bald haben? Als Honorar schließe ich einen Zeitungsausschnitt über »mein schönstes Goal« bei. – Was macht Klopstock? Schlecht, schlecht geht es ihm wohl. Bei dieser Kälte sich noch nach unsicherem Verdienst herumzutreiben, was für Helden, die das können. Außerdem hat er in seiner Not immer das verständliche Bedürfnis nach irgendeinem phantastischen Luxus, etwa der Věra ein Spielzeug zu kaufen oder – diesmal – nach Berlin zu fahren. Soll ich ihn aufmuntern? Ihm umsonst irgendwo ein Nachtlager für 2 Tage verschaffen wäre nicht schwer, sagt D., das Essen wäre auch leicht zu beschaffen, zwei Tage, aber soll ich ihn in die Riesenausgabe für die Reise treiben (wenn er auch bis Bodenbach ermäßigt fährt), nein ich werde es wohl nicht tun. – Meine Ernährung, nach der Du fragst, ist weiter glänzend und mannigfaltig (nur wird sich diesen Monat das Wunder des Auskommens mit 1000 K wohl nicht wiederholen trotz der großartigen Unterstützungen von zuhause) es gibt auch sonst keine Hindernisse. Kochen ist so leicht, um Sylvester herum gabs keinen Spiritus, trotz-

dem verbrühte ich mich fast beim Essen, es war auf Kerzenstümpfen gewärmt.　　　　　　　　　　　　　　F
Alles Gute

Nur einen recht, recht herzlichen Gruß. So müde! Ich schlafe schon. Gute Nacht

Nr. 117: *An Julie und Hermann Kafka*

[Postkarte]

[Kierling, Ende April 1924]

Liebste Eltern, der Postweg hierher scheint sehr lang zu sein, also auch der Weg von hier, laßt Euch dadurch nicht beirren. Die Behandlung besteht vorläufig – das Fieber hindert anderes – in sehr schönen Wickeln und in Inhalieren. Gegen Arseninjektionen wehre ich mich. Vom Onkel bekam ich gestern eine lang umhergeirrte Karte aus Venedig. Von täglichen Regenfällen stand dort aber nichts, vielmehr das Gegenteil. Das Fieber dürft Ihr Euch nicht zu arg vorstellen, jetzt früh habe ich z. B. 37. Herzl. Grüße　　F

Nr. 118: *An Julie und Hermann Kafka*

[Postkarte]

[Kierling, 5. Mai 1924]

Ich mache von der Schreibfaulheitserlaubnis Gebrauch, auch hat D. schon alles gesagt.　　　　　Herzl. Grüße F.

Nr. 119: *An Julie und Hermann Kafka*

[Kierling, ca. 19. Mai 1924]

Liebste Eltern, also die Besuche, von denen Ihr manchmal
schreibt. Ich überlege es jeden Tag, denn es ist für mich
eine sehr wichtige Sache. So schön wäre es, so lange waren
wir schon nicht beisammen, das Prager Beisammensein
rechne ich nicht, das war eine Wohnungsstörung, aber friedlich ein paar Tage beisammen zu sein in einer schönen
Gegend, allein, ich erinnere mich gar nicht, wann das
eigentlich war, einmal ein paar Stunden in Franzensbad.
Und dann ›ein gutes Glas Bier‹ zusammen trinken, wie Ihr
schreibt, woraus ich sehe, daß der Vater vom Heurigen
nicht viel hält, worin ich ihm hinsichtlich des Bieres auch
zustimme. Übrigens sind wir, wie ich mich jetzt, während
der Hitzen öfters erinnere, schon einmal regelmäßig gemeinsame Biertrinker gewesen, vor vielen Jahren, wenn
der Vater auf die Zivilschwimmschule mich mitnahm.
Das und vieles andere spricht für den Besuch, aber zu viel
spricht dagegen. Nun, erstens wird ja wahrscheinlich der
Vater wegen der Paßschwierigkeiten nicht kommen können. Das nimmt natürlich dem Besuch einen großen Teil
seines Sinnes, vor allem aber wird dadurch die Mutter, von
wem immer sie auch sonst begleitet sei, allzusehr auf mich
hingeleitet sein, auf mich verwiesen sein und ich bin noch
immer nicht sehr schön, gar nicht sehenswert. Die Schwierigkeiten der ersten Zeit hier und in Wien kennt Ihr, sie
haben mich etwas heruntergebracht; sie verhinderten ein
schnelles Hinuntergehen des Fiebers, das an meiner weiteren Schwächung arbeitete; die Überraschung der Kehlkopftuberkulose schwächte in der ersten Zeit mehr, als sachlich
ihr zukam. –
Erst jetzt arbeite ich mich mit der in der Ferne völlig
unvorstellbaren Hilfe von Dora und Robert (was wäre
ich ohne sie!) aus allen diesen Schwächungen hinaus. Stö-

rungen gibt es auch jetzt, so zum Beispiel ein noch nicht ganz überwundener Darmkatarrh aus den letzten Tagen. Das alles wirkt zusammen, daß ich trotz meiner wunderbaren Helfer, trotz guter Luft und Kost, fast täglichen Luftbadens noch immer nicht recht erholt bin, ja im Ganzen nicht einmal so im Stande, wie etwa letzthin in Prag. Rechnet Ihr noch hinzu, daß ich nur flüsternd sprechen darf und auch dies nicht zu oft, Ihr werdet gern auch den Besuch verschieben. Alles ist in den besten Anfängen – letzthin konstatierte ein Professor eine wesentliche Besserung des Kehlkopfes und wenn ich auch gerade diesem sehr liebenswürdigen und uneigennützigen Mann – er kommt wöchentlich einmal mit eigenem Automobil heraus und verlangt dafür fast nichts..., so waren mir seine Worte doch ein großer Trost – alles ist wie gesagt in den besten Anfängen, aber noch die besten Anfänge sind nichts; wenn man dem Besuch – und gar einem Besuch wie Ihr es wäret – nicht große, unleugbare, mit Laienaugen meßbare Fortschritte zeigen kann, soll man es lieber lassen. Sollen wir es nicht also vorläufig bleiben lassen, meine lieben Eltern?

Daß Ihr etwa meine Behandlung hier verbessern oder bereichern könntet, müßt Ihr nicht glauben. Zwar ist der Besitzer des Sanatoriums ein alter, kranker Herr, der sich mit der Sache nicht viel abgeben kann, und der Verkehr mit dem sehr unangenehmen Assistenzarzt ist mehr freundschaftlich als medizinisch, aber außer gelegentlichen Spezialistenbesuchen ist vor allem Robert da, der sich von mir nicht rührt und, statt an seine Prüfungen zu denken, mit allen seinen Kräften an mich denkt, dann ein junger Arzt, zu dem ich großes Vertrauen habe (ich verdanke ihn wie auch den erwähnten Professor dem Arch. Ehrmann) und der allerdings noch nicht im Auto, sondern bescheiden mit Bahn und Autobus dreimal wöchentlich herauskommt.

Nr. 120: *An Julie und Hermann Kafka*

[Postkarte]

[Stempel: Wien – 26. v. 24]

Liebste Eltern, nur eine Richtigstellung: meine Sehnsucht nach Wasser (wie es bei uns immer in großen Gläsern nach dem Bier auf den Tisch kommt!) und nach Obst ist nicht kleiner als nach Bier, aber vorläufig gehts nur langsam. Herzl. Grüße

ANHANG

ANMERKUNGEN

Nr. 1
Die Reise nach Riva (Gardasee) im September 1909 war Kafkas erster Urlaub als Angestellter der »Arbeiter-Unfall-Versicherungs-Anstalt für das Königreich Böhmen in Prag«. Er wohnte in Riva nicht im (vornehmen) Hotel »Lido«, sondern im kleinen, außerhalb des Ortes gelegenen »Belle Vue«. Max Brod schrieb über diesen Aufenthalt: »Kafka, mein Bruder Otto und ich verlebten die beschaulichsten Stunden in der kleinen Badeanstalt unter der Ponalestraße, in den ›Bagni della Madonnina‹, – als ich nach dem ersten Weltkrieg wieder nach Riva kam, fand ich die lieben besonnten grauen Bretter nicht mehr, sah nicht mehr die funkelnden Eidechsen über die Gartenwege schlüpfen, die den Übergang von der autobefahrenen staubigen Straße zum kühlen Frieden des Bades gebildet hatten.« (FK 91, vgl. auch die Abb. in W 59 und die Anmerkungen zu Nr. 17)
im Geschäft: Spätestens seit 1909 half Ottla im elterlichen Geschäft, das sich bis zum Herbst 1912 (vgl. Br 108) in der Zeltnergasse Nr. 12 befand (vgl. auch die Abb. in W 26). Anfang 1913 schrieb Kafka an Felice: »... die Ottla arbeitet ja in unserem Geschäft; sie ist schon früh um 1/4 8 Uhr beim Öffnen da (mein Vater geht erst um 1/2 9 hin) und bleibt dort über Mittag, man bringt ihr das Essen hin, erst am Nachmittag um 4 oder 5 kommt sie nachhause und wenn Saison ist, bleibt sie auch bis zum Geschäftsschluß.« (F 287) Vgl. Nr. 13 und 24.

Nr. 2
Donnerstag: An diesem Tag hatte Ottla nachmittags frei (vgl. KO 421 ff.), so daß sie den Bruder vom Bahnhof abholen konnte.
Staatsbahnhof: heute der Bahnhof Praha-střed (Prag-Mitte); Ankunft in der Havlíčekgasse, die Abfahrt in der Hybernergasse.

Nr. 3
Die zeitliche Einordnung beruht nur auf der von Max Brod erschlossenen Datierung einer an ihn aus Maffersdorf gerichteten Ansichtskarte seines Freundes, deren Wortlaut hier wiedergegeben sei: »Lieber Max, ich habe wieder ein paar Tage hinter mir! Aber schreiben will ich darüber nicht, ich hätte selbst in ihnen nur mit Anstrengung darüber richtig schreiben können. – Heute halb sieben bin ich nach Gablonz gefahren, von Gablonz nach Johannesberg, dann nach Grenzendorf, jetzt fahre ich nach Maf-

fersdorf, dann nach Reichenberg, dann nach Rochlitz und gegen Abend nach Ruppersdorf und zurück.« (Br 76 f.)

Als Jurist der halbstaatlichen »Arbeiter-Unfall-Versicherungs-Anstalt für das Königreich Böhmen in Prag« hatte Kafka auf seinen Dienstreisen die Aufgabe, den Unfallschutz zu kontrollieren, Prozesse wegen Beitragshinterziehung der Unternehmer zu führen und die Einreihung der Betriebe in »Gefahrenklassen« (für die Bemessung der Höhe der Unfallschutzversicherung) zu überprüfen.

Nr. 4

Über den wahren Zweck dieser Reise unterrichtet eine am 21. XII. 1909 abgestempelte Ansichtskarte, die an Max Brod gerichtet ist: »es ist gut, daß es schon fast zu Ende ist und wir morgen abend nach Prag kommen. Ich habe es mir anders gedacht. Die ganze Zeit über ist mir schlecht gewesen und Einreihung von der Morgenmilch bis zum Abendmundausspülen ist keine Kur.« (Br 75)

Nikologeschenk: die Kindern gegenüber am Nikolaustag (6. Dezember) übliche kleine Bescherung.

Arpad: Großfürst der Magyaren seit 894; starb 907. Begründer der Arpadschen Dynastie, Nationalheld der Ungarn. Ordnete insbesondere (worauf Kafka wohl anspielt) die Rechtspflege.

Nr. 5

Von der im Jahr 1910 zusammen mit Max und Otto Brod unternommenen Urlaubsreise nach Paris mußte Kafka wegen einer Furunkulose vorzeitig zurückkehren. (Br 82 f. und 501) Er tröstet sich über diesen »mißlungenen Aufenthalt« damit, »bald wieder hinzukommen«. (T 43) Vgl. Nr. 13.

Nr. 6

Elli, die älteste Schwester, hatte im Dezember des Vorjahres geheiratet (vgl. Br 85) und in Prag eine eigene Wohnung bezogen. Von einer am 30. Januar 1911 begonnenen (vgl. Br 87) und etwa Mitte Februar endenden (vgl. Nr. 60) Dienstreise Kafkas.

Nr. 7

Die Datierung ergibt sich aus der in Nr. 60 (»14 Tage«) enthaltenen Zeitangabe über die Dauer dieser Dienstreise.

Kafka notiert sich über das Schloß in Friedland in seinem Reisetagebuch: »Die vielen Möglichkeiten, es zu sehn: aus der Ebene, von einer Brücke aus, aus dem Park, zwischen entlaubten Bäumen, aus dem Wald zwischen großen Tannen durch.« (T 592)

Nr. 8

Ende Februar 1911 unternahm Kafka eine Dienstreise nach Nordböhmen, die ihn erneut nach Friedland führte.

Fleisch: Vgl. die Anmerkungen zu Nr. 9.

ein trauriges Stück: Im Tagebuch schreibt Kafka über diese Aufführung des Grillparzerschen Dramas: ».. . ich hatte mehrmals Tränen in den Augen, so beim Schluß des ersten Aktes, als die Augen Heros und Leanders von einander nicht los können.« (T 596)

Nr. 9

Die (dienstliche) Reise nach Warnsdorf brachte Kafka mit dem Naturheilapostel Schnitzer zusammen. Am 4./5. Mai 1911 notiert Max Brod in sein Tagebuch: ».. . Kafka erzählt sehr hübsche Dinge von der Gartenstadt Warnsdorf, einem ›Zauberer‹, Naturheilmenschen, reichen Fabrikanten, der ihn untersucht, nur den Hals im Profil und von vorn, dann von Giften im Rückenmark und fast schon im Gehirn spricht, die infolge verkehrter Lebensweise entstanden seien. Als Heilmittel empfiehlt er: bei offenem Fenster schlafen, Sonnenbad, Gartenarbeit, Tätigkeit in einem Naturheil-Verein und Abonnement der von diesem Verein, respektive dem Fabrikanten selbst, herausgegebenen Zeitschrift. Spricht gegen Ärzte, Medizinen, Impfen. Erklärt die Bibel vegetarisch ...« (FK 97, vgl. WB 232, Anm. 673). Kafka wurde offenbar aufgrund dieser Begegnung Vegetarier. (Vgl. bes. F 115) Vgl. auch Nr. 8, 48, 51, 76, 77, 89, 92, 96, 118, die Anmerkungen zu Nr. 52 und FK 180.

Nr. 10

Postkarte (wie Nr. 11, 12, 13) von der mit Max Brod gemeinsam unternommenen Urlaubsreise Zürich – Luzern – Lugano – Mailand – Stresa – Paris, 26. August – 13. September 1911. Anschließend verbringt Kafka, allein, noch eine Woche im Naturheilsanatorium Erlenbach bei Zürich. Kafka im Reisetagebuch am 29. August 1911 über das Hotel »Sternen« in Flüelen am Vierwaldstättersee: »Dieses schöne Zimmer mit Balkon. Die Freundlichkeit. Zu sehr eingesperrt von Bergen.« (T 605)

Nr. 11

Aus T 606 ist zu erschließen, daß die am 31. August abgestempelte Karte schon am Vortag geschrieben worden sein muß. Obwohl sie nur an Ottla adressiert ist, zeigt die Anrede, daß sich Kafka gleichzeitig auch an die ältere Schwester Valli wendet.

im Vierwaldstättersee: Kafka dazu im Reisetagebuch: »Schönstes Bad, weil man sich selbständig einrichten konnte.« (T 606) Zum

Hintergrund vgl. M. Brod über die frühen Jahre seiner Bekannt-
schaft mit Kafka: »Kafka und ich lebten damals des seltsamen
Glaubens, daß man von einer Landschaft nicht Besitz ergriffen
habe, solange nicht durch Baden in ihren lebendig strömenden
Gewässern die Verbindung geradezu physisch vollzogen worden
sei. So haben wir später auch die Schweiz durchzogen, indem wir
in jedem erreichbaren Seengebiet unsere Schwimmkünste übten.«
(*Streitbares Leben 1884–1968*, München, Berlin, Wien [1969],
S. 23)
Adresse: Die Freunde wohnten in Lugano im Hotel »Belvedere«.
D Brod: sic, obwohl eindeutig in der Handschrift Max Brods.

Nr. 13
Geschrieben am letzten Tag des seit Herbst 1910 ersehnten Paris-
Aufenthaltes (vgl. Anmerkungen zu Nr. 5), der am 8. September
begonnen (T 617) und Kafka auch nach Versailles geführt hatte
(T 618 und 719).

Nr. 14
Text nach Br 94 (vgl. den Editionsbericht). Kafka und Brod
kamen am 29. Juni in Weimar an (T 653) und verließen es wieder am 7. Juli (T 664).
In einem stillen schönen Hotel: das Hotel »Chemnitius«.

Nr. 15
Fräulein Werner: Marie Werner, eine nur tschechisch sprechende
Jüdin und dem Vater ergeben, war bald nach der Heirat Hermann Kafkas als Wirtschafterin ins Haus gekommen; Erzieherin
der Schwestern Kafkas. (Vgl. WB 26)

Nr. 16
Am 23. März 1913 fuhr Kafka erstmals zu seiner späteren Braut
Felice Bauer nach Berlin, die er am 13. August des Vorjahres in
Prag kennengelernt hatte; zwei Tage später kehrte er über Leip-
zig in seine Heimatstadt zurück.

Nr. 17
Am 6. September 1913 fuhr Kafka gemeinsam mit seinem
Dienstvorgesetzten Direktor Marschner zum »Internationalen
Kongreß für Rettungswesen und Unfallverhütung« nach Wien,
wo er auch den XI. Zionisten-Kongreß besuchte. Am 14. dieses
Monats reiste er über Triest für einige Tage nach Venedig, von
dort über Verona und Desenzano (Lago di Garda) ins Sanatorium Dr. von Hartungen, wo er vom 22. September bis zum
13. Oktober blieb. Zur Bedeutung dieses Urlaubs vgl. auch

H. Binder, »Der Jäger Gracchus«. Zu Kafkas Schaffensweise und poetischer Topographie, in: Jahrbuch der Deutschen Schillergesellschaft 15 (1971), S. 375 ff.

zerstreut: Aus Venedig schrieb Kafka an Max Brod: »ich bin nicht imstande zusammenhängend etwas Zusammenhängendes zu schreiben. Die Tage in Wien möchte ich aus meinem Leben am liebsten ausreißen und zwar von der Wurzel aus... allerdings war ich durch manches beengt und zerstreut gewesen«. (Br 120, vgl. die Anmerkungen zu Nr. 19)

das wenige läßt sich nicht einmal schreiben: Anspielung auf die Begegnung mit der »Schweizerin« G. W. (Vgl. T 324)

Badezimmer: in der elterlichen Wohnung in der Niklasstraße 36 der traditionelle Treffpunkt der Geschwister. (Vgl. Br 119, T 309, Nr. 85 und 96)

Taussig: Der vollständige Firmenname lautete: »Akademisches Antiquariat, Buch-, Kunst- und Musikalienhandlung Taussig & Taussig«, in der Verbindungsstraße zwischen Ständetheater und Altstädter Ring gelegen (Eisengasse 8). Führend in Prag.

Kafkas Wunsch wird verständlicher, wenn man weiß, daß er »sehr gern in Verlagskatalogen und Almanachen (Insel, S. Fischer, Georg Müller, A. Langen) las und die bloßen Büchertitel zum Ausgangspunkt von Phantasien machte.« (Max Brod, Br 519, vgl. 479) Es handelte sich um einen bebilderten, 248 Seiten starken Weihnachts-Katalog (Tempel-Verlag), den Kafka schon im Vorjahr studiert hatte (vgl. F 156).

Nr. 18
Die Karte ist am 29. XI. 13 gestempelt, der Entstehungstag nach Br 121; zur Bildseite vgl. den in den Anmerkungen zu Nr. 17 genannten Aufsatz.

Malcesine: Riva nahe gelegenes Städtchen am Ostufer des Gardasees. Unter dem Datum des 14. September 1786 berichtet Goethe, er sei beim Zeichnen des alten Turms in der halbverfallenen Skaligerburg (13./14. Jh.) von einer sich ansammelnden Menschenmenge der Spionage für Österreich verdächtigt worden und habe sich erst durch weitläufige Reden vor Standespersonen von diesem gefährlichen Verdacht reinigen können.

Tagebuch: Da Goethes bewußt knapp gehaltene Tagebuchnotiz keine Lagebeschreibung enthält, ist hier die *Italienische Reise* gemeint (die Kafka also bei sich hatte), weil die in diesem Werk gemachten Angaben eine Rekonstruktion von Goethes Standort beim Zeichnen zulassen.

im Italienischen: Nach seinem Eintritt in die Prager Vertretung

der (Triester) Versicherungsgesellschaft »Assicurazioni Generali«
begann Kafka im Herbst 1907 Italienisch zu lernen. (Vgl. Br 48
und FK 67).

Nr. 19
Zur Bildseite der Karte: Kafka hielt sich vom 15. bis wahrscheinlich zum 19. September 1913 in Venedig auf.
es ist so schwer: An Max Brod hatte Kafka schon am 28. September geschrieben: »Ich merke gerade, daß ich nicht nur nicht
reden, sondern auch nicht schreiben kann, ich will Dir eine Menge
sagen, aber es fügt sich nicht in einander oder nimmt eine falsche
Richtung. Ich habe auch wirklich seit etwa vierzehn Tagen gar
nichts geschrieben, ich führe kein Tagebuch, ich schreibe keine
Briefe, je dünner die Tage rinnen, desto besser.« (Br 121, vgl.
die Anmerkungen zu Nr. 17)

Nr. 20
Text dieses Briefes bereits in Br 130. Offenbar nach Radešo-
vice (vgl. F 607 und 611) adressiert, wo sich in jenen Jahren die
Sommerwohnung der Familie Kafka befand (vgl. F 415 und
427).
über die Sache: Kafka fuhr am 11. Juli 1914 zu einer Aussprache
mit Felice nach Berlin; einen Tag später wurde das Verlöbnis im
Hotel »Askanischer Hof« gelöst. (Vgl. auch die Anmerkungen
zu Nr. 21)
Pawlatsche: aus dem Italienischen »parvola loggia« ins Tschechische und von dort ins Deutsche übernommene Wort. Bezeichnet einen langen Balkon an der Hofinnenseite vieler älterer Prager Häuser. Im volkstümlichen Tschechisch kann »pavlač« auch
einen gewöhnlichen Balkon bezeichnen; so ist es scherzhaft hier
gemeint.

Nr. 21
Am 13. Juli fuhr Kafka von Berlin nach Travemünde, weil er in
Gleschendorf (Pönitzer See) Urlaub machen wollte. Als er tags
darauf aber in Lübeck den in Berlin lebenden Schriftsteller Ernst
Weiß traf, mit dem er befreundet war (vgl. T 348) und der ihm
entschieden von einer Ehe mit Felice Bauer abgeraten hatte (vgl.
F 476), fuhr er noch am 14. Juli mit Weiß und dessen Freundin
Rahel Sansara in das dänische Ostseebad Marielyst, wo er bis
zum 26. des Monats blieb. Seinen Freunden Max Brod und Felix
Weltsch schrieb er von dort über seine Lage: »im übrigen weiß
ich genau, daß es so am besten ist und bin also dieser Sache gegenüber, da es eine so klare Notwendigkeit ist, nicht so unruhig

wie man glauben könnte... Ich habe den scheinbaren Eigensinn, der mich die Verlobung gekostet hat, aufgegeben, esse fast nur Fleisch, daß mir übel wird und ich früh nach schlechten Nächten mit offenem Mund den mißbrauchten und gestraften Körper wie eine fremde Schweinerei in meinem Bette fühle. Erholen werde ich mich hier gar nicht, zerstreuen immerhin.« (Br 131, vgl. T 411, Nr. 53 und die Anmerkungen zu Nr. 9)
Vaggerloese ist eine Bahnstation bei Gedser.

Nr. 22
Text nach FK 131 – 133. Einige Überlegungen dieses Brieffragments kehren (sogar bis in einzelne Formulierungen) im fünf Jahre später geschriebenen *Brief an den Vater* wieder. Der Plan, den Kafka vorträgt, war einer der vielen, von Prag loszukommen.
Unselbständigkeit: Vgl. den längeren Tagebucheintrag vom 9. März 1914 (T 364 ff.), in Teilen förmlich schon ein Entwurf dieses Briefes.
mehr als ich brauche: Vgl. F 630 und 633.
Onkel R.: Onkel Rudolf Löwy (Stiefbruder der Mutter), Buchhalter am Košířer Bräuhaus, der merkwürdigste und verschlossenste Onkel Kafkas, Junggeselle, konvertierte und entwickelte sich, wie Kafka schreibt, immer mehr zu einem »unenträtselbaren, überfreundlichen, überbescheidenen, einsamen und dabei fast geschwätzigen Menschen«. (Br 361, vgl. 415, T 199 u. 558 f.)
und sei es auch noch so bescheiden: Ein Plan offenbar seit 1912, vgl. T 489 und F 535.

Nr. 23
Bei der Rückreise von Marielyst nach Prag (25.–26. 7. 1914) fuhr Kafka über Berlin, wo er mit Felicens Schwester Erna zusammentraf, mit der er sich besonders gut verstand (vgl. T 411).

Nr. 24
Die Datierung ergibt sich aus dem Umstand, daß Kafka erst im Februar 1915 ein eigenes Zimmer außerhalb der elterlichen Wohnung mietete (vgl. T 463).
Kasten: österr. für Schrank.

Nr. 25
Von einer Reise nach Nagy Mihály mit seiner Schwester Elli, die ihren Mann (der dort als Soldat stationiert war) besuchte. (Vgl. T 468 ff.)
Irma: Irma Stein war eine verwaiste Nichte Hermann Kafkas

(Tochter seines Bruders Ludwig), die während des 1. Weltkriegs in dessen Geschäft arbeitete, aber nicht bei der Familie wohnte; sie war Ottlas beste Freundin. Vgl. auch H 194 und die Anmerkungen zu Nr. 65.

Fräulein: Fräulein Werner. Vgl. die Anmerkungen zu Nr. 15.

Nr. 26

Da der Karte als Herstellungsjahr 1913 aufgedruckt ist, Kafka an die Wohnung am Altstädter Ring Nr. 6 adressiert hat, die im November 1913 bezogen wurde (vgl. F 479 f.), und da schließlich belegt ist, daß er Ende April auf der Rückreise von Ungarn (vgl. die Anmerkungen zu Nr. 25) durch Wien kam (vgl. F 636), ist die vorgenommene Ergänzung des Poststempels die wahrscheinlichste.

Nr. 27

Auf einer Karte Ottlas an ihren späteren Mann, den Kafka spätestens im März 1915 kennengelernt haben muß (vgl. T 467). Kafkas lustige Zeichnung ist offenbar durch den von der Schwester verfaßten Text der Karte angeregt worden: »Ich habe einen weiten Weg schon hinter mir, sitze jetzt in einem Gasthaus und freue mich auf das was kommen wird. Indessen viele, herzliche Grüße, es ist erst 11 Uhr früh Ottla.« (Da man in Prag erst im Lauf des Nachmittags speiste, nahm man zwischen 10 und 11 Uhr eine leichte Zwischenmahlzeit ein, eben das sogenannte Gabelfrühstück)

Ausflüge, die Kafka gemeinsam mit Ottla unternahm, sind besonders 1915 und 1916 belegt. (Vgl. die Zeittafel am Ende des Bandes)

Nr. 28

Grete Bloch: Felicens Freundin, die am ungünstigen Verlauf der etwa zehn Monate zurückliegenden Aussprache im Hotel »Askanischer Hof« in Berlin (vgl. Anmerkungen zu Nr. 20) maßgeblich beteiligt war. (Vgl. F 469 f., 611 f., 617 und 620)

Erna: Felicens Schwester, damals schon verheiratet.

Nr. 29

Diese und die nächste Karte von einer Dienstreise nach Karlsbad und Marienbad – am 9. 4. 1916 hatte Kafka mit Ottla Karlsbad besucht.

Vogerlsalat: (Lesung des Worts unsicher, das zweite »a« ähnelt einem »z«) österreichischer Ausdruck für Rapunzel- oder Ackersalat; Anspielung auf das vegetarische Essen.

Nr. 31

Ottla hat den Brief einem Schreiben beigelegt, das sie am Abend des 28. Mai 1916 an ihren Freund Josef David sandte. Es heißt dort: »Der Franz hat mir auf dem Tisch einen Brief gelassen, ich schicke Dir ihn, ich glaube, daß ihm die Karte aus Karlstein gefallen wird.«

Karlstein: Die 28 km südwestlich von Prag im Berauntal gelegene, von Karl IV. erbaute Burg war ein beliebtes Ausflugsziel Kafkas und seiner Freunde (vgl. M. Brod, Streitbares Leben 1884–1968, München, Berlin, Wien [1969], S. 23).

mein Unbehagen: An diesem Tag schrieb Kafka an Felice: »im Kopfe wühlt es seit 5 Tagen wie schon seit langem nicht.« (F 658)

Nr. 32

Obwohl Kafka als vom Militärdienst Zurückgestellter keinen Anspruch auf einen regelrechten Sommerurlaub hatte (vgl. F 656), ging es ihm gesundheitlich doch so schlecht (F 652 und 659), daß er im Juli 1916 im Hotel »Schloß Balmoral« in Marienbad Erholung suchte. (Br 137) Der Aufenthalt dauerte vom 3. bis zum 24. des Monats; Felice, mit der er damals wieder zusammenfand (vgl. F 663 und T 502 ff.), war bis 13. bei ihm. Noch 1922 notiert er ins Tagebuch, daß er »in Marienbad vierzehn Tage glücklich war«. (Vgl. T 567)

Chotekpark: Die von der Prager Altstadt aus in wenigen Minuten zu erreichenden kleinen Anlagen, die der Oberstburggraf Chotek zwischen 1826 und 1834 hatte anlegen lassen, waren der Lieblingsaufenthalt der Geschwister in Prag. Zu den Einzelheiten vgl. KO 437 f.

Eisenstein: Die Adresse dieser Karte lautet »Markt Eisenstein, Hotel Seidel«. Ottla verbrachte in der ersten Julihälfte ihren Urlaub in diesem Ort im Böhmerwald.

in die dann hoffentlich freie Welt: Vgl. Kafkas Ausführungen Br 140.

daß wir morgen Deine Mama besuchen: Ottla schrieb am 15. Juli an David: »Der Franz und die Felice waren von Marienbad aus, die Mutter besuchen und haben mir gemeinsam geschrieben. Vom Franz bekam ich früher schon zwei Karten, die sehr ruhig ausschauen.« (Julie Kafka war seit 12. Juli mit Valli in Franzensbad zur Kur, der Vater fuhr spätestens an diesem Tag nach Prag zurück.) Auch Kafka schrieb an Max Brod: »das Schöne und Leichte hatte die Oberhand, selbst in Gegenwart meiner Mutter, und das ist erst recht außerordentlich«. (Br 140)

Nr. 33

Kafka hatte offensichtlich für die Familie seines Freundes Felix Weltsch Quartier gemacht. (Vgl. Br 138 und F 669 f.)

Irma Weltsch: seit 1914 Frau von Felix.

Gruß des alten Weltsch: der Vater von Felix, mit dem man ebenfalls gut bekannt war; so las Kafka beispielsweise am 11. Februar 1913 in der Wohnung der Familie Weltsch das *Urteil* vor, wobei auch Ottla zuhörte (vgl. T 297); und am 8. Januar 1913 erzählte ihm der Genannte »viele alte, schöne Geschichten aus der frühern Prager Judenstadt« (F 236).

von Ihrem alten guten Lehrer: bezieht sich vielleicht auf Kurse über Literatur und Philosophie, die Felix gehalten hatte (möglicherweise vor dem zionistischen Prager »Klub jüdischer Frauen und Mädchen«, dem Ottla angehörte).

Paul Weltsch: Bruder von Felix.

Nr. 34

Am 24. November 1916 schrieb Ottla an David: »Der Franz wird im Schönborn-Palais vielleicht eine Wohnung bekommen, heute aber sieht es unsicher aus und für die nächsten Tage will er mein Häuschen haben. Ich bin froh, weil es doch schade ist, wenn es immer leer steht. Er hat mir jetzt Abend ein Buch auf den Tisch gelegt, und hinein geschrieben: ›Meiner Hausherrin‹.« Über Kafkas Behausung in der Alchimistengasse 22, die er vom 26. November 1916 bis Ende August des folgenden Jahres benutzte, vgl. F 750 ff., KO 424 ff. und die Abb. in K 80.

Nr. 35

Datierung: Vor dem 8. Dezember 1916 kann das Schreiben nicht entstanden sein, weil Kafka bis zu diesem Tag spätestens gegen 10 Uhr sein Häuschen »oben« in der Alchimistengasse verließ (vgl. die Anmerkungen zu Nr. 34 und F 747), wohl aber in den folgenden Wochen, wo er gewöhnlich dort bis gegen Mitternacht schrieb (vgl. F 745 und 751). Dazu würde passen, daß Kafka ungefähr zur Monatsmitte zweimal Bemerkungen über sein Schaffen macht, deren Tendenz mit dem hier Geäußerten übereinstimmt (Vgl. F 746 f.).

Da Kafka seit März 1915 in seinem Zimmer in der Langen Gasse, also außerhalb der elterlichen Wohnung, schlief (vgl. F 629), mußte Ottla schriftlich beauftragt werden, den Entschuldigungsbrief sofort am frühen Morgen an den Dienstvorgesetzten zu schicken (Rohrpost). Vgl. auch die Anmerkungen zu Nr. 48 u. 57.

Nr. 36
Der erwähnte Vortrag Dr. Ludwig Wüllners fand am Sonntag, dem 7. Januar 1917, im »Neuen Theater« in Prag statt und gipfelte in einer Homer-Lesung: »Der letzte Gesang der Iliade, die Bestattung Hektors, drang mit der ganzen unbändigen Kraft des unsterblichen Werkes in die Sinne der Zuhörer. Wüllner ist der ideale Homersänger. Alles an ihm verstärkt den Eindruck der Klassizität: die prachtvolle, ebenmäßige Erscheinung, die mächtige Stirn mit den grauen Haaren, der Adel der Gebärden. Rede und Gegenrede, die behagliche Schilderung, die breit hinströmende Klage formt und rundet sich ihm zu einem wundervollen Kunstwerk.« (*Prager Tagblatt* vom 8. 1. 1917, S. 3)
allseits: Kafka denkt an Irma und Růženka.
Montagsblatt: fortschrittlich-liberal, erschien Montag früh als einzige Prager Zeitung.

Nr. 37
Dieser Brief ist nach Zürau (bei Saaz/Nordwestböhmen) adressiert, wo Ottla (seit Mitte April) das landwirtschaftliche Gut ihres (als Soldat eingezogenen) Schwagers Karl Hermann (Mann der ältesten Schwester Elli) bewirtschaftete.
Den Entschluß, nicht mehr im väterlichen Geschäft mitzuarbeiten, sondern in der Landwirtschaft tätig zu werden, hatte Ottla, unterstützt von Kafka, in monatelangen Auseinandersetzungen mit dem Vater (vgl. auch die Anmerkungen zu Nr. 38) durchsetzen können. (Vgl. KO 428 ff.)
Hirschgraben: Der heute mit Akazien bewachsene, dem Hradschin im Norden vorgelagerte tiefe Festungsgraben (man hielt dort früher Wild), in den man von den Häuschen der Alchimistengasse aus sehen konnte: »Die Küche hat ein großes Fenster in den Hirschgraben, und außer dem Gesang der Vögel hört man gewiß nichts.« (Ottla an David am 10. III. 1917)
Palais: Seit Anfang März 1917 hatte Kafka im Schönborn-Palais in der Nähe des Hradschin eine Zwei-Zimmer-Wohnung gemietet. (Vgl. F 749, 771, die Anmerkungen zu Nr. 34 und den Text von Nr. 45; Abb. K 81)
und schon verloren: Vorher hatte Ottla für das äußere Wohlbefinden des Bruders gesorgt: »Mittags komme ich her, mache die Fenster auf, nehme die Asche heraus und heize ein … Ein Fenster lasse ich, solange ich hier bin, offen, weil der Ofen doch noch ein wenig raucht. Ich heize für den Franz, weil er am Nachmittag herkommen will.« (Ottla an David am 27. XI. 1916)
Růženka: Nach Ottlas Weggang übernahm R., ein kleines, buck-

liges tschechisches Blumenmädchen, das Ottla geistig zu fördern suchte, die Bedienung in beiden Behausungen Kafkas: »Der Franz hat es in seiner Wohnung sehr schön und ist zufrieden mit ihr und der Růženka. Er hatte immer Respekt vor ihr und steht sofort auf, wenn sie ihn weckt. Sie macht alles sehr gut aus Freundschaft zu mir und ihm, und beinahe würde sie über dem Franz mich vergessen.« (Ottla an David am 1. III. 1917, vgl. auch M 12)

Rudl Hermann: Bruder Karl Hermanns.

To je žrádlo. Od 12 ti se to musí vařit: »Das ist ein Fressen. Seit 12 muß das gekocht werden.« Vgl. Nr. 69, H 172 und Br 397.

Irma: Vgl. Anmerkungen zu Nr. 25.

Nr. 38
Nachschrift zu einem Schreiben, das Kafkas älteste Schwester Elli an Ottla nach Zürau richtete.

wie auch diesmal: Ottlas erster Bericht wurde an Karl Hermann weitergeleitet, der Soldat war. (Vgl. die Anmerkungen zu Nr. 37)

Einfall: Elli hatte geschrieben: »Es ist schade, daß Du den Garten nicht so wirst bebauen können, wie Du gedacht hast. Würde es denn so viel kosten einen kleinen Teil davon einzuzäunen?« Vgl. Nr. 57.

ein Pferd: Am 11. XI. 1917 schrieb Ottla an David: »Die Pferde sind in gutem Zustand, besonders das neuere ist in guter Verfassung... Ich habe mit ihnen viel Sorgen. Vielleicht daß ich von der ›Futterstelle‹ doch etwas bekomme, verläßlich ist es aber nicht.«

Kopf hoch: Anspielung auf die niedrigen Türen der (mittelalterlichen) Häuschen der Alchimistengasse. Ottla litt darunter, daß sie durch ihr Verhalten den Eltern Kummer bereiten mußte. Elli schrieb deswegen: »Deinen Brief haben wir dem Vater vorgelesen, der beste Beweis für Dich wie es mit ihm steht, wenn wir es uns getrauen konnten. Er hat kein einziges schlimmes Wort über ihn geäußert was ja auch unmöglich wäre. Er hat sich ganz ausgezankt, er zankt nie mehr. Er ist sehr brav, zu brav.« Vgl. Nr. 54 und die Anmerkungen zu Nr. 71.

Nr. 39
eine bessere Zeit für mich: Vor dem November 1916 hatte Kafka, soweit überliefert, zwei Jahre lang fast nichts geschrieben; die Monate, in denen er in der Alchimistengasse arbeitete, gehören hingegen zu den literarisch ertragreichsten: Von Dezember 1916 bis April 1917 entstanden zahlreiche Prosastücke und Fragmente, darunter fast alle Erzählungen des Bandes *Ein Landarzt.*

Vielleicht komme ich Sonntag: Seine Absicht machte Kafka aber
weder am 20. noch am 27. Mai wahr, denn Irma schrieb an Ottla
am 21. des Monats: »Franz hatte die Absicht sie war nicht allzu
stark – am Sonntag hinzukommen er sagt jedoch jetzt müßte er
mit den Welschischen kommen, nachdem er es ihnen schon einmal versprochen hat. Nachdem ich aber Sonntag hinfahre hab' ich
ihm gesagt, er soll es noch verschieben.«

Nr. 40
Datierung aufgrund der Nachschrift von Nr. 42. Vorhergegangen
sein muß dem Schreiben ein Besuch Kafkas bei Ottla in Zürau.
(Vgl. auch Nr. 39 und die Anmerkungen zu Nr. 45)
Ein glücklicher Umstand ermöglicht es, den Hintergrund der
Tetsch-Angelegenheit etwas zu erhellen. Wie ein Vergleich eines
von Max Brod in H 445 f. unvollständig publizierten Zettels mit
dem in Kafkas Nachlaß (Oxford, Bodleiana) erhaltenen Original
zeigt, muß es sich dabei um Notizen handeln, die er sich aufgrund von Erzählungen Ottlas für eine Eingabe zugunsten dieses
Soldaten gemacht hat, denn neben einer in Wien lebenden Schwester, einem Onkel Franz Fischer in Oberklee wird unter den
Nächstverwandten des Verwaisten auch ein im gleichen Verwandt-
schaftsgrad stehender Fleischhauer Josef Te[t]sch in Saaz erwähnt.
Dann heißt es über den fürs Militär nicht diensttauglichen Mann:
»Nicht normal, gerade zum Tongraben hat es gelangt, deshalb
wurde er auch nicht assentiert, auch als Alter hätte er nicht ein-
rücken müssen. Er hat sich, ohne recht zu wissen, worum es sich
gehandelt hat, aufgedrängt. Rechnen und schreiben kann er nicht,
an selbständigen Viehhandel, Gemüsehandel ist nicht zu denken,
deshalb kann auch die Gemeinde keine solche Verantwortung auf
sich nehmen. Wohl denkbar wäre aber, daß er den Verwandten
beim Vieheinkauf hilft, indem er das gekaufte Vieh abholt, zu-
treibt und so weiter. In dieser Weise wäre auch Gemüsehandel für
ihn denkbar, daß er den Karren führt, das Gemüse abholt und
so weiter. Jede Selbständigkeit ist aber ausgeschlossen, so dürften
es sich auch die Verwandten gedacht haben, dann müssen aber sie
selbst die Verantwortung übernehmen.«
Mit einiger Wahrscheinlichkeit darf ein in zwei an David gerichteten Briefen Ottlas (vom 29. VII. 1917 und 18. VII. 1918) er-
wähnter Soldat mit Tetsch identifiziert werden. Demnach hätte
Ottla, deren Interesse und Eintreten für die sozialen Unterschich-
ten stark entwickelt war (vgl. z. B. Nr. 95, die Anmerkungen zu
Nr. 37, F 598 f. und H 188), diesen Mann ganz im Sinne der
Vorstellungen ihres Bruders für leichte landwirtschaftliche Arbeiten herangezogen.

Belvedereabhang: die sich östlich des Hradschin erstreckenden Kronprinz-Rudolfs-Anlagen (heute Letenské Sady).
Podersam: Kreisstadt für Zürau.

Nr. 41
wann Du die zwei brauchen wirst: Von Ottla erbetene Erntehilfe. *So viel schlimmer als voriges Jahr:* Zu den wirtschaftlichen Schwierigkeiten, mit denen Ottla in Zürau zu kämpfen hatte, vgl. KO 441 f. und einen an Ottla und Franz gerichteten Brief der Mutter vom Dezember 1917, wo diese ihre jüngste Tochter bittet, sie möge ihr den Preis der Naturalien mitteilen, die sie für die Prager Angehörigen in Zürau beschaffen sollte: »Die Wirtschaft wirft nicht so viel ab, daß Du uns Präsente machen kannst. Biß Du so Gott will Dein eigenes Gut haben wirst, dann wird es etwas anderes sein, dann werde ich von Dir Präsente annehmen.« Vgl. Nr. 78.
Frl. Kaiser: Kafkas Sekretärin in der »Arbeiter-Unfall-Versicherungs-Anstalt«, vgl. die Anmerkungen zu Nr. 61.
in gutem Zustand zurückgekommen: von der am 27. Mai in Franzensbad begonnenen Erholungskur.

Nr. 42
Datierung nach Nr. 41.

Nr. 43
aus Budapest: Kafka hatte sich Anfang Juli 1917 zum zweitenmal mit Felice verlobt und reiste mit ihr über Budapest nach Arad zu ihrer Schwester; er kehrte allein über Wien nach Prag zurück. (Vgl. F 770)
Du gehst nach Wien: Wahrscheinlich hatte Ottla zu diesem Zeitpunkt den Plan, in der Gartenschule in Klosterneuburg sich die fehlenden landwirtschaftlichen Einzelkenntnisse zu erwerben. (Vgl. Nr. 50, 57, 60 und die Zeittafel am Ende des Bandes)
Die letzte Kündigung: Über ihre Stellung zum Vater in dieser Zeit schrieb Ottla am 14. November 1917 an David: »Vater schimpft schon niemals mehr auf mich, vielleicht auch, daß es mir nur so scheint. Das letztere allerdings wäre mir viel lieber, wenn er nicht schimpft, daß vergißt er sicher, daß ich einmal im Geschäft war und vergißt mich überhaupt. Ich möchte, daß Vater mich mehr beachtet, einerlei in welcher Weise. Mutter schreibt uns schön, sie ist gut und lieb und verdient viel Liebe.« (Vgl. die Anmerkungen zu Nr. 38 und zu Nr. 54) Am 8. August hatte Ottla berichtet: »Vater ... warf mir ... meinen Abgang aus dem Geschäft vor, aber gleich in dem Augenblick, wo ich zu ihm kam. Abends sprach er dann von allen seinen Kindern, hauptsächlich von meinem Bruder und mir, sehr unzufrieden.«

Nr. 44

Hopfenpflücke: Am 5. August schrieb Ottla an David: »ich brauche noch hauptsächlich Geräte zum Pflücken des Hopfens und ich habe sie weder in Saaz noch anderswo in der Nähe bekommen. Ich denke, daß wir damit am Donnerstag anfangen werden, und ich mußte daher ernstlich überlegen, wo ich sie besorge. Es fiel mir ein, daß ich für einen Tag nach Prag fahren könnte.«

Nr. 45

aber doch zu bekannt: Vgl. die Anmerkungen zu Nr. 20.

Chrlení: bedeutet »speien, auswerfen« (Kafka lobt die onomatopoetischen Qualitäten des Ausdrucks); ein kürzerer Parallelbericht in M 12.

die kalte, dumpfe, schlecht riechende: Durch die Unsicherheit dem eigenen Körper gegenüber, schreibt Kafka im »Brief an den Vater«, sei »der Weg zu aller Hypochondrie« frei gewesen: »bis dann unter der übermenschlichen Anstrengung des Heiraten-Wollens ... das Blut aus der Lunge kam, woran ja die Wohnung im Schönbornpalais ... genug Anteil haben kann.« (H 205, ähnlich Br 401)

empfänglich geworden: »Manchmal scheint es mir, Gehirn und Lunge hätten sich ohne mein Wissen verständigt. ›So geht es nicht weiter‹ hat das Gehirn gesagt und nach fünf Jahren hat sich die Lunge bereit erklärt, zu helfen.« (Br 161, vgl. M 13)

der Stand dieser geistigen Krankheit: An Felice schrieb Kafka zum gleichen Zusammenhang: »Du bist mein Menschengericht. Diese zwei, die in mir kämpfen ... sind ein Guter und ein Böser ... Das Blut, das der Gute ... vergießt, um Dich zu gewinnen, nützt dem Bösen. Dort wo der Böse, wahrscheinlich oder vielleicht, aus eigener Kraft nichts entscheidend Neues mehr zu seiner Verteidigung gefunden hätte, wird ihm dieses Neue vom Guten geboten. Ich halte nämlich diese Krankheit im geheimen gar nicht für eine Tuberkulose, sondern für meinen allgemeinen Bankrott.« (F 756)

Michlová: Františka Sofrová (geb. 1870), Wäscherin und Küchenhilfe im Palais Lobkowitz, gelangte durch die Heirat mit ihrem Nachbarn Bohumil Michl auch in den Besitz von Nr. 22, die sie Ottla vermietete. In dem ursprünglich ihr gehörigen Häuschen (Nr. 20) lebte als Kafkas unmittelbarer Nachbar der aus Karlsbad stammende Dr. Knoll (vgl. F 745); erst im Mai 1917 zogen dort die Eigentümer selber ein. Vgl. die Abb. in K 80.

Sonst weiß niemand zu hause etwas davon: Vgl. die Anmerkungen Nr. 49 und 54.

Nr. 46

übersiedelt: Kafka kündigte die Wohnung im Schönborn-Palais und zog wieder in die elterliche Wohnung am Altstädter Ring Nr. 6. Da dort naturgemäß kein Zimmer für ihn zur Verfügung stand, benutzte er, auch in späteren Jahren, wo er oft bettlägerig war, das neben dem Badezimmer gelegene seiner jüngsten Schwester, die ja im Winter 1918/19 gar nicht in Prag war und seit ihrer Heirat Mitte Juli 1920 eine eigene Wohnung hatte.

Nr. 47

Das Haus oben: Aus einem nach Zürau gerichteten Brief der Mutter vom Oktober 1917 geht hervor, daß Kafka noch zu dieser Zeit nach einem Ersatz für seine beiden jetzt nicht mehr zur Verfügung stehenden Wohnungen im Schönborn-Palais und in der Alchimistengasse suchte (vgl. Nr. 45). Die Miederfabrik Federer und Piesen lag in Prag VII, Ovenecká 9, also in Bubeneč, einem vornehmen Villenviertel mit relativ hohem deutsch-jüdischem Bevölkerungsanteil.

Nr. 48

Kafka schrieb zunächst am 4. September bis zum Ende des vorletzten Abschnitts, der sich schon vollständig auf der von ihm mit 2) bezeichneten Karte findet, schickte diese Karte allein weg (Stempel: Prag – 4. IX. 17) und ergänzte auf der zurückgebliebenen am folgenden Tag (vgl. das »morgen« gegen Ende mit dem vorhergehenden »übermorgen« und Nr. 49) den Schlußteil, dabei setzte er den vorletzten Abschnitt mithilfe von durchgehenden Querstrichen vom Kontext ab. Diese zweite Karte ist von der Post erst am 5. September gestempelt worden.

klarer als sonst: Vgl. Nr. 45, 96 M 24 (»die Ärzte sind dumm oder vielmehr ... ihre Prätentionen sind lächerlich«) und einen an Max Brod gerichteten Brief Kafkas vom 22. September 1917, in dem er über Dr. Mühlsteins Diagnose schreibt: »Nach der ersten Untersuchung war ich fast ganz gesund, nach der zweiten war es sogar noch besser, später ein leichter Bronchialkatarrh links, noch später ›um nichts zu verkleinern und nichts zu vergrößern‹ Tuberkulose rechts und links, die aber in Prag und vollständig und bald ausheilen wird, und jetzt schließlich kann ich einmal, einmal Besserung sicher erwarten. Es ist, als hätte er mir mit seinem großen Rücken den Todesengel, der hinter ihm steht, verdecken wollen und als rücke er jetzt allmählich beiseite. Mich schrecken (leider?) beide nicht.« (Br 168; die zuletzt erwähnte Prognose gab der Arzt schriftlich ab, nachdem Kafka ihm ein Gutachten Prof. Picks zur Kenntnis gebracht hatte, vgl. Nr. 49) *mit meinem Chef:* Wie immer, wenn Kafka diesen Ausdruck gebraucht, ist der Oberinspektor Eugen Pfohl gemeint (vgl. F 214 und 649), der Vorstand des Ressorts der Anstalt, das 1910 durch Zusammenlegung der versicherungstechnischen Abteilung, der Unternehmensliquidatur und der Kontrollabteilung entstanden war (D 70). Kafka, der ihn sehr bewunderte (vgl. T 41 und F 196), war sein wichtigster Mitarbeiter und vertrat ihn gewöhnlich, wenn er abwesend war. (Vgl. F 143, 161, 337 f. und die Anmerkungen zu Nr. 49)

der Vers: In der 4. Szene des zweiten Aktes von Richard Wagners *Meistersingern* sagt Eva, die Hans Sachs vergeblich über die letzten, sie betreffenden Ereignisse auszuhorchen versucht hatte, zu diesem:

> Ihr wißt nichts? Ihr sagt nichts? Ei, Freund Sachs,
> jetzt merk' ich wahrlich: Pech ist kein Wachs.
> Ich hätt' Euch für feiner gehalten.

Der Sachverhalt auch in FK 144.

beim Professor: Friedel (d. i. Gottfried) Pick (1867–1926) war Professor für innere Medizin und Direktor des laryngologischen Instituts der Deutschen Universität Prag. Brod schrieb damals ins Tagebuch: »4. September. Nachmittag mit Kafka bei Professor Friedl Pick. So lange brauchte es, um das durchzusetzen. Konstatiert Lungenspitzenkatarrh. Urlaub drei Monate nötig. Es ist Gefahr Tuberkulose.« (FK 144, vgl. Br 170 f.)

Nr. 49

eine sentimentale Komödie: Vgl. Kafkas Brief an Felice vom 9. September 1917: »ich wollte Pensionierung, man glaubt in meinem Interesse, sie mir nicht geben zu sollen, die ein wenig sentimentalen Abschiedskomödien, die ich nach alter Gewohnheit auch jetzt mir nicht versagen kann, wirken hiebei auch etwas gegen meine Bitte, also bleibe ich aktiver Beamter und gehe auf Urlaub.« (F 753 f., vgl. 656 und T 532)

die Meinung des Direktors: Gemeint ist der Regierungsrat Dr. Robert Marschner (vgl. Br 501), dessen organisatorischen Fähigkeiten und Arbeitskraft Kafka achtete (vgl. WB 148, 279, H 426 ff. und 454 f.) und der ihm oft »ganz unerwartet liebenswürdig« entgegenkam (F 103). Kafka sprach also am 6. September zunächst nur mit Eugen Pfohl.

Das Gutachten des Professors: Pick hatte unter anderem geschrieben: »Besserung können Sie sicher erwarten, allerdings wird sie nur in längern Zeitintervallen zu konstatieren sein.« (Br 168) *mit Nervosität begründet:* An Felice schrieb Kafka am 9. September: »während ich sonst die ganze Sache natürlich nicht als Geheimnis behandle, verschweige ich sie doch vor meinen Eltern. Zuerst dachte ich gar nicht daran. Als ich aber zum Versuch meiner Mutter nebenbei sagte, ich fühle mich nervös und werde einen großen Urlaub verlangen, und sie ohne den geringsten Verdacht die Sache äußerst glaubhaft fand (sie ist eben für ihren Teil immer grenzenlos gern bereit, mir auf die geringste Andeutung hin Urlaub in alle Ewigkeit zu geben), ließ ich es dabei und so bleibt es vorläufig auch gegenüber dem Vater.« (F 754, vgl. Nr. 54)

Nr. 50
große Umwälzungen: Am 12. September schrieb Ottla an David: »Der Bruder ist heute abend zu mir gefahren gekommen und bleibt wahrscheinlich längere Zeit hier. Er bekam drei Monate Urlaub, in Zürau wird er solange sein, wie es ihm hier gefallen wird. Es ist schon ein gewisser Erfolg, daß ich Leute hierher einladen kann, und ich habe mit ihm Freude. Es geht mir wirtschaftlich viel besser, ich glaube, daß ich die schwerste Zeit hinter mir habe.«
eine so wertvolle Kraft: Pfohl beurteilte Kafka u. a. wie folgt: »Unermüdlich fleißig und ambitiös, ausgezeichnete Verwendbarkeit. Dr. Kafka ist ein eminent fleißiger Arbeiter von hervorragender Begabung und hervorragender Pflichttreue.« (WB 149)

Nr. 51
habe keine andere Karte: Die Mitteilungen an Ottla schrieb Kafka nämlich über folgenden Text: »Lieber Oskar, telefoniere bald. Aber nicht heute bietet er mir, wieder am Samstag kommt es: Speck 59, Talg 28, Butter 42. Wollt ihr etwas? Herzlich Franz«. Gegen Bezahlung und andere Gegenleistungen verkauften Zürauer Bauern gelegentlich der Familie in Prag und Kafkas Freunden Lebensmittel, die von Familienangehörigen oder Angestellten des elterlichen Geschäfts in die Hauptstadt gebracht wurden. (Vgl. Nr. 57, 60, Br 163 und 175) Kafka macht dem blinden Oskar Baum hier ein entsprechendes Angebot.
Arsenkur: Vgl. Nr. 88, 95, 117 und die Anmerkungen zu Nr. 9.

Nr. 52
Ich werde an Schnitzer schreiben: Es handelt sich um den in den Anmerkungen zu Nr. 9 erwähnten Warnsdorfer Fabrikanten und Naturarzt, der Kafka übrigens nicht auf seine Anfrage antwortete (vgl. Br 171). Trotzdem blieb Kafka weiterhin ein Anhänger seiner Lehren. Im Oktober 1917 schrieb er an Felix Weltsch über Schnitzer: »... man unterschätzt doch solche Leute leicht. Er ist

ganz kunstlos, daher großartig aufrichtig, daher dort, wo er nichts hat, als Redner, Schriftsteller, selbst als Denker nicht nur unkompliziert... sondern geradezu blödsinnig. Setze Dich ihm aber gegenüber, sieh ihn an, suche ihn zu überschauen, auch seine Wirksamkeit, versuche für ein Weilchen Dich seiner Blickrichtung zu nähern – er ist nicht so einfach abzutun.« (Br 187)
F.: Felice Bauer

Nr. 53
Felix: der von Hermann Kafka heißgeliebte Sohn Ellis und Karl Hermanns; Gerti war seine jüngere Schwester.
Die Tage mit F. waren schlimm: Ende Dezember war Kafka für einige Tage in Prag. Felice besuchte ihn vom 25.–27. Dezember; es war die zweite und endgültige Lösung des Verlöbnisses. Max Brod berichtet darüber: »... Franz (kam) zu mir ins Büro. Er hatte eben F. zur Bahn gebracht. Sein Gesicht war blaß, hart und streng. Aber plötzlich begann er zu weinen... Kafka... war direkt zu mir ins Arbeitszimmer gekommen, mitten in den Betrieb, saß neben meinem Schreibtisch auf dem Sesselchen, das für Bittsteller, Pensionisten, Beschuldigte bereitstand. Und hier weinte er, hier sagte er schluchzend: ›Ist es nicht schrecklich, daß so etwas geschehen muß?‹ Die Tränen liefen ihm über die Wangen, ich habe ihn nie außer diesem einen Male fassungslos, ohne Haltung gesehen.« (FK 147)
nach außen hin nur die Krankheit: Zu Max Brod sagte Kafka damals: »Was ich zu tun habe, kann ich nur allein tun. Über die letzten Dinge klar werden. Der Westjude ist darüber nicht klar und hat daher kein Recht zu heiraten. Es gibt hier keine Ehen. Es sei denn, daß ihn diese Dinge nicht interessieren, zum Beispiel Geschäftsleute.« (FK 147)
die Verhandlungen beginnen: Nachdem es Kafka im September 1917 nicht gelungen war, sich pensionieren zu lassen (vgl. Nr. 49 und 50), versuchte er es jetzt wieder, aber auch diesmal nur mit dem Erfolg, daß sein Urlaub bis Ende April 1918 verlängert wurde. Schon am 23. November 1917 hatte Ottla in seinem Sinne bei Kafkas Dienstvorgesetzten Eugen Pfohl vorgesprochen: »Früh sprach ich mit dem Direktor des Bruders, er will absolut nicht zulassen, daß Franz kündigt, am Land soll er aber lang bleiben, eventuell solange, bis sich etwas entscheidet. Er kommt mit seiner Frau zu uns nach Zürau.« (An David, vgl. Br 193, 208 und Nr. 55)
wegen Oskar: Etwa vom 6. bis zum 13. Januar 1918 war der blinde Oskar Baum, einer der engsten literarischen Freunde Kaf-

kas, bei ihm in Zürau zu Gast. Seine 1929 erschienenen Erinnerungen an die mit Kafka verbrachten Tage sind jetzt in Max Brods *Der Prager Kreis* leicht zugänglich. (Stuttgart, Berlin, Köln, Mainz [1966], S. 130 ff., vgl. auch Br 222 ff. und die Anmerkungen zu Nr. 73)

einen Gast: Bei dem nur tschechisch sprechenden »Gast-Fräulein« handelt es sich um Josef Davids Schwester Ella, die Kafka Ende April 1918 in Zürau kennenlernte. Vgl. Nr. 57.

Hr. Hermann: Der Vorarbeiter des Gütchens, mit dem Ottla Differenzen hatte, vgl. T 530 und Ottla an David am 8. XI. 1917: »Es ist unmöglich, die Gewohnheiten eines alten Menschen abzuändern, ich finde mich mit ihm ab. Er ist besser als früher, aber ich komme noch nicht aus mit ihm.«

Frau Feigl: Am 8. Oktober notiert Kafka ins Tagebuch: »Bauer F. (sieben Mädchen, eine klein, süßer Blick, weißes Kaninchen über der Achsel)« (T 535; Auflösung des Namens nach dem Manuskript).

unser Fräulein: die Magd Mařenka, die Ottla half (vgl. T 529 f. und Br 210).

Toni: ist wahrscheinlich eine weitere Helferin, die damals auf dem Gütchen beschäftigt wurde.

Nr. 54

Martha: vielleicht die hübsche, elegante, rücksichtsvolle und bescheidene Cousine Kafkas, die F 244 und 249 erwähnt ist.

Robert: Dr. Robert Kafka, Advokat, ein in Prag lebender Vetter des Dichters (Sohn Filip Kafkas aus Kolín), der schon Jahre vor Kafka an einer Milzerkrankung starb (vgl. FK 180 und Br 403).

ihr alles zu sagen: Kafka hatte den wahren Grund seiner Beurlaubung zunächst vor den Eltern geheimgehalten. (Vgl. die Anmerkungen zu Nr. 49) Am 22. November wurde zunächst der Vater aufgeklärt. Ottla schrieb am 23. XI. 1917 an David aus Prag: »Vater ist so gut zu mir, hat sich so schön an alles gewöhnt, daß ich fürchten muß, daß ich das alles nicht ganz verdiene. Ich sagte ihm gestern gleich nach meiner Ankunft in einem Augenblick, als Mutter in der Küche war, warum der Bruder den Urlaub bekam. Ich dachte mir, daß Vater, weil er die Ursache nicht wußte, sich nach einiger Zeit ärgern würde, daß Franz so lange Zeit müßiggeht. Ich habe mir aber nicht vorgestellt, daß diese Nachricht auf ihn einen solchen Eindruck machen könnte. Er hat Sorgen und ich muß sie ihm ständig ausreden und ihm versichern, daß der Bruder in Zürau alles hat, was er braucht und daß für ihn keine Gefahr besteht.«

Nr. 55

zu gesund: Vgl. Br 204 (vom Anfang Dezember 1917): »Ginge es nach dem Professor, müßte ich eigentlich schon im Bureau sitzen.«

im Geheimen eine Nacht in Prag bleiben: Seit dem 1. Januar 1918 war es nicht mehr möglich, mit der Eisenbahn in einem Tag in die Hauptstadt und zurück zu gelangen. Für den Fall nun, daß sich Kafka wegen seiner ungeklärten Zukunft zulange in Prag würde aufhalten müssen, bittet er Ottla, heimlich nach Prag zu fahren und den blinden Schriftsteller Oskar Baum, der dort reisebereit wartete (vgl. Nr. 54), nach Zürau zu begleiten, von wo aus sie ihn übrigens am 13. Januar wieder nachhause brachte (vgl. H 98).

Nr. 56

Der erste Teil des in Prag geschriebenen Briefes ist verloren.

lebe ich mit Dir besser als mit irgendjemandem sonst: Vgl. Br 165 (»Mit Ottla lebe ich in kleiner guter Ehe«), KO 421 ff., Abb. K 83 andererseits Nr. 24, 72, die Anmerkungen zu Nr. 65 und Ottlas Brief an David vom 27. IV. 1918, in dem es heißt: »Mit dem Bruder verstehe ich mich wieder gut, ich bin froh, daß zwischen uns nichts ist.«

Nr. 57

Nachschrift zu einem (von Karl Hermann überbrachten) Brief der Mutter an Ottla. — Am 2. Mai hatte Kafka wieder seinen Dienst in der »Arbeiter-Unfall-Versicherungs-Anstalt« angetreten.

am Ohr zupfen: Vgl. Nr. 86 und 97.

Frl. Greschl: Vielleicht das in Br 204 beschriebene Bauernmädchen.

Frl. David: Ottla hatte sich mit Ella David, der Schwester ihres späteren Mannes, inzwischen angefreundet. Am 27. IV. 1918 schrieb sie an Josef David: »Sie ist mir lieb, nicht nur darum, weil sie Deine Schwester ist; ich würde mich gewiß vor nur einer solchen Liebe fürchten, aber so wie es ist, ist es schön für mich und ich kann mich freuen.« Vgl. auch Nr. 53.

Baumgarten: Von Kafka geschätzte parkartige Anlage in Prag, an der Bahnlinie nach Dresden, mit mehr als hundert verschiedenen (mit Schildern gekennzeichneten) Baumgattungen. (Vgl. T 539, F 558 und 571)

auf unsern Garten nicht mehr so stolz: Kafka hatte sich in Zürau besonders für den Garten verantwortlich gefühlt und öfters darin gearbeitet: »Es ist dort schön, ich arbeitete dort heute mit dem Bruder von ein Uhr bis acht Uhr abends. Es war schon fast dunkel. Wir haben Gemüsesetzlinge gesetzt, und ich habe zwei Beete umgegraben.« (Ottla an David am 27. IV. 1918, vgl. Br 201, 233, 237 und 240). Als Folge dieser Arbeit half Kafka im Sommer in Troja, einem Vorort von Prag, bei leichten Gartenarbeiten. Vgl. Br 243.

Nr. 58
Datierung nach dem im Brief angegebenen Tag. Zur Sache vgl. die Anmerkungen zu Nr. 40.

Nr. 59
Datierung nach Nr. 60. Das Schreiben wurde möglicherweise von einem Angestellten des elterlichen Geschäfts überbracht.
Prospekte: Kafka bemühte sich – da Ottla die Arbeit in Zürau aufgeben und eine Landwirtschaftsschule besuchen wollte – um Informationen über Möglichkeiten landwirtschaftlicher Ausbildung; siehe Nr. 60.

Nr. 60
Wegen der Schule: Nach verschiedenen andern Plänen (vgl. die Zeittafel am Ende des Bandes) spielte Ottla mit dem Gedanken, die Gartenbauschule in Klosterneuburg bei Wien zu besuchen (vgl. auch Nr. 43).
Friedland: Vgl. die Anmerkungen zu Nr. 7 und 8. Ottla studierte dann von November 1918 bis März 1919 an der dortigen Landwirtschaftlichen Winterschule. Sie absolvierte den Stoff zweier Jahrgänge auf einmal. (Brief an David vom 16. XI. 1918)
nach Turnau: Dort hielt sich dann Kafka in der 2. Septemberhälfte zur Erholung auf.
in Deinem-meinem Zimmer: Vgl. die Anmerkungen zu Nr. 46.
im Bureau von Fräulein Kaiser und von Herrn Klein: Vgl. Nr. 61.
Herr Lüftner: Dieser Zürauer Bauer vernachlässigte zwar seine Wirtschaft, war aber ein leidenschaftlicher Jäger. (Vgl. T 536 und Br 173)

Nr. 61
Es handelt sich hier um die Beziehung zwischen Kafkas Sekretärin Kaiser und einem Bürokollegen; wie aus Nr. 60 erschließbar ist, wahrscheinlich einem Herrn Klein, vgl. auch Nr. 68.
Schon Ende Juni 1917 kündigte Kafka seiner Schwester den Besuch seines »Maschinenfräulein(s)« (T 76; K = Kaiser nach dem Manuskript) in Zürau an (vgl. Nr. 41), der spätestens im November stattgefunden haben muß. Kafka schrieb nämlich damals an Max Brod: »heute hatten wir Besuch, sehr gegen meinen Willen, das Bureaufräulein (nun, Ottla hatte sie eingeladen), außer-

dem aber als ein Mitgebrachtes noch einen Bureauherrn (Du erinnerst Dich vielleicht: wir gingen einmal in der Nacht mit irgendwelchen Gästen über den Quai, ich drehte mich nach einem Paar um, das war eben dieses), einen an sich ausgezeichneten und mir auch sehr angenehmen und interessanten Menschen (katholisch, geschieden), aber eine Überraschung, wo doch schon ein angemeldeter Besuch Überraschung genug ist. Solchen Dingen bin ich nicht gewachsen und ich durchlief von flüchtiger Eifersucht, großer Unbehaglichkeit, Hilflosigkeit gegenüber dem Mädchen (ich riet ihr, unüberzeugt, den Mann zu heiraten), bis zu vollständiger Öde den ganzen langen Tag, wobei ich noch ganz häßliche Zwischengefühle verschweige«. (Br 190 f.) Als Ottla dann am 23. November zu Kafkas Dienststelle ging, suchte sie auch Fräulein Kaiser auf, wobei sie von ihr ein kleines Geschenk erhielt (Brief Ottlas an David von diesem Tag), und am 17. Dezember schrieb Kafka aus Zürau an dieses Mädchen (vgl. H 95), vielleicht um jetzt, wo seine eigene Entlobung endgültig bevorstand, eine andere Stellungnahme zu ihrem Problem abzugeben. Im folgenden Jahr muß es dann zu der von Kafka beschriebenen Krise gekommen sein. Da Kafka zu diesem Zeitpunkt im Büro tätig und Ottla gleichzeitig in Prag anwesend gewesen sein muß, kommt als Entstehungszeit des Briefes eigentlich nur die erste Oktoberhälfte in Betracht.

Nr. 62

mir geht es ganz erträglich: Am 14. Oktober erkrankte Kafka lebensgefährlich an der damals in ganz Europa grassierenden Spanischen Grippe; Ottla entschuldigte ihn schriftlich im Bureau. (Vgl. D 70) Sie schrieb noch am gleichen Tag an David über den Bruder: »Er ist krank, hatte zu Mittag beinahe 41 Grad Fieber. Die Mutter weinte den ganzen Tag, ich beruhigte sie, so gut ich konnte, aber ich selbst machte mir keine solchen Sorgen, ich habe immer Angst um jemanden, wenn ich weit entfernt bin, aber wenn ich bei ihm bin, habe ich immer eine gewisse Sicherheit, daß es gut wird. Der Arzt war beim Bruder, untersuchte ihn und beruhigte Mutter.« Seit dem 2. November war Ottla in Friedland (vgl. die Anmerkungen zu Nr. 60), am 7. dieses Monats schrieb ihr die Mutter: »Franz geht es so ziemlich, natürlich ist er noch sehr schwach und hat oft Kopfschmerzen. Heute haben wir das Schlafzimmer gelüftet und gewaschen und Franz war im Speisezimmer am Kanape, ist aber wieder gerne ins Bett gegangen.«
Hunger haben: Unter dem Einfluß des Bruders war auch Ottla Vegetarierin geworden (vgl. Nr. 65 u. 80), obwohl dies wegen der Ernährungslage in der Nachkriegszeit besonders schwierig war.

Verlangen nach Prag haben: Am 6. I. 1919 schrieb Ottla an David: »Glaub mir, daß mir der Gedanke, daß ich wieder in Friedland bin, daß ich auf unbestimmte Zeit von Dir getrennt bin,
daß ich Dich weder morgen noch übermorgen sehen werde, so
schwer war, daß ich nicht wußte, was ich mit ihm anfangen sollte.«
(Vgl. Nr. 68, 69 und die Zeittafel) Zu Ottlas Absichten vgl. die
Anmerkungen zu Nr. 68.

die »ältern Landwirte«: Vgl. Nr. 60.

Friedländer Plünderungen: Die Notiz, auf die Kafka anspielt,
hat folgenden Wortlaut:
»Plünderungen in Friedland. F r i e d l a n d   war Freitag der
Schauplatz furchtbarer Ausschreitungen seitens einer zügellosen
Menge, denen die Gendarmeriemannschaft nicht gewachsen war.
Vormittags sammelte sich vor dem Geschäfte des Kaufmanns E.
H a m m e r s c h l a g in der Schloßgasse eine Menge an, stürmte
das Magazin und raubte den für den ganzen Bezirk Friedland re-
servierten Zucker, sowie ganze Säcke Salz, Marmelade, Milch in
Flaschen, Mehl aus. Auch die Geschäftsbücher und die Korrespondenz wurden entwendet. Sogar die Fenster wurden wegge-
schleppt. Die Kasse und die anderen Geldbehälter wurden erbro-
chen und ihres Inhaltes beraubt. Als das Magazin geleert war,
plünderte die Menge die Privatkeller. Gegen Mittag zog die
Menge in die Herrengasse vor das Geschäft des Kaufmannes
H a u p t , um zu plündern. Reichenberg wurde um Hilfe angerufen.« (*Prager Tagblatt* vom 9. 11. 1918, Nr. 261, S. 2)

lernen oder zurückkommen: Am 14. XI. 1918 schrieb die Mutter
nach Friedland: »Franz hat Dir auch einen Brief geschickt. Du
hast ihn aber noch nicht beantwortet. Schreibe gleich, denn wir
sind besorgt. Wenn Du nicht gut verköstigt bist, so lasse alles
steh'n und liegen und komme zurück. Du wirst von uns allen
gerne gesch'n. Bekommst auch wieder Dein kleines Zimmer, denn
wir haben jetzt alles überstellt. Ich und der Vater schlafen in dem
Zimmer neben Nowak und Franz habe ich unser früheres Schlafzimmer eingeräumt, wo es ihm sehr behaglich ist und er vollkommen Ruhe hat.« Aus einem weiteren Brief Julies vom 20. XI. geht
hervor, daß Ottla den Rat der Mutter sehr unwirsch aufgenommen haben muß.

Nr. 63
Datierung der Karte nach Nr. 65, dort auch eine Erklärung der
Worte, die im Deutschen lauten: »Noch jemand grüßt Dich herz-
lich, aber den will ich Dir jetzt noch gar nicht verraten.« Der
Schlußsatz heißt: »Viele Grüße sendet Marie Werner.« Vgl. auch
die Anmerkungen zu Nr. 15 und das Faksimile des Textes (Abb. 13).

Nr. 64
Der Text dieser Karte bereits, leicht gekürzt, in Br 247, die
Zeichnung W 78. Nr. 64–75 wurden in Schelesen geschrieben. Seit
30. November war Kafka in der dortigen Pension Stüdl (vgl.
Nr. 70) zur Erholung (vgl. die Anmerkungen zu Nr. 62). Die
Mutter schrieb am 1. XII. 1918 an Ottla über diesen Aufenthalt:
»Ich hatte aber wirklich mit der Vorbereitung zur Franzens Reise,
telegraphieren, in sein Büro zu gehen, außerdem für ihn verschiedenen Besorgungen zu machen, keine richtige Zeit zu einem
solchen Briefe ... Gestern bin ich mit Franz nach Schelesen gefahren ... Er ist jetzt der einzige Pensionär dort und zahlt täglich Kr. 60«.

Nr. 65
Datierung: Der 11. Dezember fiel 1918 auf einen Mittwoch; an
diesem Tag erwarteten Kafkas Eltern einen Besuch Josef Davids. Die Mutter schrieb nämlich am 9. XII. nach Friedland:
»Mittwoch bekommen wir wahrscheinlich auch einen lieben Besuch, Du wirst Dir schon denken wer es ist.« Kafka bezeichnet
das deswegen als »neue große Zusammenkunft«, weil Ottlas Ver-
lobter erstmals am 27. November bei den Kafkas zu Gast war:
Ottla schrieb am 2. XII. 1918 an David, sie habe am 30. XI. eine
von der Mutter und vom Vater mitunterzeichnete Karte ihres
Bruders erhalten, die am Mittwoch, also dem 27. XI., geschrieben
worden sei: » ... sei mir deswegen nicht böse, daß ich erschrocken
bin, besonders über diese Karte von zuhause, daß ich mich darüber
weder freuen noch beruhigen konnte. Ich dachte nicht, daß es so
bald sein würde und daß Dich die Eltern einladen werden, und
das einzige, worüber ich mich freuen konnte, war der Gedanke,
daß die ganze Sache vielleicht nur von der Ferne aus gewissermaßen erzwungen aussieht und daß mir zuhause bestimmt nicht
so schwer ums Herz wäre wie hier beim Lesen. Auch heute noch
bin ich noch nicht so ruhig wie ich es bei Dir war ... vielleicht
ist es nur der Gedanke, daß mir die ganze Zeit so leicht war als
sie zuhause nichts davon wußten; und ich kann mich jetzt nicht
gleich daran gewöhnen.« Damit erklärt sich sowohl Nr. 63 –
denn diese Karte meint Ottla – als auch Kafkas Hinweis auf »andere Berichte« (Briefe Davids).
Die Grüße des Frl. F.: Neben Ottla war Fräulein Fleischmann
das einzige Mädchen an der Landwirtschaftlichen Winterschule. Als
Fräulein Fleischmann Anfang 1919 nicht nach Friedland zurückkehren konnte, schrieb Ottla an David: »Ich bin froh, daß ich
hier allein bin, ich schätze mir diese Freiheit ... F. war zu mir
sehr gut und aufrichtig, wie nur überhaupt jemand sein kann und

185

ich wußte immer ihr Verhalten zu mir zu schätzen. Sie gab mir ihre ganze Freundschaft für eine ganz kurze Zeit, nahm mir aber damit meine Freiheit umso mehr, als ich mich mit ihr nicht ganz befreunden konnte. Wenn sie jetzt käme, würden wir es uns anders einrichten und ich möchte außer in der Schule nur vielleicht eine Stunde mit ihr beisammen sein. Das Lernen geht besser, wenn ich allein bin und die Freizeit ist für mich wirklich frei nur dann, wenn ich allein bin oder mit jemandem, der mir so nahe ist und den ich so kenne wie Irma und den Bruder.« (Brief vom 14. I. 1919)

Zur Zeichnung Kafkas: soll wahrscheinlich ihn selber darstellen, eßunlustig am Tisch, vgl. die Anmerkungen zu Nr. 77.

Nr. 66
Text dieser Karte bereits (falsch datiert) in Br 301.

Nr. 67
Redeübung: Ottla an David am 16. II. 1919: »In vierzehn Tagen soll ich in der Schule einen Vortrag halten und vielleicht werde ich ihn Nachmittag in Angriff nehmen.« Vgl. KO 428 ff.
Förster: Gemeint ist Friedrich Wilhelm Foersters *Jugendlehre. Ein Buch für Eltern, Lehrer und Geistliche*, 41.–45. Tsd., Berlin 1909. Kafka hatte dieses Werk im Zusammenhang mit der Tätigkeit Felice Bauers im Berliner Jüdischen Volksheim kennengelernt, stand den hier vertretenen Erziehungsgrundsätzen aber recht distanziert gegenüber. (Vgl. F 701 und Br 208 f.) Die Themenvorschläge, die Kafka macht, sind von diesem Buch beeinflußt. (Vgl. T 512: »Foerster: Die Behandlung der im Schulleben enthaltenen menschlichen Beziehungen zu einem Gegenstand des Unterrichts machen.«)
möglichst wenig Selbstgerechtigkeit: Selbstgefälligkeit hielt Kafka für eine der Hauptschwächen seiner Schwester. (Vgl. F 732)
was Du an den Bauern bewundertest: Ottla am 15. III. 1918 an David über die Familie Riedl: »er ist der beste Bauer aus unserem Dorf, und wenn ich mit ihm spreche, so lerne ich immer etwas dazu und ich freue mich, wenn ich ihm begegne. Sein Sohn ist auf Urlaub und arbeitet mit dem Vater, die Frau ist eine sehr gute Hausfrau, und alle arbeiten gerne und darum ist ihre Landwirtschaft so schön.«
wie Du Dich jetzt zu diesen Bewunderungen stellst: Vgl. Nr. 57.
mit Deinen Untergebenen: Vgl. die Anmerkungen zu Nr. 53.
Thema des Judentums, dem Du aber gerne ausweichen wirst: Der Freund Ottlas, Dr. Josef David, war Tscheche und Christ; darauf bezieht sich auch die Bemerkung von Max Brod, der national-jüdisch dachte.

Damaschke »Bodenreform«: Adolf Damaschke, Die Bodenreform, Jena 1902. Das Buch (»Grundsätzliches und Geschichtliches zur Erkenntnis und Überwindung der sozialen Not«) war damals in zahlreichen Auflagen verbreitet.

Nr. 68
Deine Buchführung: Kafkas Bemerkung bezieht sich darauf, daß Ottla ihre an David gerichteten Briefe auf der Rückseite des Kuverts numerierte.

die Vorträge im Verein: Die Landwirtschaftliche Winterschule in Friedland veranstaltete für die Bauern der Umgebung Vorträge, die Ottla besuchte.

dieses überschriebene »aber«: Kafka hatte aus »allerdings« verbessert. Zu Ottlas Briefstil vgl. KO 430 f.

das Mit-Beistift-schreiben: Vgl. den Editionsbericht und einen undatierten, an Ottla und Franz gerichteten Brief der Mutter, in dem sie sich dafür entschuldigt, daß sie mit Bleistift schreibt: Ursache sei die viele Arbeit im Geschäft. »Es soll aber für Dich l. Ottla kein Vorwurff sein, es ist nur eine Entschuldigung.«

dem Herr D.: also Josef Davids Vater; die tschechische Wendung bedeutet: »auf freundschaftlichem Fuße steht«; Kafka meint, die wörtliche Übersetzung dieser deutschen Redewendung ins Tschechische sei unrichtig, weil ein grober Germanismus.

Awua: Die deutschen Bauern in Schelesen sprachen offenbar eine für den dialektfreien Städter Kafka ganz unverständliche Mundart (vgl. Br 169 und 187). Der Hinweis auf das Interesse des Vaters an diesem Dialog ist natürlich ironisch gemeint (vgl. den Schluß von Nr. 88 und H 188, wo Hermann Kafkas dezidiertes Nichtinteresse an einfachen Leuten belegt ist).

Ich verstehe das nicht ganz: Ottla schrieb am 16. II. 1919 an David: »Nach Prag fahre ich, das habe ich schon sicher; Mutter schrieb mir zurück, ich solle nur kommen. Das Fräulein schreibt, daß Vater jetzt immer fröhlich ist, daß er mir nicht böse sein wird. Und dann muß ich mit Mutter sprechen, bevor ich anfange, eine Stelle zu suchen. Ich freue mich auch, daß der Onkel sich für unsere Sache interessiert, dadurch wird es doch leichter sein. Ich kann mir aber nicht vorstellen, daß es uns so schnell gelingen würde, darum glaube ich, daß eine Stellung für mich notwendig sein wird. In Prag habe ich außerdem viel zu tun, ich brauche dort verschiedene Dinge.« David war für Ottla eher ein Grund nicht zu fahren. Sie befürchtete, daß ihre Anwesenheit ihn in seinen Vorbereitungen auf eine Prüfung stören würde. Vgl. Nr. 69, 71, 54 und die Anmerkungen zu Nr. 38.

Herrn Klein: Vgl. die Anmerkungen zu Nr. 61.

hier wenig Zeit: Dies und das Folgende bezieht sich darauf, daß Kafka Anfang 1919 in Schelesen Julie Wohryzek kennenlernte, die er dann im Herbst dieses Jahres heiraten wollte. Vgl. K. Wagenbach, Julie Wohryzek, die zweite Verlobte Kafkas, in: J. Born u. a., Kafka-Symposion, Berlin (1965), S. 39 ff. und die Anmerkungen zu Nr. 75.

Maxens Bemerkung: In ähnlichem Sinn äußerte sich die Mutter am 1. XII. 1918 über David: »Er hat auf uns den besten Eindruck gemacht, jedoch kann ich nicht leugnen, daß er uns sehr fremd vorgekommen ist und man sich erst an seinen Verkehr gewöhnen muß. Er ist sicher ein sehr braver und intelligenter Mensch, jedoch hat der Vater verschiedene Bedenken, erstens der kleine Gehalt, dann die Religion, nun hoffentlich wird alles gut werden. Wir wollen ja nichts Anderes, als Dich glücklich zu sehen.« (Vgl. Nr. 72) Kompliziert wurden die Verhältnisse natürlich durch die von nationalistischen Tschechen (eine Richtung, zu der David sicher zu rechnen ist, vgl. die Anmerkungen zu Nr. 90) provozierten antisemitischen Ausschreitungen nach dem 1. Weltkrieg. (Vgl. Nr. 62, 91, M 244, 248 und ein an David gerichtetes Schreiben Ottlas vom 14. X. 1918, in dem es heißt: »Die Juden, d. h. vielleicht ein gewisser Teil und vielleicht der größere, tun gewiß auch jetzt, was sie nicht tun sollten, aber bestimmt kann man so nicht von allen sprechen, und das weißt Du sicher auch. Ich möchte aber nicht, daß Du nur mich ausnimmst, damit könnte ich nicht zufrieden sein.«)

Nr. 69

Aber Du willst doch einen Posten suchen: »Es gibt keinen einzigen Gegenstand, der nicht interessant wäre und nach allem, was ich sehe und höre, kann ich urteilen, daß die Beschäftigung, die ich gewählt habe und die, wie ich hoffe, sich verwirklichen läßt, vielleicht die einzige ist, die mir in jeder Beziehung gut und freudevoll zu sein scheint. Ein wenig Sorgen habe ich damit, ob ich eine Stelle bekomme; daß es mir überall gefallen wird, daran zweifle ich nicht.« (Ottla an David am 14. I. 1919)

Den Direktor: Am 12. I. 1919 berichtete Ottla an David, sie wolle wegen einer Stelle beim Direktor vorsprechen, hatte aber noch am 21. dieses Monats ihre Absicht nicht durchgeführt (»er ist überarbeitet, unruhig, und ich will ihm mit meiner Sache nicht in den Weg kommen«). Am 8. III. schreibt sie dann: »Ich war beim Direktor und sah wiederum, daß es ein Fehler wäre, sich auf ihn zu verlassen. Er verspricht gern und vergißt leicht.«

auf der Veranda: Vgl. die Abbildung der Pension Stüdl in Schelesen in: K. Wagenbach, Franz Kafka in Selbstzeugnissen und Bilddokumenten, (Reinbek 1964), S. 115. Auf den »Ansichten aus meinem Leben« (Nr. 64) stellt die Zeichnung links unten die genannte Veranda dar. Die weibliche Figur ist mit Olga Stüdl zu identifizieren.

die Apostel: Oberhalb der aus Kalender- und Uhrenscheibe bestehenden astronomischen Uhr am Altstädter Rathausturm in Prag befinden sich zwei kleine Fensteröffnungen, in denen um 12 Uhr die zwölf Apostel erscheinen. Vgl. M 49.

Hlavatá: dickköpfig, vgl. KO 428 ff.

Nr. 70
Die Postkarte ist nach Prag adressiert.

Olga Stüdl, die die Pension in Schelesen leitete, wo Kafka damals und dann wieder im November 1919 (vgl. Nr. 73 ff.) Erholung suchte, ist die Verfasserin des mit Dora Gerrit gezeichneten Artikels *Kleine Erinnerungen an Franz Kafka,* der am 27. II. 1931 in der *Deutschen Zeitung Bohemia* erschien. (Wiederabgedruckt in FK 396–371) Detaillierte Begründung für diese Zuweisung in H. Binder, Kafka in neuer Sicht, Heidelberg 1975, III. Teil, Kapitel 6a.

Nr. 71
die Dinge zuhause: Vor allem hinsichtlich der Stellung der Eltern zu Ottlas geplanter Heirat (vgl. auch Anmerkungen zu Nr. 68 und Nr. 72). Zwar hatte die Mutter Ottla schon Ende Dezember 1918 »beinahe angeboten«, ein Gut im Böhmerwald für die Tochter und ihren zukünftigen Mann zu erwerben (Ottla an David am 27. XII. 1918), doch muß es dann in den folgenden Tagen zu den bisher schwersten Auseinandersetzungen zwischen den Eltern und ihrer jüngsten Tochter gekommen sein. Julie Kafka schrieb am 9. I. 1919 nach Friedland: »Es freut mich, daß Du es einsiehst, daß Du Dießmal Verschiedenes gethan hast, was uns nicht recht war.« Ottla klagt David gegenüber am 21. des Monats in bezug auf die Eltern: »Ich bin ihretwegen traurig, weil ich nicht genug gut zu ihnen war. Natürlich, vielleicht ging es gar nicht anders, aber hier möchte ich es gern gut machen und das geht erst recht nicht. Mutter antwortet mir auf jeden meiner Briefe. Sie ist mir gewiß nicht böse.« Und noch am 24. will sie die Mutter brieflich fragen, »ob sie es wenigstens ein bißchen gutheißen würde«, wenn sie besuchsweise nach Prag führe. Vgl. auch die Anmerkungen zu Nr. 38.

merkwürdig lange dort geblieben: Der Besuch dauerte vom 28. Februar bis zum 5. März.

Reformblatt: Vgl. Br 367 f.

Nr. 72

Datierung: Ottlas Prüfungen in Friedland fanden im März statt; in einem an David gerichteten Schreiben Ottlas vom 18. III. 1919 heißt es: »Die Prüfungen gehen ständig weiter und sind nicht schwierig.«

Auf der Rückseite des Briefes findet sich folgender Text:

Vaše Blahorodí!

Bylo mi řečeno, že bych snad z Vašeho dvora mléko pravidélně dostati mohla. Potřebovala bych totiž 3 l. děnne a ráda litr po 2 korunách. Račte mi sděliti, zdali by Vám bylo možno toto množství mléka děnne mě pronechati za jakou cenu.

Übersetzung:

Euer Wohlgeboren!

Man sagte mir, daß ich vielleicht aus Ihrem Hof regelmäßig Milch bekommen könnte. Ich würde nämlich 3 Liter täglich brauchen und gern einen Liter zu 2 Kronen. Teilen Sie mir bitte mit, ob es Ihnen möglich wäre, mich diese Menge täglich zu überlassen und zu welchem Preis. (»und gern einen Liter zu 2 Kronen« ist gestrichen, »mich« aus »mir« verbessert, vgl. auch die Anmerkungen zu Nr. 91) Wahrscheinlich formulierte Kafka hier für Frl. Stüdl ein Gesuch an einen nur tschechisch sprechenden Bauern in Schelesen.

weil wir einander so nah sind: Vgl. die Anmerkungen zu Nr. 56.

die äußeren Schwierigkeiten: neben der geplanten Ehe vor allem die schlechten Berufsaussichten: »Eine Stelle habe ich vorläufig nicht, auch nicht viel Hoffnung darauf, aber auch das wird gut ausfallen.« (Ottla an David am 18. III. 1919, vgl. Nr. 68)

Raskolnikow: In F. M. Dostojewskis Roman *Rodion Raskolnikoff (Schuld und Sühne)* findet sich die Szene, auf die sich Kafka bezieht, im 2. Kapitel des VI. Teils. Kafka benützte die zweibändige Ausgabe, die 1908 im Piper Verlag (München und Leipzig) erschien (übersetzt von M. Feofanoff, vgl. bes. Bd. II, S. 293 f., auch Nr. 91). Der Vergleich mit dem russischen Roman lag Kafka vielleicht deswegen nahe, weil dort auch Raskolnikoffs Verhältnis zu seiner Schwester in eine schwere Krise gerät.

Nr. 73

Datierung erschlossen in Relation zu Nr. 75.

Im November 1919 war Kafka erneut in Schelesen, zuerst gemeinsam mit Max Brod. (Vgl. FK 70 und 182) Ottla lebte in Prag bei den Eltern.

ob Oskar kommen soll: Ähnlich wie während des Zürauer Aufenthalts (vgl. Nr. 53 und 54) sollte der blinde Oskar Baum für ein paar Tage Kafkas Gast in Schelesen sein. Ob es dazu kam, ist nicht bekannt. Vgl. auch Br 250.

den noch kaum angefangenen Brief an den Vater: Das berühmte Dokument (H 162 ff.) wurde in Schelesen geschrieben, möglicherweise aber erst in der zweiten Monatshälfte in Prag fertiggestellt (vgl. Nr. 74, 75 und H 449 f.).

Nr. 74

und ich schon in Prag bin: Vgl. Nr. 75.

2 junge Herrn: nach Br 278 Herr Stransky und Herr Kopidlansky.

Eisner: Minze Eisner, mit der Kafka in den folgenden Jahren korrespondierte, die er bei ihren landwirtschaftlichen Plänen beriet (vgl. Br 256 ff. und FK 370) und die ihn im Herbst 1921 in Prag besuchte (vgl. Br 349 und 353).

Hochzeitsgeschenk: bezieht sich offenbar auf die Ehe zwischen Josef Davids Schwester Anni und Herrn Svojsík.

Nr. 75

Da Kafka schon am Montag, dem 17. November, hätte wieder arbeiten sollen – er erbat sich dann aber am 14. schriftlich vier Tage Verlängerung und erschien schließlich erst am 21. des Monats im Büro (vgl. D 72) –, muß der vorliegende Brief mit ziemlicher Sicherheit am Donnerstag, dem 13., abgefaßt worden sein.

Frl. W.: Julie Wohryzek oder, wahrscheinlicher, ihre Schwester, an die Kafka am 24. XI. 1919 einen längeren Brief schrieb. Vgl. die Anmerkungen zu Nr. 68.

Nr. 76

wie bei Stüdl: Vgl. die Anmerkungen zu Nr. 70.

von der Ottoburg: Kafka, der wegen seines sich nicht bessernden Lungenleidens Anfang April nach Meran zur Kur gefahren war, blieb in dieser Pension bis zum 28. Juni. Eine Abb. in K 90.

Frau des Buchhändlers Taussig: hier natürlich metaphorisch gemeint, vgl. die Anmerkungen zu Nr. 17.

Nr. 77

Vegetarianismus: Vgl. Nr. 76 und die Anmerkungen zu Nr. 9. Robert Klopstock (vgl. Nr. 91), der Kafka während der letzten Lebenswochen in Kierling als Arzt half, schrieb an die Prager Angehörigen, als man mit künstlicher Ernährung beginnen mußte: »Er war über diese Maßnahme so verzweifelt, daß ich es gar nicht sagen kann, geistig ist es ihm schwer. Aber Sie wissen, bei ihm ist das alles Eines – das Körperliche wirkt gleich wie das Geistige und umgekehrt!«

Selbstwehr: Prager zionistische Wochenschrift, die Kafka mindestens seit 1917 abonniert hatte und die er sich nach Meran (später
nach Matliary und Berlin) nachschicken ließ. Seit Herbst 1919
war Kafkas Freund Felix Weltsch der Herausgeber. Zu den Einzelheiten vgl. H. Binder, Franz Kafka und die Wochenschrift
›Selbstwehr‹, in: Deutsche Vierteljahrsschrift für Literaturwissenschaft und Geistesgeschichte 41 (1967), Heft 2, S. 283 ff., Nr. 78
und 91.
Marta Löwy: Vgl. die Anmerkungen zu Nr. 54.
Felice: Kafkas erste Verlobte.

Nr. 78
Datierung erschlossen in Relation zu Nr. 79 und aufgrund der
Zeitangaben im Kontext des Briefs selber.
das Sokoltum: Der Sokol, gegründet 1862 durch Miroslav Tyrš,
war der erste tschechische Turnverein, eine Art Gegengründung
zur »Deutschen Turnerschaft« von 1860. Hauptziel war neben der
Körpererziehung die Entwicklung des nationalen Bewußtseins. Josef David, dem Kafkas Ausführungen gelten, war stolz darauf,
in dieser Vereinigung Vorturner zu sein. Zum Verständnis der
folgenden Passagen vgl. KB 536 ff.
F. war zum erstenmal in Prag: Felice Bauer besuchte Kafka vom
1.–5. Mai 1914 (vgl. F 570 und 769). Zu den späteren Vorhal-
tungen der Braut vgl. die Anmerkungen zu Nr. 20.
das »Gut«: Vgl. die Anmerkungen zu Nr. 41 und 71.
heute ein wenig nervös: wegen des kurz vorher begonnenen Brief-
wechsels mit der tschechischen Journalistin Milena Jesenská.
also Baldrianthee hat mir gefehlt: Zum Verständnis vgl. F 99 und
Nr. 81.
Schwimmschulkarte: Ottla sollte zu Beginn der Badesaison ihrem Bruder eine Jahreskarte für die Zivilschwimmschule besorgen, zu deren Stammgästen Kafka von Jugend an gehörte. (Vgl.
die Anmerkungen zu Nr. 119 und M 201)
Memoiren einer Sozialistin: Lily Brauns Erinnerungen erschienen
zuerst im Verlag Albert Langen in München (2 Bände, 1909/11).
An Felice, der er das Werk schickte, schrieb er 1916: »Die Memoiren übrigens habe ich vor kurzem auch Max geschenkt und
schenke sie nächstens Ottla, schenke sie nach rechts und links. Sie
sind, soweit meine Kenntnis reicht, der zeitlich nächstliegende
und sowohl sachlichste als lebendigste Zuspruch.« (F 695) Zu den
Einzelheiten vgl. F 638 und H. Binder, Franz Kafka und die
Wochenschrift ›Selbstwehr‹, in: Deutsche Vierteljahrsschrift für
Literaturwissenschaft und Geistesgeschichte 41 (1967), Heft 2,

S. 289 (Kafka hatte das Buch auch Minze Eisner geschenkt, vgl. die Anmerkungen zu Nr. 74).

Večer: Führende Tageszeitung der tschechischen Agrarpartei. Wegen des literarisch anspruchsvollen Feuilletons fand das Blatt auch Leser in den Kreisen der Intelligenz.

Max fuhr nach München: zur Premiere seines Einakters *Die Höhe des Gefühls.* (Vgl. Br 272 und 511)

Nr. 79

Direktor: Dr. Bedřich Odstrčil, Dozent für Sozialversicherung an der Technischen Hochschule in Prag. An Max Brod schrieb Kafka: »Er ist ein sehr guter freundlicher Mensch, besonders zu mir war er außerordentlich gut, allerdings haben dabei auch politische Gründe mitgespielt, denn er konnte den Deutschen gegenüber sagen, er habe einen der ihrigen außerordentlich gut behandelt, aber im Grunde war es doch nur ein Jude.« (Br 308)

das beiliegende von Dir noch zu korrigierende Gesuch: Weil Kafka der »geradezu schöpferischen Sprachkraft« des Direktors Bewunderung entgegenbrachte und »erst durch ihn das gesprochene lebendige Tschechisch« lieben gelernt hatte (Br 308), bat er seine Schwester, die besser tschechisch sprach (vgl. die Anmerkungen zu Nr. 1, 37 und Nr. 53) seinen Antrag auf orthographische Fehler (Akzente) hin zu überprüfen. Das von Ottla revidierte Schreiben ist D 73 gedruckt. Die deutsche Übersetzung lautet: »Löbliche Direktion der Arbeiter-Unfall-Versicherungs-Anstalt! Mit Entscheidung des Verwaltungsausschusses wurde mir ein achtwöchiger außerordentlicher Urlaub bewilligt, der am 29. Mai endet. Außerdem steht mir ein regulärer fünfwöchiger Urlaub zu. Laut ärztlichem Befund würde es meine Heilung bedeutend fördern, wenn ich diese Urlaube vereinigen könnte. Ich bitte daher ergebenst die löbliche Direktion, mir dies freundlichst zu bewilligen; ich würde dann den Dienst wieder am dritten Juli antreten. Dr. F. Kafka«. Vgl. auch die Anmerkungen zu Nr. 89 und 90.

zum großen Fikart: Vgl. Nr. 98.

Hr. Treml: Dr. Treml war Kafkas Zimmergenosse im Bureau. (Vgl. G. Janouch, Gespräche mit Kafka. Aufzeichnungen und Erinnerungen. Erweiterte Ausgabe, [Frankfurt/M. 1968], S. 39 ff., 92 ff. und Nr. 86)

Nr. 80

Fleischesser- und Biertrinker-Ratschläge: Vgl. M 69: »mein neuer Tischgenosse hier sagte gestern mit Bezug auf die vegetarische Kost des stummen Mannes: ›ich glaube: für geistige Arbeit ist Fleischkost unbedingt erforderlich‹«.

Borový: František B. war der Inhaber des 1912 gegründeten gleichnamigen bedeutenden Verlagshauses, das, wie die zugehörige Buchhandlung und das Antiquariat, in der Prager Altstadt gelegen war (Na Příkopě 27). Vielleicht gab es aber auf der Kleinseite eine Zweigstelle. Die Zeitschrift ›Kmen‹ wurde von Stanislav K. Neumann, einem kommunistischen tschechischen Schriftsteller, herausgegeben.

der »Heizer«: Franz Kafka, *Topič,* in: *Kmen* 4, Nr. 6 (22. 4. 1920), S. 61–72. Milenas Interesse für Kafkas Erzählungen war der Anlaß für ihre Bekanntschaft mit ihm (vgl. M 10, 21 f. u. O. F. Babler, Frühe tschechische Kafka-Publikationen, in: Franz Kafka aus Prager Sicht, [Berlin] 1966, S. 149 ff.) Vgl. auch Nr. 82.

Nr. 81

Datierung: Der Brief steckt irrtümlich in einem Umschlag, der am 12. VI. 20 abgestempelt wurde (vgl. die Anmerkungen zu Nr. 84). Die Papierverhältnisse (Kafka verwendet in den vorhergehenden Briefen das gleiche Papier, im Juni aber anderes), die erwähnten »Belehrungen«, die sich auf Nr. 78 beziehen (seit Anfang Mai müssen also gute zwei Postwege vergangen sein), der Hinweis auf das Telegramm (es bezieht sich sicher auf die Genehmigung der Urlaubsverlängerung durch die Direktion, die am 15. Mai erteilt wurde, vgl. Nr. 79 und D 73) und der Umfang der berichteten Gewichtszunahme Kafkas weisen auf eine Entstehungszeit in der Mitte dieses Monats.

Schlaflosigkeit: wegen der Korrespondenz mit Milena.

Herrn Fröhlich: dahinter ist »traf« zu ergänzen, vgl. auch Nr. 84.

die Hochzeit: Ottla heiratete Josef David am 15. Juli; zu Ottlas »Unrecht« vgl. KO 455.

ich schreibe recht regelmäßig: nämlich an Julie Wohryzek.

ins Bad: Vgl. Nr. 84.

Onkel Alfred: Alfred Löwy, ein Bruder der Mutter, war in Madrid Eisenbahndirektor; er traf am 7. Juli in Prag ein. (Vgl. M 88 und Nr. 84)

nach einem andern Ort: Kafka dachte wahrscheinlich an Klobenstein bei Bozen. (Vgl. Br 274 und M 72)

warum ich noch nicht geschrieben habe: Max Brod, dem er seine Verhältnisse nur andeutungsweise darlegen konnte, weil er befürchtete, seine Frau könne an die Korrespondenz gelangen (vgl. M 86), teilte er hinsichtlich des blinden Freundes mit, dem die eingehende Post natürlich von seiner Frau vorgelesen werden mußte: »ich entschließe mich, trotzdem kein Hindernis vorliegt, so schwer zu notwendigerweise öffentlichen Briefen.« (Br 275)

Tatsächlich schrieb er doch noch an Oskar, vgl. Br 242 (dort irrtümlich unter »Juni 1918« eingeordnet) und Nr. 84.

Nr. 82
die Selbstwehr: Vgl. die Anmerkungen zu Nr. 78.
alle vom 16. Mai: Erklärung des Sachverhalts in Nr. 83.

Nr. 83
nach Böhmen: Kafka wollte in Karlsbad zunächst Julie Wohryzek treffen, dann auch seine Eltern, die beabsichtigten, im Juni Franzensbad aufzusuchen (vgl. Nr. 81, 84, M 52 und die Anmerkungen zu Nr. 75), gab jedoch diesen Plan bald auf (M 53 f.), konnte deswegen ein paar Tage länger in Meran bleiben (M 66) und fuhr dann dafür am 28. Juni zu Milena nach Wien (M 76 f.).
bei so formellen Gelegenheiten: Kafka an Brod über die Sprachkraft des Direktors: »es hat sich diese Kraft in seiner Rede, seitdem er Direktor ist, fast verloren, der Bureaukratismus läßt sie dort nicht mehr aufkommen, er muß zu viel sprechen.« (Br 308, vgl. die Anmerkungen zu Nr. 79)
Der General: Vgl. Br 270 und 274 f.

Nr. 84
Zu diesem Brief muß ein Umschlag mit Stempel vom 12. VI. 20 gehören. (Vgl. die Anmerkungen zu Nr. 81) In einer am gleichen Tag gestempelten Postkarte Kafkas an Felix Weltsch heißt es: »vielen Dank, nein, ich habe die Weltbühne nicht gelesen; wenn Du kannst, so hebe sie mir bitte auf.« (Br 277) Weltsch hatte seinen Freund auf Kurt Tucholskys Rezension der Erzählung *In der Strafkolonie* aufmerksam gemacht, die in Nr. 23 (3. 6. 1920) der Berliner *Weltbühne* unter dem Pseudonym Peter Panter erschienen war (Text heute leicht zugänglich in J. Born u. a., Kafka-Symposion, Berlin [1965], S. 154 ff.). Der fragliche »Freitag« also wahrscheinlich der 11. Juni.
schweigsam: Kafka im Juni an Max Brod: »Weißt Du zufällig etwas von Ottla? Sie schreibt mir wenig. Mitte Juli soll Hochzeit sein.« (Br 277)
Hüte oder dergleichen: Anspielung (wie auch das Folgende) auf Julie Wohryzek, die einen Hutsalon eröffnet hatte. Vgl. Br 276!
Hanne: Das dritte, unlängst geborene Kind Ellis. Von seiner schreckhaften Wirkung auf das kleine Mädchen erzählt Kafka im November 1921 in einem an Robert Klopstock gerichteten Brief eine kleine Anekdote. (Vgl. Br 363)

Nr. 85

niemand zuhause: Die Eltern kamen erst am 7. Juli aus Franzensbad zurück. (Vgl. M 91)

Nr. 86

Nach Eisenstein (Böhmerwald) adressiert, wo das Paar auf Hochzeitsreise war.

Frl. Skall: Irma schrieb am 6. VII. 1916 an Ottla: »Du, heute hat
mich die Skall angerufen, sie hat Deine und Franzens Adresse
wissen wollen, d. h. anfangs hat sie ja nicht gewußt, daß Du verreist bist, sie fährt diese Woche auf einen Tag zu einer Freundin
in die Nähe von Marienbad und wird Franz evtl. besuchen, es ist
aber sehr unwahrscheinlich, meint sie, weil sie nur 2 St. Aufenthalt hat. Ein wenig dürfte die Geschichte von der Wirklichkeit
abweichen, denn ich weiß nicht, ob ich es mir genau gemerkt
habe.« Vgl. Nr. 93.

Viele Grüße . . .: Dieser Satz in der Handschrift der Mutter.

Nr. 87

Aus verschiedenartigen Angaben in Kafkas an Milena gerichteten Briefen läßt sich erschließen, daß das Zusammentreffen in
Gmünd am 14. und 15. August 1920 stattfand.

Milena hatte die von ihr geschriebene Nachschrift zunächst unterschrieben, den Namenszug dann aber wieder ausgestrichen.
Doch war Kafka diese Vorsichtsmaßnahme (Milena war verheiratet) immer noch nicht ausreichend genug, so daß er offensichtlich die Karte als geschlossenen Brief nach Prag schickte (sie weist
weder Briefmarke noch Stempel auf). Zum Inhalt vgl. auch
FK 203.

Nr. 88

Zur Datierung: Kafka fuhr am 18. Dezember 1920 zur Erholung
nach Matliary, der vorliegende Bericht muß an einem der nächsten Tage verfaßt worden sein. Vgl. auch die Anmerkungen zu
Nr. 98.

Smocovec: In dem nur eine Wegstunde entfernten Nový Smocovec war das Sanatorium Dr. von Szontaghs, wo sich Kafka ebenfalls untersuchen ließ. Vgl. Br 283, 291, 320, Nr. 89 und die Anmerkungen zu Nr. 95.

Ausnahmezustand: wegen politischer Unruhen, die in der 2. De-
zemberwoche besonders in Prag zu Streiks und Werkbesetzungen
durch Arbeiter geführt hatten.

hättest Du Dich nicht angemeldet: Ottla wollte zunächst für ein
paar Tage mitfahren. (Vgl. Br 283)

der Arzt: Dr. Leopold Strelinger, über den sich Kafka in Briefen an Max Brod äußerst kritisch äußert. (Vgl. Br 285 und 305 f.)

Den Eltern mußt Du den Brief gar nicht zeigen: Kafka hat deswegen nachträglich den ersten Briefabschnitt außer den fünf einleitenden Worten durchgestrichen.

Nr. 89

daß ich länger werde bleiben müssen: Kafka am 13. I. 1921 an Max Brod: »Übrigens sind meine Pläne (hinter dem Rücken der Anstalt) viel großzügiger als Du denkst: bis März hier, bis Mai Smokovec, über den Sommer Grimmenstein, über den Herbst – ich weiß nicht... Es tut mir der Eltern wegen, jetzt auch Deinetwegen und schließlich auch meinetwegen (weil wir dann in dieser Hinsicht einig wären), leid, daß ich nicht gleich anfangs nach Smokovec gefahren bin, da ich aber nun schon hier bin, warum soll ich einen schlechten Tausch riskieren und nach kaum 4 Wochen von hier fort gehn, wo sich alle sehr anständig bemühn, mir alles zu geben, was ich nötig habe.« (Br. 291 f., vgl. Nr. 88)

ich vergesse hier Tschechisch: in der von Ungarndeutschen und Slowaken bestimmten Hohen Tatra. Um sich vor seinem Direktor keine Blöße zu geben (vgl. die Anmerkungen zu Nr. 79), sollte Josef David, Sprachpurist, der etwa Nachlässigkeiten der Aussprache in seiner Umgebung nicht duldete (vgl. KB 539 und Nr. 99), das Gesuch formvollendet übersetzen. Diese Fassung, in die dann Kafka, um nicht als unglaubwürdig zu erscheinen, nachträglich einige kleine orthographische Fehler einsetzte (vgl. Nr. 90), ist in D 74 veröffentlicht. Das Schreiben ist auf den 27. I. 21 datiert. Deswegen heißt es dann im endgültigen Text »schon länger als 5 Wochen«, und seine Gewichtszunahme gibt Kafka mit »über 4 kg« an (vgl. Br 296). Eine deutsche Rückübersetzung des tschechischen Antrags in: K. Hermsdorf, Briefe des Versicherungsangestellten Franz Kafka, in: *Sinn und Form* 9 (1957), S. 643 f. Vgl. Nr. 103 und 115.

das kleine Ding: Ottlas Tochter Věrá wurde am 27. März 1921 geboren.

Nr. 90

Pepa: Koseform für Josef.

Tribuna: Diese Zeitung, 1919 gegründet, und geleitet von dem Masaryk nahestehenden Publizisten Bedřich Hlaváč, war ein tschechisch-jüdisches Blatt liberal-fortschrittlicher Tendenz, das der modernen deutschen Literatur besondere Aufmerksamkeit widmete. Es versteht sich, daß David dafür wenig Sympathie aufbringen konnte; er las selbstverständlich die *Národní listy,* lange Zeit die größte, verbreitetste und einflußreichste Tageszeitung und nach 1918 das Sprachrohr der tschechischen nationaldemokratischen Partei, mit der David sympathisierte.

Horaz: Zu den Einzelheiten dieser anspielungsreichen Passage vgl. KB 541 f.

diese »Panther«: Gemeint ist ein damals populärer Schlager (das Lied hieß: »točte se pardálové«), dessen erste Strophe in deutscher Übersetzung lautet:

> Dreht euch, ihr Panther, im Kreis.
> Dreht euch im Kreise, mit Geschick,
> Spielt euch so liebeheiß,
> Hatjapatja, die Musik!

Die Verse finden sich in Max Brods *Franzi oder Eine Liebe zweiten Ranges,* München (1922), S. 6. Als Panther bezeichnete man damals Halbstarke oder auch Frauenhelden.

Nr. 91
Datierung: Vom 31. I. bis 3. II. 1921 war Kafka wegen einer schweren Erkältung bettlägerig (vgl. Br 302, der dort genannte Mittwoch ist mit dem 4. Februar zu identifizieren). Da am Vortage von einem »schon 14 Tage fast ununterbrochen« andauernden Sturm die Rede ist, muß der an Minze Eisner gerichtete Brief, in dem von »drei Wochen eines wenig unterbrochenen Sturmwinds« die Rede ist (Br 301, also von dem Herausgeber falsch eingeordnet), etwa am 10. Februar begonnen worden sein. Wenn es nun in der »viele Tage« später geschriebenen Fortsetzung heißt: »Jetzt aber ist es paar Tage lang schön, starke Sonne bei Tag« (Br 301), so darf man den an Ottla gerichteten Brief an den Anfang dieser Schönwetterperiode setzen. Daß sie gleich nach dem Sturm eingesetzt haben muß, ist zu erschließen: Aus dem ersten Satz dieses Schreibens geht eigentlich hervor, daß es zeitlich vor den an Minze gerichteten Zeilen konzipiert worden sein muß, das dann am gleichen Tag etwas später wenigstens noch angefangen worden wäre (aus Kafkas sonstiger Praxis ist abzulesen, daß er gern an verschiedene Adressaten gleichzeitig schrieb, vgl. z. B. die Anmerkungen zu Nr. 84 und 108); auch die Wendung »als ich jetzt drei Tage im Bett lag« spricht dafür, die Entstehungszeit des Briefs möglichst nahe an den 3. Februar heranzurücken.

»Erlkönig«: Ottla kannte viele Gedichte Goethes auswendig.

Tante Julie: eine Schwester des Vaters Hermann Kafka, vgl. T 216.

»Hugenotten«: Die Königin Margarethe von Navarra, die, zu

Pferde in ihren Palast zurückkehrend, auf die kämpfenden Parteien trifft, hat in G. Meyerbeers Oper zu singen:

Wie? hier auch in' Pa - ris ist nicht Ruh' zu ge - win - nen?

noch immer nicht geschrieben: Kafka schrieb am 5. Juni an Felix Weltsch (vgl. Br 332) und im April an Oskar Baum (Br 320: »Lieber Oskar, Du hast mich also nicht vergessen. Fast möchte ich D i r Vorwürfe machen, daß i c h Dir nicht geschrieben habe«).

der Zahntechniker: Vgl. Br 292 f. Wahrscheinlich identisch mit dem in Nr. 100 genannten Herrn Glauber.

Der Kaschauer: Dieser Herr, wahrscheinlich identisch mit dem in Briefen Kafkas an Robert Klopstock mehrfach erwähnten Szinay, war, wie Kafka an Max Brod berichtet, zu ihm »rücksichtsvoll ... wie eine Mutter zum Kind« (Br 288). In einem andern Brief an den Freund beschreibt er ihn näher: »... fünfundzwanzigjährig, mit elenden Zähnen, einem schwachen meist zugekniffenen Auge, ewig verdorbenem Magen, nervös, auch nur Ungar, hat erst hier Deutsch gelernt, von Slowakisch keine Spur – aber ein Junge zum Verlieben. Entzückend im ostjüdischen Sinn. Voll Ironie, Unruhe, Laune, Sicherheit aber auch Bedürftigkeit.« (Br 286)

nach Deinem Rat: und Kafkas eigener Überzeugung! Während der Bahnfahrt nach Schelesen im November 1919 (der Versuch, Julie Wohryzek zu heiraten, war eben gescheitert) legte er seinem Freund Max Brod ausführlich dar, wie in Knut Hamsuns Roman *Segen der Erde* »zum Teil sogar gegen den Willen des Dichters, alles Böse von den Frauen komme«. (FK 182)

ein schwerkranker älterer Herr: Näheres Br 293 f. und 314.

etwas auf keine Weise mehr Gutzumachendes: Ein Brief an Max Brod gibt näheren Aufschluß: »... eine neue Tischnachbarin, ein älteres Fräulein, abscheulich gepudert und parfümiert, wahrscheinlich schwer krank, auch nervös aus den Fugen, gesellschaftlich geschwätzig ... sie hat heute, nicht mir gegenüber, den Venkov als ihr liebstes Blatt genannt, besonders wegen der Leitartikel ... Die hinterlistigste Methode wäre vielleicht mit der Erklärung so lange zu warten, bis sie etwas sagt, was unmöglich zurückgenommen werden kann. Von Grimmenstein sagte sie: má to žid, ale výtečně to vede, das hat wohl noch nicht genügt.« (Br 297 f.; der *Venkov* war das Parteiblatt der tschechischen Agrarier und wegen seiner antisemitischen Tendenzen bekannt, vgl. Br 513 und M 244; die Übersetzung des tschechischen Satzes lautet: »Der Besitzer ist ein Jude, er führt es aber ausgezeichnet.«)

einen Budapester: Robert Klopstock, mit dem Kafka eine Freundschaft bis zu seinem Tode verband. An Max Brod schrieb er über die erste Begegnung, die am 3. Februar stattfand: »es ist ein 21jähriger Medizinstudent da, Budepester Jude, sehr strebend, klug, auch sehr literarisch, äußerlich übrigens trotz gröberen Gesamtbildes Werfel ähnlich, menschenbedürftig in der Art eines geborenen Arztes, antizionistisch, Jesus und Dostojewski sind seine Führer – der kam noch nach 9 Uhr aus der Hauptvilla herüber, um mir den (kaum nötigen) Wickel anzulegen.« (Br 302, vgl. Nr. 93 und 95. Auf der zu Nr. 101 gehörigen Abb. steht Klopstock)

wie meine Freunde: Dahinter hat Kafka drei Zeilen unleserlich gemacht.

Prießnitzumschlag: Kaltwasser-Wickel, wie er zuerst von Vinzenz Prießnitz (1799–1851) verordnet wurde.

etwa von folgenden Büchern: Sören Kierkegaard, Furcht und Zittern. Wiederholung, 2. Aufl., mit Nachwort v. H. Gottsched, Jena 1909 (Ges. Werke bei E. Diederichs Bd. 3). In einem an Klopstock gerichteten Schreiben vom Juni 1921 nimmt Kafka zu der hier vorgetragenen christlichen Abraham-Deutung Stellung. (Vgl. Br 333 f.) – Plato, Gastmahl. Deutsch von R. Kassner, 2. Aufl., Leipzig (Teubner) 1902; Kafka las Ottla im September 1916 daraus vor. – N. Hoffmann, F. M. Dostojewsky. Eine biographische Studie, Berlin 1899. – Max Brod, Tod den Toten! Stuttgart 1906.

Die Rundschau: Gemeint ist die *Neue Rundschau,* die Kafka seit seiner Studentenzeit regelmäßig las. Vgl. H. Binder, Kafka und »Die neue Rundschau«, in: Jahrbuch der Deutschen Schillergesellschaft 12 (1968), S. 94 ff.

Ewer: eine Buchhandlung in Berlin.

Und wann ist der Tag: Vgl. die Anmerkungen zu Nr. 89, 95 und 96.

etwa 125 M.: Honorar vom Kurt Wolff Verlag in Leipzig.

Minze: Vgl. die Anmerkungen zu Nr. 74 und Br 300 f.

Nr. 92
Auf zwei Postkarten geschrieben, die zweite ist verlorengegangen. – Selbstverständlich gab es zu Kafkas Zeiten in diesem Teil der Hohen Tatra weder Skirennen, noch hätte David davon in der sich intellektuell gebenden und den Sport kaum berücksichtigenden *Tribuna* davon gelesen (vgl. die Anmerkungen zu Nr. 90). Weitere Einzelheiten KB 542 ff.

Nr. 93

Aus Nr. 95 geht hervor, daß Nr. 93 zwei Tage vor einem Brief konzipiert wurde, den Kafka in der gleichen Sache an Max Brod richtete. Da er dem Freund gegenüber erwähnt, er bekomme das dem Direktor vorzulegende Zeugnis »erst nachmittag« (Br 307), dieses Gutachten aber auf den 11. März 1921 datiert ist (vgl. D 74), muß das vorliegende Schreiben am 9. dieses Monats formuliert worden sein.

im Rang verändert: durch die Eheschließung im Juli 1920.

2 Porträts von mir: Die andere Zeichnung stammt wahrscheinlich von dem in Kafkas an Robert Klopstock gerichteten Briefen immer wieder erwähnten Fräulein Irene.

Was Du von der Anstalt und Palästina sagst: Offenbar hatte Ottla vorgeschlagen, Kafka solle kündigen und nach Palästina übersiedeln. Über seinen mehrfach belegten Plan, nach Palästina zu reisen, H. Binder, Kafkas Hebräischstudien, in: Jahrbuch der Deutschen Schillergesellschaft 11 (1967), S. 544 ff.

der Doktor droht mir täglich: Vgl. Br 305 f. Dieser Satz (bis » ... bleibe«) ist offenbar von Ottla unterstrichen worden und war der Ausgangspunkt ihrer Intervention beim Direktor (vgl. Nr. 94 und 95).

noch schlimmere Leute: dazu Br 293 f.

bis Sonntag: Gemeint ist der 19. März, Kafka hatte nämlich nur einen dreimonatigen Erholungsurlaub genehmigt bekommen, der an diesem Tag endete (vgl. Br 307 und 308).

für Ihren Gruß: Dahinter eine Zeile unleserlich. Vgl. auch die Anmerkungen zu Nr. 86.

Montag oder Dienstag: Den wahren Grund für diese Vorverlegung des Abreisetermins nennt Kafka in Nr. 95.

Nr. 94

da Ottla so gut war: Obwohl Kafka der Schwester wegen ihres Zustandes weder seine Verhältnisse deutlich schildern mochte noch sie um ein Gespräch mit dem Direktor hatte bitten wollen, vermutete er doch gleich, daß sie aufgrund seines Briefes vom 9. März möglicherweise etwas unternommen haben könnte (vgl. Br 309 und Nr. 95). Am 11. März bat er dann Max Brod ausdrücklich, mündlich eine Verlängerung des Urlaubs zu erbitten, weil die noch bis zum 19. März verbleibende Zeitspanne für ein formelles Gesuch zu kurz war. Wegen Ottlas schnellem Eingreifen wurde Brods Gang zum Büro unnötig. Kafka blieb nur noch übrig, Gesuch und Zeugnis nachzureichen (vgl. Nr. 95) und sich beim Di-

rektor für die gewährte Urlaubsverlängerung zu bedanken. Er
tat dies am 3. April:

Verehrter Herr Direktor!

Ich hätte schon längst geschrieben, aber ich war krank, im Bett,
mit hohem Fieber, die Krankheit ist auch jetzt noch nicht vorüber
und noch jetzt ist, wenigstens meiner Meinung nach, nicht festge-
stellt, was es eigentlich ist, ob ein vorübergehender Darmkatarrh
oder etwas Schlimmeres. Viel von der Gewichtszunahme wird es
mich jedenfalls gekostet haben, die Lunge aber hat sich nach des
Doktors heutiger Untersuchung und Behauptung ungestört von
dieser Krankheit auch in der letzten Zeit weiter gebessert.

Daß ich wieder um Urlaubsverlängerung gebeten habe, geschah in
Hilflosigkeit gegenüber der Lungenkrankheit, die ich eigentlich
erst hier, wo ich unter Lungenkranken lebe, in ihrer wirklichen Bedeutung zum ersten Mal erkenne. Diese Urlaubsbitte wird
mir erleichtert, ja ermöglicht, durch die Geduld und Güte, mit der
Sie, verehrter Herr Direktor, meine Schwester und mein – ich wage
gar nicht auszurechnen: wievieltes – Gesuch aufgenommen haben
und für die ich Ihnen tief dankbar bin.

Ich bleibe, verehrter Herr Direktor, mit ergebenen Grüßen

Ihr

Dr. F. Kafka (D 75)

werde ich nach Polianka fahren: Der Ort, wo sich das Sanatorium
des Dr. Guhr befand, liegt über 1100 Meter hoch (vgl. Br 305 f.);
Kafka blieb dann aber bis Ende August in Matliary.

Der Vorschlag des Onkels: Gemeint ist Kafkas Lieblingsonkel Dr.
Siegfried Löwy, Landarzt in Triesch in Mähren. Auch Max Brod
gegenüber hält Kafka das Leben »in einem Dorfe mit einer leichten Arbeit« für das beste. (Br 306)

Nr. 95

Aus dem Schluß des Briefes ist ablesbar, daß der Direktor Ottla
gebeten hatte, Kafka möge noch ein kurzes schriftliches Gesuch
einreichen und zusammen mit dem ärztlichen Zeugnis (das Kafka
schon an Max Brod geschickt hatte, der es dann Ottla übergab,
vgl. die Anmerkungen zu Nr. 94) durch die Schwester in der
Anstalt vorlegen lassen. Da dieser Antrag mit dem in D 74 gedruckten und vom 16. März 1921 datierten identisch sein muß,
ist wohl auch der vorliegende Brief an diesem Tage geschrieben
worden (vgl.: »das Gesuch liegt bei«). Die Anstalt entsprach dann
in einem formellen Akt am 25. März Kafkas Gesuch und ver-
längerte den Erholungsurlaub um 2 Monate bis zum 20. Mai
(vgl. D 75, Nr. 97 und 98).

eine chassidische Geschichte: Sie trägt den Titel *Wie der Sassower die Liebe lernte* und hat folgenden Wortlaut: »Rabbi Mosche Leib erzählte: Wie man die Menschen lieben soll, habe ich von einem Bauern gelernt. Der saß mit anderen Bauern in einer Schenke und trank. Lange schwieg er wie die andern alle, als aber sein Herz vom Wein bewegt war, sprach er seinen Nächsten an: ›Sag du, liebst du mich oder liebst du mich nicht?‹ Jener antwortete: ›Ich liebe dich sehr.‹ Aber er sprach wieder: ›Du sagst: ich liebe dich, und weißt doch nicht, was mir fehlt. Liebtest du mich in Wahrheit, du würdest es wissen.‹ Der andere vermochte kein Wort zu erwidern, und auch der Bauer, der gefragt hatte, schwieg wieder wie vorher. Ich aber verstand: das ist die Liebe zu den Menschen, ihr Bedürfen zu spüren und ihr Leid zu tragen.« (M. Buber, Hundert chassidische Geschichten, Berlin 1933, S. 41 f.)

einen Engel auf freiem Feld: Anspielung auf die Weihnachtsgeschichte in Lukas 2. Kafka berichtet Max Brod gegenüber, er habe in den ersten Wochen seines am 18. Dezember 1920 beginnenden Aufenthalts in der Hohen Tatra viel in der Bibel gelesen. (Vgl. Br 315)

der südafrikanische Plan: Offenbar hatte der Direktor Ottla vorgeschlagen, Kafka könne nach Südafrika übersiedeln (vgl. auch Br 315 und die Anmerkungen zu Nr. 93); damals war der Aufenthalt in südlichen, trockenen Ländern eines der Hauptmittel im Kampf gegen die Tuberkulose.

Der unglückliche Mediciner: Robert Klopstock, vgl. die Anmerkungen zu Nr. 91 und Br 372.

Hetzinsel: nördlich der Prager Neustadt und Karlín gelegene Moldauinsel, auf der sich zu Kafkas Zeiten auch ein Rummelplatz befand. Die Gassen beziehen sich wahrscheinlich auf den gegenüber der Moldau erhöht gelegenen, von Arbeitern bewohnten Stadtteil Žižkov, wo Ottla, wie ihre Korrespondenz mit David zeigt, gelegentlich spazieren ging. Vgl. auch die Anmerkungen zu Nr. 40.

Dr. Kral: der Hausarzt der Familie Kafka in Prag, über den sich Kafka gelegentlich sehr ungünstig äußerte. (Vgl. z. B. T 265, Br 306, auch Nr. 96 und die Anmerkungen zu Nr. 88) Die von Kafka kritisierte medizinische Position war ihm in einem auf den 9. März datierten Schreiben seines Freundes Max Brod mitgeteilt worden: »Dr. Kral sagte mir, daß Matliary überhaupt nicht das Richtige für dich war und daß er dir stets ein s p e z i f i -s c h e s Lungenheilsanatorium empfohlen hat. Solche gibt es bei Wien, bei Berlin, auch in Schlesien eines und Pleš in Böhmen. Speziell aus dem letzteren kennt Dr. Kral ein paar sehr gute

Heilerfolge. Dr. Kral glaubt, daß nur eine konsequente Tuber-
kulinbehandlung dir helfen kann. Er kennt aus eigener Praxis
Fälle, in denen diese Injektionen zu absoluter Heilung geführt
haben.« (Der Text ist faksimiliert in Max Brod, Franz Kafkas
Krankheit, in: Therapeutische Berichte 39, Nr. 264 [1967], S.
270)

der Onkel: Onkel Siegfried, Landarzt in Triesch.

nur sehr ungern an: Kafka hatte ursprünglich vor, statt in Meran
irgendwo in Bayern Erholung zu suchen, bekam aber Anfang
1920 keine Einreisebewilligung. (Vgl. Br 268)

um sie zu erschlagen: Anspielung auf das Schicksal der Münchner Räteregierung. Über die Ermordung Gustav Landauers am
2. Mai 1919 hatte Kafka beispielsweise genaue Kenntnisse. (Vgl.
Br 275)

Den Brief schreibe ich vielleicht in Deutsch: Vgl. den in den
Anmerkungen zu Nr. 94 zitierten Dankesbrief an den Direktor
und Nr. 98.

die Hauptsache: Fünf Tage später wurde Ottlas Tochter Věrá
geboren.

Nr. 96
Text dieses Briefes bereits in Br 323 ff.

Věruška: Koseform von Věrá, Ottlas am 21. März geborener
Tochter.

Frau Weltsch: Irma Weltsch war mit Kafkas Freund Felix Weltsch
verheiratet und hatte damals eine 10 Monate alte Tochter.

das beiliegende Feuilleton: Der als Aprilscherz gemeinte Aufsatz
trägt den Titel Léčení tuberkulosy Einsteinovým principem rela-
tivity? (Behandlung der Tuberkulose nach dem Einsteinschen Re-
lativitätsprinzip) Auf originelle und für einen Laien nicht ganz
einfach zu durchschauende Weise wird hier das von der herkömmlichen Mastkur geforderte Dickerwerden des Patienten mit
der von Einstein unter bestimmten Bedingungen behaupteten Ver-
größerung der Längenmaße von Körpern in Beziehung gebracht.
In einem fingierten Gelehrtenstreit zwischen einem Berliner Professor Dr. med. F. Wergeist und seinem Münchner Kontrahenten
Kropfmeier kristallisiert sich die Auffassung heraus, der Kranke,
bei dem (wie z. T. bei Kafka) die Mastkur versage, müsse von
Triest aus in südöstlicher Richtung sich auf einem Schiff durch die
Meere bewegen, um aufgrund physikalischer Gesetze soviel an
Umfang zuzunehmen, daß sich die Kavernen in der Lunge schlie-
ßen. Inzwischen sei in Prag ein Konzern gebildet worden, der in
kürzester Zeit einige schwimmende Sanatorien ausrüsten werde.

Stipendien ermöglichen auch weniger begüterten Leuten diese Anti-Tbc-Fahrt gegen die meuchelmörderische Natur mit Hilfe der Natur selbst. Ausführliche Darstellung der Zusammenhänge in KB 547 ff.

eine junge Bauersfrau: die in Nr. 100 genannte Frau Galgon, vgl. Br 323.

es ist ja das Gegenteil wahr: so auch Br 309.

ein Generalstabshauptmann: sein Name war Holub (vgl. Br 364); die Kritik ist wieder gedruckt in WB 280.

Signorelli: bezieht sich auf Luca Signorellis Fresko »Das Jüngste Gericht« im Dom zu Orvieto.

Felix betreffend: Nach Kafkas Wunsch sollte der knapp zehnjährige Felix in einer Internatsschule in Hellerau bei Dresden erzogen werden, vgl. dazu seine ausführlichen Briefe an Elli. (Br 339 ff. Vgl. auch Br 354 und 418)

Nr. 97

Das gegen Ende des Briefes erwähnte ärztliche Zeugnis Dr. Leopold Strelingers ist auf den 5. Mai datiert. Kafka hat ihm ein kurzes auf den 6. Mai datiertes Begleitschreiben beigegeben; es lautet in deutscher Übersetzung: »Löblicher Verwaltungsausschuß! Im Hinblick auf das vorgelegte ärztliche Zeugnis vom 5. Mai dieses Jahres bitte ich ergebenst den mir bis 20. Mai bewilligten Urlaub noch zu verlängern.« (D 75) Das Gesuch wurde am 13. Mai bewilligt, die Beurlaubung Kafkas bis 20. August 1921 verlängert. (Vgl. D 76 und Nr. 98)

ins Nebenzimmer übersiedeln: Vgl. Nr. 88.

Nr. 98

Aufgrund des an den Direktor gerichteten Dankschreibens vom 18. Mai 1921 ist dieser Zeitpunkt der wahrscheinlichste Entstehungstag auch für Kafkas Schreiben an Ottla (vgl. die Anmerkungen zu Nr. 95). Da aber der am 21. Mai abgestempelte Briefumschlag, in dem heute irrtümlich Nr. 88 steckt, eigentlich nur zu Nr. 98 zeitlich paßt, ist dieses Schreiben entweder mit Verzögerung zur Post gelangt oder aber am 18. nur begonnen und erst (wofür der Querstrich im Text sprechen könnte) zwei oder drei Tage später abgeschlossen worden.

äußerste Entbehrlichkeit: Vgl. Nr. 95 und die Anmerkungen zu Nr. 50.

mehr bewilligt: Kafka bat, wie aus Nr. 97 hervorgeht, um Urlaubsverlängerung bei nur halbem Gehalt, worauf die Direktion offenbar nicht einging.

wieder nur deutsch: Vgl. Nr. 95. Das vom 18. Mai 1921 datierte Schreiben lautet:
Verehrter Herr Direktor!
Für die Bewilligung eines neuerlichen Urlaubs und für die Art, in welcher diese Bewilligung erfolgte, danke ich, verehrter Herr Direktor, herzlichst. Wie ich diese Dankesschuld einmal der Anstalt abzahlen soll, das allerdings – ich muß es gestehen – weiß ich nicht und es bedrückt mich.
Mein Zustand hat sich in den letzten 2 Monaten wohl nicht mehr gebessert, als in den vorhergehenden 3 Monaten. Die Gesamtzunahme beträgt rund 8 kg. Fieberfrei bin ich im allgemeinen auch weiterhin geblieben. Der Husten, der Auswurf, die Müdigkeit haben abgenommen, was ich vor 2 Monaten nicht für möglich gehalten hätte, freilich ist daran wie auch an der Besserung der Atemkraft das schöne Wetter, die leichter atembare Luft, die leichtere Kleidung mitbeteiligt.

Mit meinen ergebenen Grüßen
bleibe ich, verehrter Herr Direktor,
Ihr Dr. F. Kafka (D 76)

die Relativitätstheorie: Vgl. die Anmerkungen zu Nr. 96.
Krätzig: Wahrscheinlich über ihn schrieb Kafka Ende 1917 aus Zürau an Oskar Baum: »er ist mein nächster Kollege, von hier aus liebe ich ihn geradezu.« (Br 190)
das Paket: Zum Verständnis der Stelle vgl. Nr. 94.

Nr. 99
weil meinen Brief auch die Eltern lesen: Ottla wohnte im gleichen Haus wie die Eltern, die aber jetzt, wie immer im Juni, in Franzensbad zur Kur waren.
Was Taus betrifft: Ottla hatte dem Bruder vorgeschlagen, er solle gemeinsam mit ihr und den Kindern Ende Juli in diesen Ort zu einem gemeinsamen Sommerurlaub fahren. Vgl. Nr. 97 und 100 f.
Greif nur hinein: Anspielung auf Goethes *Faust* (»Zueignung«):
Greift nur hinein ins volle Menschenleben!
Ein jeder lebt's, nicht vielen ist's bekannt,
Und wo ihr's packt, da ist's interessant.
vom Onkel und von der Tante: Josef Löwy, ein Bruder von Kafkas Mutter, war mit einer Französin verheiratet und lebte in Paris.
haám, nicht háam: ein Witz gegenüber Davids Nationalismus (nie hätte er eine jüdische Erziehung seiner Kinder geduldet) und Sprachpurismus. Vgl. auch KB 545.
Schwestern: Anni und Ella.

Nr. 100

Nach Franzensbad (wo die Eltern, wie üblich, zur Kur waren) adressiert.

Herrn Glauber: Glauber – es ist auf der Abb. der sitzende Mann links –, nach dem sich Kafka in seinen späteren an Robert Klopstock gerichteten Briefen immer wieder erkundigt, starb im August 1923. Kafka bezeichnet ihn als einen der beiden fröhlichsten Menschen, die er in Matliary kennengelernt habe. (Vgl. Br 443 und 517). Glauber ist vermutlich identisch mit dem in Nr. 91 erwähnten Zahntechniker. Zu Frau Galgon vgl. Nr. 96.

Nr. 101

Babylon: ein Dorf in der Nähe von Taus.

Erinnerungen: Die populäre tschechische Dichterin, deren Hauptwerk *Babička* (*Großmütterchen*) Kafka schätzte, wohnte von 1845–1847 in Taus (= Domažlice).

Nr. 103

Am 14. August 1921 bekam Kafka plötzlich Fieber und mußte das Bett hüten. Da nicht abzusehen war, ob er am 22. des Monats seinen Dienst planmäßig wieder antreten konnte, schrieb er am 16. an seinen Vorgesetzten:

Verehrter Herr Direktor!

Ich schreibe diesen Brief im Bett. Am 19. des Monats wollte ich nach Prag kommen, aber ich fürchte, daß das nicht möglich sein wird. Einige Monate hindurch war ich fast fieberfrei, am Sonntag aber wachte ich mit Fieber auf, das bis über 38° stieg und noch heute andauert. Das wird wahrscheinlich nicht die Folge einer Erkältung sein, sondern einer der Anfälle, die bei Lungenleiden üblich sind und gegen die man sich nicht wehren kann. Der Arzt, der mich untersucht hat und meine Lungen bis auf einen kleinen hartnäckigen Rest in der linken Spitze in gutem Zustand fand, hält dieses akute Fieber für wenig bedeutsam. Trotzdem muß ich natürlich, solange das Fieber andauert, im Bett bleiben. Vielleicht verliert sich das Fieber bis Freitag, dann würde ich mich doch noch auf den Weg begeben, andernfalls müßte ich noch einige Tage bleiben und würde dann das ärztliche Attest bringen.

Das Fieber, durch das ich übrigens auch an einem beträchtlichen Verlust an Körpergewicht leide, ist für mich um so betrüblicher, als es mir unmöglich macht, nach so einem langen Urlaub wenigstens jene kleine Pflicht des rechtzeitigen Dienstantritts zu erfüllen.

In Ehrfurcht ergebener
Dr Kafka.

(Zitiert nach K. Hermsdorf, Briefe des Versicherungsangestellten Franz Kafka, in: *Sinn und Form* 9 [1957], S. 645 f.)

Da er diesmal (vgl. dagegen Nr. 95 und 98) aber tschechisch schreiben wollte, war es aus Zeitgründen nicht möglich, den Brief in Prag von David übersetzen zu lassen (vgl. Nr. 90), und er beschloß, selber eine tschechische Fassung herzustellen (vielleicht mithilfe von tschechisch sprechenden Bekannten, vgl. Nr. 91) und sie dem Schwager zur Durchsicht auf orthographische Fehler hin zu schicken. Ottla sollte den korrigierten Brief dann mit ein paar erläuternden Worten Kafkas Dienstvorgesetzten übergeben. Da sie gerade nicht zuhause war, übernahm David diesen Gang.

Stellt man in Rechnung, daß Kafka am 29. August seinen Dienst wieder antrat (vgl. D 76, dort auch der von David revidierte tschechische Text von Kafkas Entschuldigungsschreiben) – er wollte, wie er an David schreibt, am 26. nach Prag zurückkehren – und da eine an Max Brod gerichtete und am 23. August abgestempelte Postkarte ähnliche Formulierungen enthält, also wohl gleichzeitig entstand (vgl. Br 339 und die Anmerkungen zu Nr. 84 und 108), muß Kafkas Brief an diesem Tag oder am vorhergehenden Montag geschrieben worden sein.

Pepi: Die zugrunde liegende tschechische Form Pepíčku ist eine liebevolle Verkleinerung der Koseform Pepa.

Der Herr Rat: Gemeint ist Kafkas Vorgesetzter Jindřich Valenta, der 1920 Vorstand der Schadensliquidatur wurde (vgl. D 71).

Nr. 104
nach Schelesen adressiert.

die Nacht vorher: Am 24. September 1923 fuhr Kafka nach Berlin, wo er mit Dora Dymant, die er im Juli im Ostseebad Müritz kennengelernt hatte, ein neues Leben beginnen wollte. Innerhalb seiner Verhältnisse schien ihm das »eine Tollkühnheit, für welche man etwas Vergleichbares nur finden kann, wenn man in der Geschichte zurückblättert, etwa zu dem Zug Napoleons nach Rußland«. (Br 447) Vgl. auch Nr. 105 und M 269.

von Pepa geängstigt: Josef David war, nach seinem Sommerurlaub, wieder nach Prag zurückgekehrt (vgl. Nr. 101 und 103), während Ottla noch bis Mitte Oktober in Schelesen blieb (vgl. Nr. 107, 110 und 111).

Ella Proch.: Gemeint ist die in Nr. 106 genannte Ella Prochaska.

Beřkowitz: Der Ort liegt nur etwa 45 Gehminuten von Schelesen entfernt.

die Kinder: Ottlas zweite Tochter Helene wurde am 10. Mai 1923 geboren.

Nr. 105

nebylo by to špatné bylo to spíše dobré: es wäre nicht schlecht, es wäre eher gut.

die Schelesner Dicke: Von Mitte August bis 21. September war Kafka bei Ottla in Schelesen zur Erholung. Vgl. auch Nr. 104.

Nr. 106

die Hausfrau: Am 15. November zog Kafka von der Miquelstraße 8 in die Grunewaldstraße 13 um. (Vgl. Nr. 113) Ihm war nun doch gekündigt worden. Nach Dora Dymants Erinnerungen haben die Schwierigkeiten mit der Vermieterin auf die Konzeption der *Kleinen Frau* eingewirkt. (Vgl. FK 172 und 174)

ein wenig schwindelig davon: Am gleichen Tag schrieb Kafka an Max Brod: »Auch suche ich mich hier draußen gegen die wirklichen Qualen der Preise zu schützen, man hilft mir darin sehr, in der Stadt versagt das, gestern z. B. hatte ich einen starken Anfall des Zahlenwahns.« (Br 448, vgl. Nr. 107)

events: Josef David war Anglophile und Fußballfreund, zur Sache vgl. die Anmerkungen zu Nr. 115.

Nr. 107

Das alles tue ich allerdings nicht: Zumindest für den 1. Oktober stimmt das nicht, vgl. Nr. 106, Br 448 und J. P. Hodin, Ich habe Franz Kafka geliebt. Ein Interview mit Dora Diamant, in: Die neue Zeitung, 18. VIII. 1948, S. 13. Und was die Beängstigungen beim Zeitungslesen betrifft, so geschahen sie täglich (vgl. Nr. 114). Kafka verschweigt den wahren Sachverhalt, um seine Eltern – David wohnte im gleichen Haus und zeigte ihnen natürlich die Postkarte (vgl. die Anmerkungen zu Nr. 99) – nicht unnötig zu beunruhigen (vgl. auch Nr. 117 und 119).

besser als in Schelesen: Vgl. die Anmerkungen zu Nr. 105.

Kinderhort: Vgl. Br 473 und FK 176.

Es wird ein teueres Referat sein: Am Mittwoch, dem 5. September 1923, hatte David an Ottla nach Schelesen geschrieben, er bleibe wegen einer Sportveranstaltung am Wochenende etwas länger in Prag: »Und dann habe ich die alte Rücksicht auf Franz, das wird doch ein Referat sein, das mir mindestens eine Reise mit Zug und Autobus bezahlen wird; er läßt sich das schon etwas kosten. Sag ihm, daß Hakoah in London gegen West Ham United 5 : 0 gewonnen hat. Heute war es im ›Tagblatt‹. Entweder hat das ›Tagblatt‹ vermasselt oder hatten die Westhams noch das japanische Erdbeben in den Beinen.« (KO 557 f.) Die Niederlage des verehrten englischen Fußballklubs war freilich schlimm für ihn, kam sie doch auch den Kennern überraschend (vgl. den Bericht im *Prager Tagblatt* 48, Nr. 207 [5. IX. 1923], S. 6); die witzige Entschuldigung mit dem Erdbeben vom 1. September war naheliegend, weil die Zeitungen täglich darüber berichteten. Der Wiener Verein war der größte damals bestehende jüdische Sportklub. Zu dem festen Formelschatz, der sich offenbar zwischen Kafka und David herausgebildet hatte und den man, um die jeweiligen Anzüglichkeiten des Partners zu kontern, in immer neuen Abwandlungen gebrauchte, gehörte neben dem Begriff des »Referats« auch der Fußball, vgl. Nr. 115.

Professor Vogel: Die Diskussion begann mit einem Beitrag Vogels vom 27. Juli, dem er am 31. August und am 28. September (»Der Kampf gegen die Fußballseuche«, in: *Selbstwehr* 17, Nr. 38, S. 5 f.) weitere Artikel folgen ließ. Die Beiträge wurden durch Gegendarstellungen und ein Schlußwort der Redaktion ergänzt. Anlaß und Stoff zur gegenseitigen Hänselei waren also schon zu der Zeit gegeben, als Kafka gemeinsam mit David in Schelesen war. Zur *Selbstwehr* vgl. die Anmerkungen zu Nr. 77.

Herrn Svojsik: der Ehemann Anni Davids.

Nr. 108
Datierung: Aus einer am 8. Oktober 1923 geschriebenen und an diesem Tag abgestempelten Karte, die Kafka an Max Brod richtete, geht hervor, daß er am Tag zuvor von Ernst Weiß (vgl. die Anmerkungen zu Nr. 21) besucht wurde (vgl. Br 449). Da Nr. 109 inhaltlich zwischen 108 und 110 gehört, also zwischen dem 2. und 13. Oktober geschrieben sein muß, und zwar etwa in der Mitte, weil zwischen den einzelnen Schreiben Kafkas jeweils zwei Postwege zwischen Berlin und Schelesen liegen, muß es sich um den Besuch von Weiß am 7. Oktober handeln.

die Nächte stören: Kafka an Max Brod am 16. X. 1923: »Schlimmer ist allerdings, daß in der allerletzten Zeit die Nachtgespenster mich aufgespürt haben, aber auch das ist kein Grund zur Rückfahrt; soll ich ihnen erliegen, dann lieber hier als dort, doch ist es noch nicht so weit.« (Br 451, vgl. M 270)

rate mir: Ottla sprach sich gegen diesen Plan aus, Kafka änderte seine Meinung und wollte höchstens zum Jahresende nach Prag fahren. (Vgl. Nr. 109 und Br 415) Auch die Mutter riet ab. (Br 455)

verschiedene Wintersachen holen: Sie wurden dann von Max Brod im November überbracht. (Vgl. 114, Br 451, 455 und 465)

Dir überlassen: Vgl. Nr. 115.

Helene: Ottlas zweite Tochter.

fletschern: Besonders gründliches Kauen (nach dem amerikanischen Gesundheitsprediger Horace Fletcher; vgl. F 671).

Klopstock: Vgl. die Anmerkungen zu Nr. 91, Br 445, 447 und 452. Seit dem Sommersemester 1922 studierte Robert Klopstock in Prag Medizin.

Nr. 109

mit einer Karte nach Sch.: Ottla hatte vor, ihre Sommerwohnung in Schelesen erst am 15. Oktober zu verlassen. (Vgl. Nr. 110 und die Anmerkungen zu Nr. 71)

Věras Mann: Sic!

die Reise betreffend: Vgl. Nr. 106, 108, 110 und 112.

František pozdravuje a je zdráv: Franz grüßt und ist gesund.

Nr. 110

Kefir: durch alkoholische und milchsaure Gärung aus Kuhmilch gewonnenes Produkt.

Nr. 111

das Geld aus der Anstalt: Vgl. Nr. 115 und 116.

Möbelpacker: Auch Dora Dymant erinnert sich, daß Kafka einmal »zwei Möbelträgern staunend, mit offenem Mund, bis zur Treppe folgte«. (WB 226, Anm. 559) Vgl. auch Br 242.

der Ankauf einer Petroleumlampe: Die Anschaffung war vor allem notwendig geworden, weil Kafka mit der Wirtin wegen der hohen Gaskosten Streit bekam. (Vgl. J. P. Hodin, Erinnerungen an Franz Kafka, in: *Der Monat* 1[1949], Nr. 8/9, S. 93) Man benützte die Lampe auch zum Kochen. (Vgl. FK 176, Br 461 und Nr. 116)

Nr. 112

in direkte Beziehung: Vgl. Nr. 106, 108, 109 und 110. Ottla war dann am 25. November in Berlin. (Br 466) Kafka war am 15. November 1923 von der Miquelstraße Nr. 8 in die Grunewaldstraße Nr. 13 umgezogen.

in der Hochschule: Kafka besuchte im November und Dezember Veranstaltungen und Kurse in der »Hochschule für die Wissenschaft des Judentums«. Näheres bei H. Binder, Kafkas Hebräischstudien, in: Jahrbuch der Deutschen Schillergesellschaft 11 (1967), S. 555 f.

die Müritzer aus unserer Familie: Elli Hermann, ihre Kinder, die Kafka im Juli und August 1923 nach Müritz begleitet hatten und Karl Hermann, der seine Familie von dort abholte (vgl. Br 439).

daß kein Platz ist: auf der Postkarte.

Nr. 114

daß ich diesmal am 28ten nicht in Prag bin: Ottlas 31. Geburtstag fiel erst auf den folgenden Tag. Auch sonst irrt sich Kafka gelegentlich im Datum.

Lippert: damals ein feines Delikatessengeschäft am Graben in Prag.

Olmützer Quargeln: ein Sauermilchkäse.

tagtäglich fast: Kafka an Max Brod am 2. X. 1923: »Inzwischen habe ich, was ich bis jetzt schon tagelang vermieden habe, den Steglitzer Anzeiger durchgesehn. Schlimm, schlimm. Es liegt aber Gerechtigkeit darin, mit dem Schicksal Deutschlands zusammenzuhängen, wie Du und ich.« (Br 449, vgl. 451)

den Termin der Reise: Vgl. Nr. 106, 108, 109, 110 und 112.

Es wäre zu erzählen: Zum Folgenden vgl. Nr. 115.

wollte nach Palästina fahren: und zwar im Oktober (vgl. M 268); aber schon im Juli sah er ein: »es wäre keine Palästinafahrt geworden, sondern im geistigen Sinne etwas wie eine Amerikafahrt eines Kassierers, der viel Geld veruntreut hat, und daß die Fahrt mit Ihnen gemacht worden wäre, hätte die geistige Kriminalität des Falles noch sehr erhöht.« (Br 437 f.) Das Schreiben ist an die Frau seines Klassenkameraden Hugo Bergmann gerichtet, der in Palästina lebte und im Frühjahr 1923 zu Vorträgen nach Prag gekommen war. Bergmann, der an Kafkas Entschluß maßgebenden Anteil hatte, bot dem Freund an, er könne in seinem Hause in Jerusalem wohnen, vgl. Br 433.

mit meiner Schwester Hilfe: Vgl. die Anmerkungen zu Nr. 112.

die Pension: Kafka wurde mit Wirkung vom 1. Juli 1922 pensioniert, weil keine Aussicht mehr auf Besserung seines Lungenleidens bestand.

Nr. 115

Der an Josef David gerichtete Briefteil ermöglicht es, den Zeitpunkt festzustellen, an dem dieses Schreiben frühestens verfaßt worden sein kann: Das von Kafka erwähnte Fußballspiel, das am 25. XI. stattfand, wurde am 30. XI. in der *Selbstwehr* referiert (Nr. 47–48, S. 8), und nur aus dieser Quelle kann er davon erfahren haben (vgl. Nr. 107, 114 und die Anmerkungen zu Nr. 77). Er hat die betreffende Nummer – das Blatt wurde ihm nach Berlin geschickt (vgl. Br 466) – frühestens am Montag, dem 3. XII., in Händen gehabt. Da andererseits die Wendung »diesen Monat« voraussetzt, daß zum Zeitpunkt, an dem die Schwester von ihrem Besuch beim Direktor berichtet, schon ein größeres Stück vom Dezember vorüber gewesen sein muß und außerdem der von David übersetzte Bericht an den Direktor von Kafka erst am 20. Dezember aus Berlin weggeschickt wurde, dürfte die Abfassungszeit des Briefs etwa Mitte Dezember sein.

einen kleinen persönlichen Dankbrief: Kafka schrieb ihn am 8. I. 1924 (der Aufenthalt in Berlin und die Auszahlung der Pension an die Eltern waren am 31. XII. 1923 genehmigt worden, zum letzteren vgl. auch Nr. 116), im Gegensatz zu den bei entsprechenden Gelegenheiten abgefaßten Schreiben des Jahres 1921 (vgl. Nr. 95 und 98) jedoch in tschechischer Sprache (veröffentlicht D 81). Josef David hatte Kafkas Entwurf, der in Nr. 116 erhalten ist, zu übersetzen (vgl. Nr. 90 und 103).

die Puppe: Kafka hatte Ottlas Tochter Věrá eine Puppe gekauft und sie Ottla als Geschenk mitgegeben, als sie Ende November von ihrem Berlin-Besuch nach Prag zurückkehrte (vgl. die Anmerkungen zu Nr. 112).

so muß ich mich drängen: Aus Platzmangel fügte Dora Dymant ihre an Ottla gerichteten Grüße in den freien Raum zwischen die beiden letzten Abschnitte des an die Schwester gerichteten Briefteils. Vgl. das Faksimile dieser Briefseite in Abb. 22.

Sehr geehrter Herr Direktor: Die von David hergestellte tschechische Fassung ist in D 80 f. veröffentlicht, eine davon angefertigte deutsche Rückübersetzung in K. Hermsdorf, Briefe des Versicherungsangestellten Franz Kafka in: *Sinn und Form* 9 (1957), S. 648 f.

Lebensbestätigung: Ein solches Dokument, allerdings aus der Zeit in Kierling, ist faksimiliert in: »Exhibition Franz Kafka 1883–1924«. Catalogue, Jerusalem 1969, S. 30.

Hakoah gegen Slavia: David war Anhänger des Fußballvereins Slavia Prag, der vor allem im Mittelstand seinen Anhang hatte und damals ziemlich glücklich 4:2 gewann.

Briefmarken: David war Sammler, vgl. auch Nr. 109 und den Editionsbericht.

Nr. 116
Datierung: Spätestens am 8. I. war Kafka im Besitz der Übersetzungen Davids. (Vgl. die Anmerkungen zu Nr. 115)

D.: Dora Dymant, die auch die Nachschrift des Briefes schrieb.

Fräuleins Weihnachtsabend: Vgl. die Anmerkungen zu Nr. 15.

verkriecht sich: Vgl. Abb. 24.

den ich Dir verdanke: Vgl. Nr. 115; der Direktor hatte Kafka auf seinen Brief hin ein in herzlichem Ton gehaltenes dienstliches Schreiben übersandt (vgl. D 81).

ein kleiner Dankbrief: Die tschechische Fassung ist D 81 gedruckt.

die Lüge meines prachtvollen Tschechisch: Vgl. Nr. 90.

mein schönstes Goal: erschien vermutlich in der »Illustrierten Beilage« des »Steglitzer Anzeigers« (vgl. Br. 449, 459, u. 468), die sich in den Berliner Archiven nicht erhalten hat.

Bodenbach: Eisenbahn-Grenzstation zwischen der Tschechoslowakei und Österreich.

Nr. 117

Auf der Adressenseite einer Postkarte überliefert, die Dora Dymant an Kafkas Eltern in Prag sandte (»Franz wird schon brummen, daß ich ihm so wenig Platz frei gelassen habe«).

Nachdem Mitte April 1924 in einer Wiener Klinik endgültig Kehlkopftuberkulose diagnostiziert worden war, brachte Dora den Schwerkranken am 19. des Monats in das nahe gelegene Sanatorium Dr. Hoffmann in Kierling (vgl. Br 481 f.). Aus dem Anfang der Karte und Doras Worten (im Zusammenhang mit einer von ihr am 15. IV. an Kafkas Eltern geschriebenen Karte) ist erschließbar, daß Nr. 117 ganz am Anfang des Kierlinger Aufenthalts abgefaßt worden sein muß.

das Fieber hindert anderes: In einem ungefähr gleichzeitigen Schreiben Doras an Elli Hermann – ihr Mann hatte offenbar Kafka in Wien besucht –, in dem sie sich offener über Kafkas Gesundheitszustand äußern konnte als den besorgten Eltern gegenüber, heißt es über diesen Punkt: »Der Hals macht keine Beschwerden, und gibt äußerlich wenigstens keinen Anlaß zur Unruhe. Mehr beunruhigend ist das hartnäckige Fieber. 38:6 – 38:8 am Abend. Bis Mittag fast fieberfrei. Das Wesentliche dabei ist, daß Franz seit gestern durch das Fieber sehr deprimiert ist.«

Nr. 118

Die Worte Kafkas sind überliefert auf einer an Julie Kafka gerichteten, wahrscheinlich am 5. Mai abgestempelten Postkarte Doras, in der es u. a. heißt: »Schade nur, daß Franzens Erholung, durch das Wetter aufgehalten wird. Sobald die Kälten endlich ganz überwunden sein werden, erhoffe ich das beste, von seinem hiesigen Aufenthalte. Die Luft ist hier, trotz des so langweilig schlechten Wetters, wunderbar. Man spürt direkt, wie man Gesundheit einatmet. Auch die Verpflegung läßt nichts zu wünschen übrig, besonders, da es erlaubt ist, manchmal nach Lust und Laune eine Mahlzeit selbst zuzubereiten.«

Nr. 119

Nach Max Brod, in dessen Kafka-Biographie dieser Brief auch überliefert ist, soll Kafka diese Zeilen einen Tag vor seinem Tod niedergeschrieben haben (vgl. FK 183 f.). Da sich aber aus einer von Dora verfaßten Karte vom 26. Mai (vgl. die Anmerkungen zu Nr. 120) erschließen läßt, daß Kafka hier auf ein Schreiben der Eltern antwortet, das er wahrscheinlich am Montag, dem 19. Mai, erhalten hatte (allenfalls ein oder zwei Tage später), hat man wohl die Entstehung des Schreibens etwa 14 Tage früher auf etwa den 19. dieses Monats anzusetzen.

das Prager Beisammensein: Kafka war am 17. März aus Berlin nach Prag zurückgekehrt und blieb dort drei Wochen in der elterlichen Wohnung.

wie Ihr schreibt: Vgl. Nr. 120.

hinsichtlich des Bieres: In einem an die Prager Angehörigen gerichteten Brief schreibt Robert Klopstock aus Kierling: »Daß Franz so viel ißt, und so nahrhaft, er trinkt jetzt z. B. zu den Mahlzeiten auch Bier (auch Wein oft), in das Dora, Somatose hineinschwindelt, ohne Franzens Wissen – er bemerkt zwar, daß das Bier nicht besonders gut ist, er trinkt es aber dann doch, ist allein Dora zu verdanken, die immer an den Speisen etwas noch macht, Eier zusetzt etc. – und nicht abläßt, bis er alles nicht gegessen hat.« (Vgl. Nr. 118 und Nr. 120)

gemeinsame Biertrinker gewesen: Kafka erzählte Dora Näheres darüber: »Als kleiner Junge, als ich noch nicht schwimmen konnte, ging ich manchmal mit dem Vater, der auch nicht schwimmen kann, in die Nichtschwimmerabteilung. Dann saßen wir nackt beim Buffet, jeder mit einer Wurst und einem halben Liter Bier zusammen ... Du mußt Dir das richtig vorstellen, der ungeheure Mann mit dem kleinen ängstlichen Knochenbündel an der Hand, wie wir uns zum Beispiel in der kleinen Kabine im Dunkel auskleideten, wie er mich dann hinauszog, weil ich mich schämte, wie er mir dann sein angebliches Schwimmen beibringen wollte und so weiter. Aber das Bier dann!« (FK 180)

allzusehr auf mich hingeleitet: Über Doras Absicht, mit Kafka nach Böhmen zu reisen, schreibt Klopstock an die Eltern: »es würde für Franz zwar schrecklich sein, käme die Mutter her (jeder neue Mensch regt ihn so sehr auf, ich glaube auch abgesehen von der Klinikereigniß – denn jeder neue Mensch ist ein Gruß vom Leben, draußen, wo jetzt Frühling ist), ja, verhängnisvoll«; gleich schlimm wäre freilich eine Rückführung in die Tschechoslowakei: »kein Vorwand würde so undurchsichtig sein, daß s e i n e Blicke nicht durchdringen könnten.«

mehr, als sachlich ihr zukam: Kafka an Max Brod: »Hat man sich einmal mit der Tatsache der Kehlkopftuberkulose abgefunden, ist mein Zustand erträglich.« (Br 481)

Robert: Robert Klopstock kam Anfang Mai nach Kierling, um Kafka ärztlich mitzubetreuen.

ein Professor: Max Brod berichtet: »Dora erzählte mir, daß Franz vor Freude geweint habe, als ihm Professor Tschiassny (schon in seinem letzten Stadium) sagte, im Hals sehe es besser aus. Er habe sie immer wieder umarmt und gesagt, nie habe er so sehr Leben und Gesundheit gewünscht wie jetzt.« (FK 182) *ein junger Arzt:* Klopstock berichtete darüber an die Familie: »Ungeheuer wichtig und beruhigend ist der neue Arzt, dem Franz auch so vertraut, der so selbstverständlich um alles sich kümmert.«

Nr. 120
Der Text ist überliefert auf einer an die Eltern Kafkas gerichteten Karte Dora Dymants (er mußte aus Platzmangel auf die Ränder schreiben), deren erster Teil so lautet: »Ich will, wenn auch sehr verspätet, auf die so schöne letzte Karte von Sonntag antworten. Was das für ein Freuden-Austausch war! Ihre Karte und Franzens Brief. Wenn es doch immer so wäre. Sie hat nicht weniger Freude zu Folge gehabt als der Expressbrief. Franz hat sie beinahe auswendig gelernt. Ganz besonders stolz ist er auf die Möglichkeit, mit seinem ehrwürdigen und lieben Vater, ein Glas Bier zu trinken. Ich möchte von Weitem stehen und zusehen. Ich bin von den bloßen häufigen Unterhaltungen über Bier, Wein, (Wasser), und anderen schönen Dingen sehr oft beinahe betrunken. Franz ist ein leidenschaftlicher Trinker geworden. Kaum eine Mahlzeit ohne Bier oder Wein. Allerdings in nicht zu großen Mengen. Er trinkt wöchentlich eine Flasche Tokayer, oder anderen guten Feinschmecker-Wein aus. Wir haben 3erlei Wein zu Verfügung, um es, so nach rechter Feinschmecker-Art, recht abwechslungsreich zu machen.« Bei dem erwähnten Brief Kafkas handelt es sich mit großer Wahrscheinlichkeit um Nr. 119. Der Expressbrief der Eltern enthielt, wie aus der Fortsetzung von Doras Bericht und einem Brief Klopstocks zu erschließen ist, Mitteilungen über einen Ausflug Ellis und ihrer Familie und erreichte Kafka wahrscheinlich am Samstag, dem 17. Mai: »Wie er das gehört hat, sagte er – mit leuchtenden Augen, wie eine Sonne, ›dann haben sie auch Bier getrunken‹, das sagte er aber in einer solchen Begeisterung, und Aufgehen in der Freude, daß wir, die es gehört haben, mehr jenes Bier, das dort getrunken wurde, genossen haben, als die, die es wahrhaftig getrunken hatten. Er trinkt, wie ich schon einmal geschrieben jetzt zu jeder Mahlzeit Bier, es so genießend, daß es ein Ergötzen ist, ihn anzuschauen.« (Klopstock am 17. V. 1924 an die Prager Angehörigen Kafkas) Vgl. auch Br 488 (»Warum waren wir in keinem Biergarten«) und Br 491 (»Bei dieser Trinkfähigkeit kann ich noch nicht mit dem Vater in den Zivilschwimmschul-Biergarten gehn«).

EDITIONSBERICHT

Von den in dieser Ausgabe veröffentlichten 120 Schriftstücken
Franz Kafkas sind 101 ausschließlich an seine Lieblingsschwester
Ottla gerichtet, 5 an ihren Freund und späteren Mann Josef David (Nr. 27, 90, 92, 103 und 107), der noch in zwei anderen Briefen Mitempfänger ist (Nr. 99 und 115) und 8 an die Eltern
Julie und Hermann Kafka (Nr. 22, 94, 100, 113 und 117 bis
120), die außerdem in einem weiteren Fall zusammen mit ihrer
jüngsten Tochter die Adressaten sind (Nr. 79). Dazu kommen
zwei Ansichtspostkarten, wo Ottla gemeinsam mit ihrer älteren
Schwester Valli (Nr. 11), das anderemal mit dieser und den Eltern (Nr. 14) Korrespondenzpartnerin des Bruders ist. Nr. 6 endlich hat Kafka an seine älteste Schwester Elli und ihren Mann
Karl Hermann geschrieben, innerhalb Nr. 89, 115 und 116 finden
sich Briefe, die er an seinen Dienstvorgesetzten zu richten ge-
dachte und die sein Schwager David vorher für ihn ins Tschechische übersetzen sollte.

Zwei Briefe Kafkas an seine Eltern (Nr. 22 und 119) sowie die
Ansichtspostkarte, die sich gleichzeitig noch an die beiden Schwestern richtete (Nr. 14), wurden der erstmals 1937 erschienenen
Kafka-Biographie Max Brods und dem Band *Briefe 1902–1924*
(New York/Frankfurt/M. 1958, vgl. S. 94) entnommen, der vor
allem Kafkas Korrespondenz mit seinen Freunden und dem Kurt
Wolff Verlag enthält. Hinsichtlich der Adressaten und der Sache
nach gehören diese Mitteilungen in den vorliegenden Zusammenhang.

Von diesen drei Ausnahmen abgesehen liegen der Ausgabe die
aus Ottlas Nachlaß stammenden Originale zugrunde. In diesem
sind auch Ottlas Briefe und Karten an David erhalten sowie die
Korrespondenz ihres Vaters an seine Verlobte Julie, die der Mutter an die jüngste Tochter und den Sohn, einige Briefschaften
Irma Kafkas an ihre Freundin Ottla und die Lageberichte, die
Dora Dymant und Robert Klopstock im Zusammenhang mit
Kafkas Aufenthalt in Kierling an Familienangehörige nach Prag
sandten. Diese Dokumente, soweit sie wichtiges Material für das
Verständnis der hier edierten Texte bieten, sind in den Anmer-
kungen berücksichtigt worden. Da Ottla seit Frühjahr 1917 an
David tschechisch schreibt, mußten die aus dieser Korrespondenz
abgedruckten Zitate großenteils übersetzt werden.

In den *Briefen 1902–1924* sind außerdem schon veröffentlicht worden Nr. 20, 64, 66 (falsch datiert), 90 (in deutscher Übersetzung und mit falscher Datierung), 96 und 102. In tschechischer Übersetzung Nr. 45, 53, 54, 67, 68, 69, 72, 78, 81, 99, 101, der zweite Teil von 116 und die Beilage zu 115, dazu im Original die an David gesandten Nrn. 92, 103, 107 und der auf ihn bezügliche Briefteil von 99. (»Neznámé dopisy Franze Kafky«, in: *Plamen* 6 [1963], Nr. 6, S. 84–94) Ein Faksimile und eine deutsche (in diese Ausgabe übernommene) Übersetzung des für David bestimmten Briefteils von 115 erschien in: *Forum. Österreichische Monatsblätter für kulturelle Freiheit* 11 (1964), H. 130, S. 498 f. Die zu Nr. 64 gehörige Zeichnung Kafkas wurde von K. Wagenbach veröffentlicht. (»Franz Kafka 1883–1924. Manuskripte, Erstdrucke, Dokumente, Photographien«, Berlin 1966, S. 78) Nr. 27, 28 und 63 wurden in dem von J. Bauer, I. Pollack und J. Schneider herausgegebenen Band »Kafka und Prag« faksimiliert. (Stuttgart 1971, S. 90, 131 und 34) In diesem Werk sind außerdem einige weitere Passagen aus Kafkas Korrespondenz mit Ottla zitiert, die in K. Wagenbachs Buch »Franz Kafka in Selbstzeugnissen und Bilddokumenten« (Reinbek 1964, dort S. 133 Faksimile von Nr. 117) und H. Binders Aufsätzen »Kafka und seine Schwester Ottla« und »Kafkas Briefscherze« (in: Jahrbuch der Deutschen Schillergesellschaft 12 [1968], S. 403 ff. und 13 [1969], S. 536 ff.) ebenfalls schon berücksichtigt worden waren.

Die an Ottla und ihren Mann gerichteten Karten und Briefe scheinen einigermaßen vollständig erhalten zu sein. Einmal ist nicht zu erwarten, daß Kafka vor 1909 viel mit seiner Schwester korrespondiert haben sollte. Für verhältnismäßig geringe Überlieferungsverluste spricht zweitens auch die Tatsache, daß sich von den meisten späteren Reisen Kafkas Feriengrüße erhalten haben. Ausnahmen sind die Berlinfahrten an Pfingsten 1913, Anfang und Ostern 1914, die Zusammenkünfte mit Felice Bauer in Bodenbach zu Beginn des Jahres 1915 und in München im November 1916 und der mit ihr gemeinsam im Sommer 1917 unternommene Urlaub in Budapest. Es kann schwerlich ein Zufall sein, daß in allen diesen Fällen Kafka mit Felice zusammentraf und Ottla offenbar nur mündlich von den mit seinen Heiratsversuchen zusammenhängenden Schwierigkeiten berichten wollte.

Drittens endlich dokumentiert das Vorhandensein einiger Zettel Kafkas, die verhältnismäßig unwichtigen und nur kurzfristig andauernden Alltagsgegebenheiten ihre Entstehung verdanken und also für die Adressatin aus sachlichen Gründen nicht aufhebenswert sein konnten, daß Ottlas innere Verbundenheit mit

dem Bruder offenbar dazu geführt hatte, daß sie alles aufbe-
wahrte, was von ihm kam.

Von den an andere Familienmitglieder gesandten Karten und
Briefen ist heute nur noch ein ganz geringer Bruchteil vorhanden,
obwohl man aus dem Erhaltenen schließen muß, daß Kafka beispielsweise sehr oft an seine Eltern schrieb (vgl. z. B. Nr. 19, 77,
88 und 115). Einmal hat die Familie in der Zeit, als Kafka noch
nicht lebensgefährlich erkrankt war, seine Briefe offenbar nicht
mit besonderer Sorgfalt bewahrt. Außerdem ist zu vermuten, daß
von diesem Teil der Korrespondenz nur überlebte, was, vielleicht
beim Tod der Mutter im Jahr 1934, zufällig in Ottlas Hand ge-
riet oder was Max Brod für seine den Freund betreffenden Stu-
dien schon in den 30er Jahren kopiert oder an sich genommen
hatte (vgl. *Briefe 1902–1924*, S. 514). Alles andere, vor allem
auch fast die gesamte Korrespondenz Kafkas mit seinen Schwestern Valli und Elli, ging wahrscheinlich während der Besetzung
der Tschechoslowakei durch die Nazis verloren.

Da ein beträchtlicher Teil des in dieser Ausgabe Gedruckten durch
Reisen Kafkas veranlaßt ist, verwundert es nicht, daß sich 37 Ansichtspostkarten erhalten haben. Dabei ist zu beachten, daß dieser
in drei Fällen (Nr. 17, 32 und 92) jeweils zwei Karten fortlaufend beschrieben hat (in Nr. 92 fehlt die zweite Karte).

Die Bildseite von Nr. 27 hat Kafka durch eine eigene lustige
Zeichnung bereichert, und Nr. 100 stellt eine Photographie dar,
die den Schreiber im Kreis von Mitpatienten und Bedienungsper-
sonal in Matliary zeigt. Nr. 87 wurde aus besonderen Gründen
nicht als Postkarte verschickt. (Vgl. die Anmerkungen) Koloriert
oder farbig sind Nr. 1, 3, 6, 7, 9, 10, 11, 12, 16, 26, 30 und 33.

Postkarten sind 35 vorhanden, nicht eingerechnet Nr. 24, eine
Feldpostkorrespondenzkarte, die Kafka bloß als Zettel benützte
und nicht durch die Post befördern ließ. Nr. 48 wurde auf zwei
Karten fortlaufend geschrieben. Nr. 64 hat er durch eigene Zeichnungen in eine Art Ansichtspostkarte verwandelt.

Beachtet werden muß ferner, daß einige Mitteilungen Kafkas auf
Briefschaften anderer Schreiber überliefert sind, nämlich Nr. 27
auf einer an David gerichteten Karte Ottlas, Nr. 34 als Zitat in
einem Brief derselben an ihren Freund, Nr. 38 auf einem Brief
Ellis an Ottla, Nr. 57 auf einem Brief der Mutter an ihre jüngste
Tochter, Nr. 117, 118 und 120 auf Postkarten, die Dora Dymant
an die Eltern des Dichters richtete.

Was die übrigen Schriftstücke betrifft, so handelt es sich durchaus nicht nur immer um Briefe im herkömmlichen Sinn: Nr. 24,
31, 35, 36 und 61 sind Zettel, die Kafka seiner Schwester in der

elterlichen Wohnung in Prag oder im gemeinsam benutzten Häuschen in der Alchimistengasse auf den Tisch legte, weil er sie nicht persönlich treffen konnte oder wollte. Nr. 59 ist zwar ein Brief, wurde aber nicht durch die Post geschickt, sondern durch Boten überbracht.

Nicht ganz einfach war die zeitliche Ordnung der vorliegenden Familienbriefe, Zettel und Karten, denn Kafka hat sie in der Regel nicht datiert. Nur in Nr. 20 ist der Zeitpunkt der Niederschrift vollständig angegeben, mehr oder weniger unvollständige Angaben finden sich in Nr. 37, 53, 77 und 84. Indirekt, durch die besondere Art der Überlieferung, sind auch Nr. 27, 31, 34 und 57 datiert. Bei den Karten half in vielen Fällen der Poststempel weiter, der aber manchmal nur schwer, unvollkommen oder gar nicht lesbar war, zuweilen auch die Bildseite der Ansichtspostkarten, obwohl man nicht immer davon ausgehen kann, daß das hier Dargestellte mit dem Ort identisch ist, an dem die Karte geschrieben oder abgeschickt wurde (vgl. z. B. Nr. 55). Andererseits sind die Briefkuverts, die, wegen der hie und da praktizierten besonderen Art der Übermittlung, gar nicht in allen Fällen vorauszusetzen sind, oft auch bei den gewöhnlichen Postbriefen nicht mehr vorhanden oder schlecht zu entziffern. Es kommt auch vor, daß der Stempel auf Karten oder Briefen fehlt, weil David, der Briefmarkensammler war, nachträglich Wertzeichen von der Karte oder der Briefhülle entfernt hat.

Bei der chronologischen Einordnung wurde wie folgt verfahren: Datumsangaben Kafkas werden in der von ihm gebrauchten Form übernommen, alle Ergänzungen dazu oder überhaupt insgesamt erschlossene Datierungen in eckige Klammern gesetzt. Stempel sind dabei als solche gekennzeichnet und werden in der originalen Schreibweise wiedergegeben. Ist der Stempel teilweise unleserlich, wird dies durch einen kurzen Querstrich markiert, sichere Ergänzungen stehen in runden Klammern. Ist die Zeitangabe als Ganzes erschlossen, wird der Monatsname ausgeschrieben, und die Jahreszahl ist vierstellig.

Nicht immer gibt der Poststempel den tatsächlichen Schreibort genau an, in Zweifelsfällen vergleiche man, auch zum jeweiligen Aufenthaltsort der Adressaten, die Anmerkungen und vor allem die Zeittafel, die detaillierte Angaben über den Lebensgang Kafkas und seiner Schwester enthält.

Abgesehen vom Brief Nr. 37, der ganz, und Nr. 60, der teilweise mit Schreibmaschine geschrieben wurde, sind alle anderen Texte handschriftlich und gewöhnlich gut lesbar, wenngleich im Duktus sehr unterschiedlich, öfters etwas nachlässig und in der Art eines

Briefkonzepts. Allerdings ist Kafka, wenn er Postkarten beschreibt, fast dauernd in Raumnot, so daß er auch die freien Kartenränder auszunutzen sucht, besonders für nachträgliche Ergänzungen. Liegen mehrere derartige voneinander unabhängige Nachträge vor, so ist ihre Reihenfolge nicht immer ganz sicher auszumachen. Manchmal hat Kafka auch beim Überlesen seiner Briefe zwischen den Zeilen oder auf den Rändern erklärende Zusätze angebracht. In allen Fällen wurden solche Erweiterungen ohne nähere Kennzeichnung an der richtigen Stelle in den Text eingefügt.

An sich bevorzugt Kafka Tinte, doch benützte er Bleistift, wenn er in großer Eile war (z. B. Nr. 39), wenn er auf Reisen außerhalb seines Hotelzimmers (z. B. Nr. 26) oder in der Behausung in der Alchimistengasse schrieb (z. B. Nr. 36), wo offensichtlich gar keine Schreib- oder Füllfeder zur Verfügung stand; ebenso in fast allen Briefen, die aus Matliary nach Prag gingen, während die von hier nach Zürau gerichteten, die aus Meran und später aus Berlin regelmäßig mit Tinte geschrieben sind. Für den Bleistift gibt es zwei Erklärungen von Kafka selber: Anfang 1919 meint er, das »Mit-Beistift-schreiben« – bei Ottla der Regelfall – sei Nachahmung ihrer Art (Nr. 68), und zwei Jahre später entschuldigt er sich mit den Worten bei ihr: »um Zeit zu sparen, schreibe ich im Liegestuhl« (Nr. 89), was natürlich mit der Verwendung von Tinte nicht vereinbar war (vgl. F 158).

Für die Korrespondenz selber galt der Grundsatz, die Manuskriptverhältnisse möglichst unangetastet zu lassen. Das bedeutet zunächst, daß alle überkommenen Karten und Briefe Kafkas vollständig ungekürzt wiedergegeben werden, dann aber auch, daß seine Orthographie und die von ihm verwendete Absatzgliederung (bei den Postkarten verwendet er aus Platzgründen statt dessen nur Gedankenstriche) beibehalten wurden. Es heißt aber auch für die tschechisch geschriebenen Teile der Korrespondenz, daß Mängel in der Akzentsetzung nicht verbessert wurden (beim I-Punkt, bzw. -Strich war allerdings in einigen Fällen wegen Kafkas flüchtiger Schreibweise allerletzte Sicherheit nicht erreichbar). Anders also als die schon publizierten amtlichen Schreiben Kafkas, die teils von Josef David übersetzt, teils auch von Kafka dann nachträglich wieder mit kleinen orthographischen Schnitzern versehen wurden, die eine fast vollkommene Beherrschung dieser Sprache vortäuschen sollten (vgl. Nr. 91 und 116), erlauben die vorliegenden Briefe und Karten an den Schwager eine genaue Überprüfung von Kafkas tschechischen Sprachkenntnissen: Sie waren ausgezeichnet.

In der Regel blieb auch die für heutige Begriffe recht mangelhafte Zeichensetzung unverändert, nur in den wenigen Fällen, wo aus der Rechtschreibung (Großbuchstaben) eindeutig hervorgeht, daß Kafka einen Punkt intendierte, aber dann in der Eile vergaß, wurde dies berichtigt (sofern nicht durch eine von ihm angebrachte sich schließende runde Klammer eine ausreichende Trennung der Sätze schon gewährleistet schien).

Man kann nicht sagen, daß Kafka die Satzzeichen nicht beachtet hätte, denn mehrfach ist zu beobachten, daß er falsch gesetzte Kommata wieder getilgt hat; doch leitete ihn offenbar in diesem Punkt nicht die Absicht, schulmäßige Normen zu erfüllen.

Verbessert worden sind nur offensichtliche Inkonsequenzen (etwa bei der Verwendung des Abkürzungspunktes) und grammatikalische Flüchtigkeiten, die durch eiliges Schreiben oder durch nachträgliche syntaktische Änderungen Kafkas versehentlich entstanden sind.

Unterstreichungen von Kafkas Hand wurden gesperrt gedruckt. Öfters kommt es vor, daß Andere auf Karten oder Briefen dem Empfänger Mitteilungen machen: Solche Passagen sind regelmäßig kursiv gegeben.

Während einzelne tschechisch geschriebene Phrasen in deutschsprachigen Texten nur in den Anmerkungen übersetzt sind, wurden zur Bequemlichkeit des Lesers den an David gerichteten Karten, Briefen und Briefteilen in eckige Klammern eine deutsche Fassung unmittelbar beigegeben.

Der Anmerkungsteil mußte viel ausführlicher gehalten werden als in den bisher edierten Briefbänden innerhalb der *Gesammelten Werke*. Bei Kafkas Briefen an Felice und Milena handelt es sich um verhältnismäßig geschlossene und von der Thematik her im großen und ganzen gesehen einheitliche Komplexe, die sich, beachtet man alle möglichen Querverbindungen, weitgehend aus sich selber erschließen, besonders auch, da es sich hier um Liebesbeziehungen handelt, die sich im Briefverkehr entwickelten, sodaß zumindest in den entscheidenden Anfangsphasen kaum mündliche Kommunikation (etwa als persönlicher Umgang der Korrespondenzpartner miteinander) neben dem Schriftwechsel hergeht, der dann als bloße Ergänzung jener wichtigeren Art der Beziehung anzusehen wäre. Und in den an die Freunde gerichteten Briefen Kafkas ist dem Verständnis günstig, daß die wichtigsten Adressaten zum Zeitpunkt der Edition noch lebten, also aufgrund ihrer Erinnerungen oder noch vorhandener Gegenbriefe Verständnishilfen und Datierungen beisteuern konnten. Auch handelt es sich bei den Themen dieser Briefe öfters um literarische Probleme, deren Dunkelheit durch ihre Verknüpfung mit der allgemeinen Literaturgeschichte mithilfe anderer zeitgenössischer Quellen für das heutige Verständnis aufgehellt werden kann.

Ganz anders ist die Situation bei den Ottla-Briefen. Einmal sind Kafkas Mitteilungen an die Schwester gleichsam die Spitze eines Eisberges, dessen unsichtbare Hauptmasse die lebenslangen intimen Gespräche der Geschwister bilden, die nur durch die Abwesenheit einer der Partner von Prag oder wegen zufällig gleichzeitig unternommener Reisen abrupt unterbrochen wurden.

Dazu kommt, daß es sich bei diesem Dialog häufig um ganz persönliche, ephemere lebensgeschichtliche Details handelt, daß Kafka in den Lebensabschnitten, in die der größte Teil der Briefe fällt, keine Tagebücher führte, daß wir über Ottla wenig wissen und auch Josef David schon viele Jahre tot ist. Schließlich ist ein wichtiger Teil dieser Korrespondenz durch die dem Normalleser unzugänglichen (vom Publikationsort her) und unverständlichen (da meist tschechisch geschrieben) Urlaubsgesuche veranlaßt, die Kafka seit 1917 seiner Dienststelle immer wieder vorzulegen hatte. All das zusammen erforderte als notwendige Verstehenshilfe die ausführliche Darbietung von Materialien, die nicht in den jederzeit verfügbaren *Gesammelten Werken* Kafkas gedruckt sind, machte den Rückgriff auf Familienüberlieferung und die Prager Gegebenheiten allgemein notwendig und endlich auch die Zusammenstellung, Analyse und Deutung versteckter oder weit auseinanderliegender Einzelstellen in Kafkas Lebenszeugnissen, die beim bloßen Verweis nicht aussagekräftig genug gewesen wären.

Ein Verzeichnis der verwendeten Abkürzungen, bibliographische Hinweise, ein Verzeichnis der Reproduktionen, die Zeittafel und ein Namens- und Werkregister finden sich auf den folgenden Seiten.

H.B.

ABKÜRZUNGSVERZEICHNIS UND
BIBLIOGRAPHISCHE HINWEISE

Br = F. Kafka, Briefe 1902–1924, hg. v. M. Brod, New York/ (Frankfurt/M. 1958)

D = J. Loužil, Dopisy Franze Kafky dělnické úrazové pojišťovně pro čechy v Praze, in: Sborník. Acta Musei Nationalis Pragae 8 (1963), Series C, Nr. 2, S. 57 ff.

F = F. Kafka, Briefe an Felice und andere Korrespondenz aus der Verlobungszeit, hg. v. E. Heller und J. Born (New York/Frankfurt/M. 1967)

FK = M. Brod, Über Franz Kafka: Franz Kafka. Eine Biographie, Franz Kafkas Glauben und Lehre, Verzweiflung und Erlösung im Werk Franz Kafkas, (Frankfurt/M. 1966)

H = F. Kafka, Hochzeitsvorbereitungen auf dem Lande und andere Prosa aus dem Nachlaß, hg. v. M. Brod, New York/(Frankfurt/M. 1953)

K = Franz Kafka 1883–1924. Manuskripte, Erstdrucke, Dokumente, Photographien, (hg. v. K. Wagenbach), (Berlin) 1966

KB = H. Binder, Kafkas Briefscherze. Sein Verhältnis zu Josef David, in: Jahrbuch der Deutschen Schillergesellschaft 13 (1969), S. 536 ff.

KO = H. Binder, Kafka und seine Schwester Ottla. Zur Biographie der Familiensituation des Dichters unter besonderer Berücksichtigung der Erzählungen »Die Verwandlung« und »Der Bau«, in Buch der Deutschen Schillergesellschaft XII (1968), S. 403 ff.

M = F. Kafka, Briefe am Milena, (hg. v. W. Haas), New York/(Frankfurt/M. 1952)

T = F. Kafka, Tagebücher 1910–1923, hg. v. M. Brod, New York/(Frankfurt/M. 1951)

WB = K. Wagenbach, Franz Kafka. Eine Biographie seiner Jugend 1883–1912, Bern (1958)

Weitere zum Umkreis der Ottla-Briefe gehörige Literatur:

J. Čermák, Ein Bericht über unbekannte Kafka-Dokumente, in: Franz Kafka aus Prager Sicht, (Berlin) 1966, S. 261 ff.

K. Hermsdorf, Briefe des Versicherungsangestellten Franz Kafka, in: *Sinn und Form* 9 (1957), S. 639 ff.

A. M. Jokl, Das Ende des Weges. Leben und Tod von Kafkas Schwester Ottla in: *Frankfurter Allgemeine Zeitung* vom 27. 6. 1969, Nr. 145, S. 32.

Neznámé dopisy Franze Kafky, in: *Plamen* 5 (1963), Nr. 6, S. 84 ff.

Das Schicksal der Schwestern Franz Kafkas, in: Informationsbulletin. Hg. vom Rate der jüdischen Gemeinden in Böhmen und Mähren u. v. Zentralverband der jüdischen Gemeinden in der Slowakei im Kirchenzentralverlag Prag, 7. Dezember 1965, S. 41 ff.

K. Wagenbach, Franz Kafka in Selbstzeugnissen und Bilddokumenten, (Reinbek 1964)

H. Zylberberg, Das tragische Ende der drei Schwestern Kafkas, in: *Wort und Tat* 2 (1946), S. 137

VERZEICHNIS DER ABBILDUNGEN IM TEXT

16 Faksimile der Vorderseite von Nr. 64. Die Zeichnung links unten zeigt Kafka bei der Liegekur auf dem Balkon der Pension Stüdl in Schelesen, rechts außen stellt er sich im Gespräch mit Olga Stüdl dar. Vgl. Br 252: »Die Aufnahme eines neuen Menschen in sich, besonders seiner Leiden und vor allem des Kampfes, den er führt und von welchem man mehr zu wissen glaubt, als der fremde Mensch selbst, – das alles ist ein Gegenbild des Gebärungsaktes geradezu.« (An Max Brod am 6. II. 1919)

1883 3. Juli: Franz Kafka als ältestes Kind des Kaufmanns Hermann Kafka (1852–1931) und seiner Frau Julie, geb. Löwy (1856–1934), geboren.

1889 16. September: Besuch der *Deutschen Knabenschule am Fleischmarkt*. Wichtige Bezugspersonen der Kindheit: die französische Gouvernante Bailly, die Haushälterin Marie Werner, eine Köchin und der Lehrer Moritz Beck.

22. September: Elli, die älteste Schwester, geboren.

1890 25. September: Valli, die mittlere Schwester, geboren.

1891 1. September: Josef David geboren.

1892 29. Oktober: Ottla geboren.

1893 20. September: Eintritt ins *Altstädter Deutsche Gymnasium* im *Kinsky-Palais*. Klassenlehrer Emil Geschwind. Schon in den ersten Gymnasialjahren beginnt Kafka zu schreiben.

1896 13. Juni: Bar-mizwah (Konfirmation).

1897 Freundschaft mit Rudolf Illowý.

1898 Freundschaft mit Hugo Bergmann (lebenslang), Ewald Felix Příbram (bis in die Universitätsjahre) und besonders Oskar Pollak (bis 1904). Einfluß des Sozialismus und von Nietzsche und Darwin; Einfluß des Naturgeschichtelehrers Adolf Gottwald.

1900 Bis 1904 währender Einfluß des von Ferdinand Avenarius herausgegebenen *Kunstwart*.

Sommerferien in Roztok (Selma Kohn).

1901 Juli: Abitur

August: Ferien auf Norderney und Helgoland.

Herbst: Beginn des Studiums an der *Deutschen Universität* in Prag, zwei Wochen Chemie, dann Jura, nebenbei kunstgeschichtliche Vorlesungen.

1902 Frühjahr: Germanistisches Studium bei August Sauer.

Sommer: Ferien in Liboch und Triesch (Onkel Siegfried).

Oktober: Reise nach München, wo Kafka mit Paul Kisch Germanistik studieren wollte. Im Wintersemester dann Jurastudium in Prag, erste Begegnung mit Max Brod.

1903 Juli: Rechtshistorische Staatsprüfung.

1904 Herbst/Winter: Beginn der Arbeit an *Beschreibung eines Kampfes*.

1905 Juli/August: im Sanatorium in Zuckmantel (Schlesien), erste Liebe.

Herbst/Winter: Beginn der regelmäßigen Zusammenkünfte mit Oskar Baum, Max Brod und Felix Weltsch.

1906 16. März: Rigorosum.

April-September: Concipient in der Prager Advokatur Richard Löwys, eines Halbbruders der Mutter.

13. Juni: Staatsprüfung.

18. Juni: Promotion zum Dr. jur. bei Alfred Weber.

August: in Zuckmantel zur Erholung.

Oktober: Rechtspraxis (bis September 1907), zuerst Landgericht, dann Strafgericht.

1907 Frühjahr: *Hochzeitsvorbereitungen auf dem Lande.*

20. Juni: Umzug von *Zeltnergasse* 3 nach *Niklasstraße* 36.

August: in Triesch, Bekanntschaft mit Hedwig W.

Oktober: Eintritt in die private Versicherungsanstalt *Assicurazioni Generali* als Aushilfskraft.

1908 Februar: bis Mai Kurs für Arbeiterversicherung an der Prager Handelsakademie.

März: *Betrachtung* erscheint im *Hyperion.*

Ende Juli: Aushilfsbeamter bei der halbstaatlichen Prager *Arbeiter-Unfall-Versicherungs-Anstalt;* Dienst mit einfacher Frequenz (8–14 Uhr).

September: Ferien in Tetschen, Černošic und Spitzberg (Böhmerwald).

1909 24. Mai: Kafka besucht eine Vorstellung des kaiserlich-russischen Balletts aus Petersburg (Eugenie Eduardowa). Tagebücher.

4. September: mit Max und Otto Brod Ferienreise nach Riva am Gardasee (bis 14. September).

11. September: beim Flugmeeting in Brescia: *Die Aeroplane in Brescia.*

Dezember: Dienstreise nach Nordböhmen.

1910 Nähere Bekanntschaft mit Franz Werfel.

1. Mai: Kafka wird Anstaltskoncipist.

August: Ferien in Saaz.

8.–17. Oktober: Reise nach Paris.

3.–9. Dezember: Reise nach Berlin (Theaterbesuche).

Mitte Dezember: Elli heiratet Karl Hermann.

1911 30. Januar – ca. 12. Februar: Dienstreise nach Friedland; Reisetagebuch.

Ende Februar: Dienstreise nach Nordböhmen.

April: Dienstreise nach Warnsdorf (Zusammentreffen mit dem Naturheilkundigen Schnitzer).

26. August–13. September: Ferienreise mit Max Brod nach Lugano, Stresa, Mailand und Paris. Anschließend blieb Kafka noch eine Woche im Naturheilsanatorium in Erlenbach bei Zürich.

Herbst: Arbeit an *Richard und Samuel* (mit Max Brod).

4. Oktober: erster Besuch einer Veranstaltung der ostjüdischen Theatertruppe aus Lemberg, die bis Anfang 1912 in Prag gastierte; Freundschaft mit dem Schauspieler Jizchak Löwy.

15. Oktober: Dem Vater kündigt das ganze Geschäftspersonal.

22. Oktober: ausgedehnter Spaziergang mit Ottla und Jizchak Löwy.

Ende November: Kafka liest Ottla Mörikes Selbstbiographie vor.

Dezember: Beschäftigung mit Karl Stauffer-Bern und Goethes *Dichtung und Wahrheit*.

8. Dezember: Ellis Sohn Felix geboren.

14. Dezember: Hermann Kafka macht seinem Sohn Vorwürfe, weil er sich nicht genug um die im Familienbesitz befindliche Asbestfabrik kümmere. Kafka sagt zu, an freien Nachmittagen den Betrieb zu überwachen.

21. Dezember: Werfel liest im Freundeskreis Gedichte vor.

1912 Winter: Eine 1. Fassung des *Verschollenen* entsteht.

18. Februar: Rezitationsabend J. Löwys, den Kafka organisatorisch betreut und durch eine Rede einleitet.

6. März: Vorwürfe Hermann Kafkas wegen der Asbestfabrik; Selbstmordgedanken Kafkas deswegen. In den folgenden Wochen wieder gelegentlich in der Fabrik.

3. April: Ottla von einer *Hamlet*-Vorstellung abgeholt.

26. Mai: Pfingstausflug mit Max Brod und Felix Weltsch.

1. Juni: Kafka besucht einen Lichtbildervortrag des tschechischen Anarchisten František Soukup über »Amerika und seine Beamtenschaft«; Anregungen für die Konzeption des *Verschollenen*.

28. Juni–7. Juli: Ferienreise mit Max Brod nach Weimar.

8.–29. Juli: im Naturheilsanatorium *Just's Jungborn* bei Stapelburg im Harz.

1. Augusthälfte: Kafka macht den Sammelband *Betrachtung* druckfertig.

9. August: Kafka liest Ottla Grillparzers Erzählung *Der arme Spielmann* vor.

13. August: erstes Zusammentreffen mit Felice Bauer bei den Eltern Max Brods in Prag.

15. August: Ottla rezitiert vor Kafka Goethe-Gedichte.

24. August: Werfel trägt im Café *Arco* eigene Gedichte vor.

15. September: Valli verlobt sich mit Josef Pollak.

20. September: Kafka schreibt zum ersten Mal an Felice Bauer.

22.–23. September: Niederschrift des *Urteils* in der Nacht.

25. September: Beginn der Arbeit am *Verschollenen* (2. Fassung).

28. September: Kafka erhält einen Antwortbrief von Felice.

7. Oktober: familiäre Auseinandersetzung wegen der Asbest-Fabrik. Ottla ergreift gegen Kafka die Partei der Eltern; Selbstmordgedanken Kafkas.

8. November: Ellis Tochter Gerti geboren.

17. November: Kafka beginnt die *Verwandlung*.

25.–26. November: Dienstreise nach Kratzau.

4. Dezember: Kafka liest öffentlich das *Urteil* während eines Autorenabends der Prager *Herder-Vereinigung*.

6.–7. Dezember: Die *Verwandlung* wird fertiggestellt.

9. Dezember: Dienstreise nach Leitmeritz.

15. Dezember: Max Brod verlobt sich mit Elsa Taussig.

1913 11. Januar: Hochzeit Vallis.

18. Januar: Kafka besucht eine Veranstaltung des in Prag gastierenden kaiserlich-russischen Balletts. Zusammentreffen mit Martin Buber.

24. Januar: Kafka gibt vorläufig die Arbeit am *Verschollenen* auf.

1. Februar: Werfel liest Kafka und Brod neue Gedichte vor.

3. Februar: Kafka mit Ottla in Leitmeritz; abends bei Max Brod, der seine Hochzeit feiert.

9. Februar: Kafka fährt mit seinen Schwestern zu Verwandten aufs Land. Am Abend liest er Ottla den *Heizer* vor.

Februar/März: vorübergehende Entfremdung zu Ottla.

1. März: Beförderung zum Vicesekretär.

23.–24. März: Zusammentreffen mit Felice in Berlin. Albert Ehrenstein.

25. März: Rückreise über Leipzig. Kafka trifft dort Franz Werfel und J. Löwy.

27. März: Dienstreise nach Aussig.

7. April: Beginn der Gartenarbeit in Troja bei Prag.

22. April: Dienstreise nach Aussig.

11.–12. Mai: Reise nach Berlin zu Felice.

Ende Mai: Josef David reist für einige Monate nach England.

2. Juni: Rezitationsabend J. Löwys in Prag.

7. Juni: Ottla krank und die Eltern in Franzensbad zur Kur; Kafka muß sich um das Geschäft des Vaters kümmern.

10.–16. Juni: Kafka bittet brieflich Felice um ihre Hand.

22. Juni: Zusammentreffen mit Franz Werfel.

28. Juni: erste Begegnung mit dem Arzt und Schriftsteller Ernst Weiß in Prag.

6. Juli: mit Ottla und den Eltern in der Sommerwohnung der älteren Schwestern in Radešowitz.

13. Juli: Ausflug nach Radešowitz.

23. Juli: mit Felix Weltsch in Roztok.

28. August: Brief an Felicens Vater.

6.–13. September: gemeinsame Reise mit Direktor Marschner nach Wien zum Internationalen Kongreß für Rettungswesen und Unfallverhütung; Besuch des XI. Zionisten-Kongresses; Zusammentreffen mit Albert Ehrenstein, Lise Weltsch, Felix Stössinger und Ernst Weiß.

14. September: Reise über Triest nach Venedig.

15.–21. September: Venedig, Verona, Desenzano am Gardasee.

22. September–13. Oktober: im Sanatorium Dr. v. Hartungen in Riva. Liebe zu G. W., der Schweizerin.

November: Umzug der Familie Kafka ins *Oppeltsche Haus*, *Altstädter Ring* Nr. 6.

1. November: Bekanntschaft mit Grete Bloch, Felicens Freundin.

Anfang November: Albert Ehrenstein besucht Kafka in Prag.

8.–9. November: Kafka in Berlin bei Felice.

11. Dezember: Kafka liest öffentlich in der *Toynbeehalle* aus Kleists *Michael Kohlhaas*.

Mitte Dezember: Ernst Weiß sucht Felice in ihrer Firma auf und bittet im Auftrag Kafkas um eine Erklärung für ihr langes Schweigen.

Ende Dezember: Ernst Weiß bei Kafka in Prag.

1914 15. Februar: Ottla erzählt Kafka von einem Abend beim

Klub jüdischer Frauen und Mädchen, in dem sie Mitglied war.

Ende Februar: Robert Musil fordert Kafka zur Mitarbeit an der *Neuen Rundschau* auf.

28. Februar–1. März: Zusammenkunft mit Felice in Berlin. Besuch bei Martin Buber.

Ende März: Kafka entschließt sich, in Berlin Journalist zu werden, falls Felice sich nicht bereit erklärt, ihn zu heiraten.

12.–13. April: inoffizielle Verlobung mit Felice in Berlin.

1. Mai: Felice kommt nach Prag; gemeinsame Wohnungssuche.

26. Mai: Kafkas Mutter und Ottla reisen nach Berlin.

30. Mai: Kafka reist in Begleitung seines Vaters zur offiziellen Verlobung am 1. Juni nach Berlin.

Juni: Ottla hilft in einer Blindenanstalt. Josef David wird bei der *Prager Städtischen Sparkasse* angestellt.

Mitte Juni: Ernst Weiß kommt nach Prag.

24. Juni: »Wie wir uns, Ottla und ich, austoben in Wut gegen Menschenverbindungen.« (T 404)

27.–29. Juni: Reise nach Hellerau bei Leipzig.

Anfang Juli: Ottla und ihre Schwestern in der Sommerwohnung in Radešowitz.

2. Juli: Kafka entschließt sich, am 11. und 12. zu einer Aussprache nach Berlin zu fahren.

12. Juli: Aussprache mit Felice im Berliner Hotel *Askanischer Hof* in Gegenwart von Grete Bloch, Erna Bauer und Ernst Weiß; Lösung des Verlöbnisses.

13.–26. Juli: Urlaub, zuerst in Lübeck und Travemünde, dann gemeinsam mit Ernst Weiß und Rahel Sansara im dänischen Ostseebad Marielyst.

Anfang August: Kafka wird vom Kriegsdienst zurückgestellt. »Mich freiwillig zu melden, hindert mich manches Entscheidende, zum Teil allerdings auch das, was mich überall hindert.« (F 633)

3. August: erstmalig allein in der Wohnung Vallis in der Bilekgasse, da die Schwester bei ihren Schwiegereltern in Böhmisch-Brod Erholung sucht. Josef Pollak und Karl Hermann waren Ende Juli einberufen worden.

August: Beginn der Arbeit am *Prozeß.*

September: allein in der Wohnung Ellis in der Nerudagasse, die älteste Schwester wohnte während des Krieges mit ihren Kindern bei Kafkas Eltern, so daß dieser sein Zimmer dort räumen mußte.

5.–18. Oktober: Kafka nimmt Urlaub, um den *Prozeß* zu fördern; in dieser Zeit entsteht ein Kapitel des *Verschollenen (Das Naturtheater von Oklahoma)* und die Erzählung *In der Strafkolonie*.

25. Oktober: Kafka erhält ein Schreiben Grete Blochs, das einen Brief Felices ankündigt.

27. Oktober: Kafka erhält einen Brief Felices, die ihn bittet, sein Verhalten zu erklären.

Ende Oktober/Anfang November: Kafka antwortet.

18. Dezember: Arbeit am *Dorfschullehrer* begonnen.

Weihnachten: mit Max Brod in Kuttenberg.

1915 Anfang Januar: Verbindung mit den ostjüdischen Flüchtlingen aus Galizien, die Max Brod unterrichtete; in den Folgemonaten Freundschaft zu der aus Lemberg stammenden Fanny Reiß.

6. Januar: *Dorfschullehrer* abgebrochen.

20. Januar: Arbeit am *Prozeß* aufgegeben.

23.–24. Januar: Zusammentreffen mit Felice in Bodenbach.

8. Februar: Kafka beginnt an *Blumfeld, ein älterer Junggeselle* zu schreiben.

10. Februar: Kafka nimmt sich ein eigenes Zimmer in der *Bilekgasse*.

1. März: eigenes Zimmer in der *Langengasse* im Haus *Zum goldenen Hecht*.

14. März: Kafka mit Ottla und Josef David im *Chotek-Park*, dem Lieblingsort der Geschwister in Prag. David wird in diesem Monat zum Militär eingezogen.

14. April: Kafka besucht eine Unterrichtsstunde Max Brods in der Flüchtlingsschule.

Ende April: Reise mit Elli zu ihrem Mann ins ungarische Karpatengebiet.

2. Mai: mit Ottla in Dobřichowitz.

9. Mai: mit Ottla und Fanny Reiß in Dobřichowitz.

23.–24. Mai: mit Felice und Grete Bloch in der Böhmischen Schweiz.

Juni: mit Felice in Karlsbad.

20.–31. Juli: Aufenthalt im Sanatorium Frankenstein bei Rumburg (Nordböhmen).

14. September: Kafka besucht mit Max Brod einen Wunderrabbi.

Oktober: Carl Sternheim erhält den Fontane-Preis, gibt aber auf Vorschlag Franz Bleis die mit der Ehrung verbundene Geldsumme an Kafka weiter. Die *Verwandlung* erscheint als Heft 10 der von René Schickele hg. *Weißen Blätter.*

1916 8.–10. April: mit Ottla in Karlsbad.

14. April: Robert Musil besucht Kafka in Prag.

Mitte April: Kafka sucht bei einem Nervenarzt Linderung seiner Neurasthenie.

9. Mai: Kafka will seine Stelle kündigen, wird aber zurückgewiesen.

13.–14. Mai: Dienstreise nach Karlsbad und Marienbad.

28. Mai: Ottla auf der Burg Karlstein.

1. Juni: Kafka und Ottla unternehmen einen Ausflug nach Dolní Sarka.

3.–4. Juni: Ottla fährt nach Kolín und Elbeteinitz.

ca. 20./21. Juni: Hermann Kafka fährt nach Franzensbad zur Kur.

29. Juni: Ottla liest mit Kafka zusammen Schopenhauer.

Anfang Juli: Ottla fährt nach Eisenstein (Böhmerwald) in Urlaub.

3. Juli: Kafka fährt nach Marienbad zur Erholung, wo er mit Felice im Hotel *Schloß Balmoral* wohnt.

12. Juli: Julie Kafka und Valli fahren nach Franzensbad, der Vater kehrt von dort zurück.

13. Juli: Kafka und Felice besuchen Julie Kafka in Franzensbad. Felice kehrt nach Berlin zurück.

17. Juli: Ottla fährt nach Prag zurück, um dem Vater im Geschäft zu helfen.

24. Juli: Kafka kehrt aus Marienbad zurück.

Ende Juli: Kafka wird ein Lektorat im Kurt Wolff Verlag in Leipzig angeboten.

August: Ottla übernimmt die Leitung des Komptoir im väterlichen Geschäft in Prag.

7. August: Die Mutter und Valli kommen aus Franzensbad zurück.

13. August: Ottla beginnt unter Kafkas Anleitung Platons *Symposion* zu lesen (in der Übersetzung von Rudolf Kassner).

18. August: Besuch beim Arzt Dr. Mühlstein.

September: Josef David wird an die Ostfront versetzt.

3. September: mit Ottla auf der *Civilschwimmschule*, anschließend gemeinsamer Ausflug.

8. September: Kafka liest Ottla aus Platons *Symposion* vor.

10. September: Kafka liest Ottla N. N. Strachoffs *Einleitung zu den Literarischen Schriften Dostojewskis* vor.

17. September: Kafka liest wieder Strachoff vor.

20. September: Auf Empfehlung Kafkas liest Ottla Hamsuns *Rosa* und Foersters *Jugendlehre*.

22. Oktober: Kafka und seine Schwester besuchen gemeinsam eine frühere Lehrerin Ottlas auf dem Land.

5. November: Kafka und Ottla in Elbeteinitz.

10. November: Kafka fährt nach München und trägt dort in der Galerie Goltz *In der Strafkolonie* vor; Begegnung mit Gottfried Kölwel, Max Pulver und Eugen Mondt.
Ottla spricht mit ihrem Vater über ihren Wunsch, das Geschäft zu verlassen und Landwirtschaft zu erlernen.

11. November: Kafka mit Felice in München.

12. November: Kafka kehrt nach Prag zurück.

26. November: Seit diesem Tag arbeitet Kafka in dem von Ottla gemieteten und hergerichteten kleinen Häuschen im *Alchimistengäßchen;* bis Ende April 1917 entstehen dort Erzählungen, die im *Landarzt*-Band veröffentlicht sind.

1917 24. Februar: Ottla bewirbt sich um Aufnahme an der landwirtschaftlichen Frauenschule in Otterbach-Schärding und wird als ordentliche Schülerin für das Schuljahr 1917/18 vorgemerkt.

1. März: Plan Růženkas, einer Bekannten der Geschwister, Ottla solle auf einem Gut arbeiten.
Kafka bezieht eine Zweizimmerwohnung im *Schönborn-Palais* in der *Marktgasse*, wo er aber nur übernachtet.

8. März: Ottla beschließt, nach Otterbach zu gehen und setzt in den folgenden Tagen durch, daß sie ihre Tätigkeit im elterlichen Geschäft aufgeben darf.

Mitte April: Ottla geht nach Zürau.

27. Mai: Hermann Kafka fährt zur Kur nach Franzensbad.

Anfang Juni: Kafka besucht Ottla in Zürau.

10. Juni: Julie Kafka und Valli reisen nach Franzensbad. Ottla kann in Zürau bleiben, weil Elli sich dem Geschäft widmet.

Frühsommer: Kafka beginnt hebräisch zu lernen.

Anfang Juli: zweite Verlobung Kafkas mit Felice, die nach Prag kommt; gemeinsame Reise zu einer Schwester der Braut über Budapest nach Arad. Kafka kehrt allein über Wien zurück. Zusammentreffen mit Otto Groß, Anton Kuh und Rudolf Fuchs.

22. Juli: Ottlas Freundin Irma fährt nach Zürau auf Urlaub.

23. Juli: Kafka begeistert sich für einen Zeitschriftenplan von Otto Groß.

5. August: Kafka mit Oskar Baum in Radešowitz.

12.–13. August: Kafka erlebt in der Nacht einen Blutsturz.

13. August: Konsultation bei Dr. Mühlstein.

13.–14. August: erneuter Blutsturz.

14. August: Konsultation bei Dr. Mühlstein.

24. August: Besprechung der Krankheit mit Max Brod.

28. August: Konsultation bei Dr. Mühlstein.

31. August: Kafka gibt die Wohnung im *Schönborn-Palais* und das Häuschen in der *Alchimistengasse* auf.

1. September: Kafka übersiedelt in Ottlas Zimmer in der elterlichen Wohnung *Altstädter Ring 6*.

3. September: wieder bei Dr. Mühlstein, der aufgrund von Röntgenaufnahmen einen Lungenspitzenkatarrh diagnostiziert.

4. September: Auf Drängen Max Brods bei Professor Dr. Friedel Pick, der die Diagnose Dr. Mühlsteins bestätigt.

6. September: Kafka verlangt im Büro aufgrund der ärztlichen Beurteilung Pensionierung.

7. September: Die *Arbeiter-Unfall-Versicherungs-Anstalt* bewilligt Kafka einen dreimonatigen Erholungsurlaub.

10. September: Kafka erneut bei Professor Dr. Pick.

12. September: Kafka fährt zu seiner Schwester Ottla nach Zürau.

21. September: Felice kommt nach Zürau und fährt abends mit Ottla nach Prag.

24. September: Ottla kehrt nach Zürau zurück.

30. September: Julie Kafka besucht ihre Kinder in Zürau.

19.–23. Oktober: Ottla in Prag. Günstig verlaufendes Gespräch mit dem Vater.

27. Oktober – ca. 1. November: Kafka in Prag. Besuche beim Zahnarzt, Professor Pick und im Büro, wo Kafka bedeutet wird, daß er in absehbarer Zeit seine berufliche Tätigkeit wieder aufzunehmen habe. Gespräch mit Max Brod.

Anfang November: Kafka erhält Besuch eines Bürokollegen und seiner Sekretärin.

8.–11. November: Ottlas Freundin Irma in Zürau.

22. November: Ottla fährt nach Prag und eröffnet ihrem Vater vertraulich die vor der Familie geheimgehaltene Krankheit Kafkas.

23. November: Ottla spricht im Auftrag ihres Bruders in der Anstalt vor. Kafka, der als Kleinbauer zurückgezogen

auf dem Lande lebend sein weiteres Leben verbringen will, läßt um Pensionierung ansuchen, die aber wieder nicht bewilligt wird.

25. November: Ottla kehrt nach Zürau zurück.

27. November: Ottla liest auf Kafkas Vorschlag hin Tolstois *Auferstehung*.

22. Dezember: Kafka fährt nach Prag, um Felice zu treffen.

25. Dezember: Kafka besucht mit Felice Max Brod und seine Frau.

Entlobung. Nach außen gilt Kafkas Krankheit als Grund für die Trennung.

26. Dezember: vormittags bei Max Brod. Gespräch über Tolstois *Auferstehung*. Am Nachmittag mit Brod, Baum, Weltsch, deren Frauen und Felice Ausflug zum *Schipkapaß*.

27. Dezember: Kafka bringt Felice zur Bahn. Besuch bei Dr. Mühlstein.

28. Dezember: Kafka muß in die Anstalt, weil seine Enthebung vom Militärdienst auf den 1. Januar festgesetzt ist.

1918 1. Januar: Kafka verlangt in der Direktion der Anstalt Pensionierung, bewilligt wird aber lediglich eine Verlängerung des Erholungsurlaubs.

ca. 6. Januar: Kafka fährt mit seinem blinden Freund Oskar Baum nach Zürau.

12. Januar: Beginn der Lektüre von Kierkegaards *Entweder-Oder*.

13. Januar: Oskar Baum fährt, von Ottla begleitet, nach Prag zurück.

ca. 26.–28. Januar: Ottla in Prag.

Ende Februar/Anfang März: Kafka in Prag in der Anstalt, wo er sich wegen des Militärdienstes einzufinden hat.

17. Februar: Ottla liest Tolstois *Kreutzersonate*.

26. Februar: Ottla will weg von Zürau oder beim besten Bauern des Dorfes in die Lehre gehen.

Ende Februar/Anfang März: Kafka liest Kierkegaards *Wiederholung*.

Ende März: Kafka beginnt, in dem von Ottla im Vorjahr angelegten Garten zu arbeiten.

18. April: Ottla bringt von einer Pragreise die Botschaft, daß die Anstalt eine weitere Verlängerung des Urlaubs abgelehnt habe.

25. April: Ottla liest seit ein paar Tagen Tolstois *Morgen eines Gutsbesitzers*.

29. April: Kafka lernt Josef Davids Schwester Ella kennen,

die zu Ottla auf Besuch kommt. Er verabschiedet sich von der Familie Riedl, den besten und von den Geschwistern bewunderten Bauern des Ortes.

30. April: Kafka kehrt nach Prag zurück und tritt am 2. Mai seinen Dienst wieder an.

Mai: Ottla will nicht in eine Gärtnerschule, wohl aber zu einem Gärtner in die Lehre.

Sommer: Gartenarbeit in Troja bei Prag.

Juli: Kafkas Mutter in Franzensbad.

August/September: Kafka schreibt an verschiedene hauswirtschaftliche und landwirtschaftliche Ausbildungsstätten. Er rät seiner Schwester, entweder die landwirtschaftliche Akademie in Tetschen-Libwerda oder die *Landwirtschaftliche Winterschule* in Friedland zu besuchen.

2. Septemberhälfte: Kafka in Turnau zur Erholung. Gartenarbeit. Hebräisch. Ottla spricht in Prag mit dem Vater über ihre berufliche Zukunft.

Oktober: Ottla kehrt endgültig aus Zürau nach Prag zurück. Reise nach Tynice.

14. Oktober: Kafka erkrankt lebensgefährlich an der damals in ganz Europa grassierenden Spanischen Grippe.

2. November: Ottla in Friedland, wo sie sich als Schülerin der *Landwirtschaftlichen Winterschule* weiterzubilden sucht.

Mitte November: Julie Kafka schlägt dem Hausarzt Dr. Kral vor, Kafka solle sich in Schelesen erholen.

19. November: Kafka tritt seinen Dienst wieder an.

23. November: Kafka erkrankt erneut.

27. November: Josef David, der nach seiner Entlassung vom Militär wieder eine Stelle an der *Prager Städtischen Sparkasse* angenommen hatte, macht einen ersten offiziellen Besuch bei Kafkas Eltern.

30. November: Julie Kafka bringt ihren Sohn nach Schelesen in die Pension Stüdl.

2. Dezember: Ottla übersiedelt in die *Altdeutsche Bierstube* in Ringenheim bei Friedland, weil sie gern in ländlicher Umgebung wohnt.

9. Dezember: Ottla beginnt unter dem Einfluß Kafkas nach dem System des Dänen J. P. Müller Gymnastik zu treiben.

11. Dezember: Josef David erneut Gast bei der Familie Kafka.

21. Dezember: Ottla kehrt nach Prag zurück.

Weihnachten: Kafka in Prag.

1919 Ende Dezember/Anfang Januar: tiefgreifende Verstimmung zwischen Ottla und ihren Eltern, weil der Vater Vorbehalte gegen eine Verbindung Ottlas mit Josef David hat. Der Bräutigam sei nicht standesgemäß, zu arm und auch als Christ nicht unbedingt erwünscht.

6. Januar: Ottla kehrt zur Fortsetzung ihrer Ausbildung nach Friedland zurück.

Mitte Januar: Josef David arbeitet beim Gericht. In dieser Zeit schließt er sein Studium durch den juristischen Doktorgrad ab.

22. Januar: Kafka fährt erneut nach Schelesen zur Erholung. Dort Zusammentreffen mit Julie Wohryzek, der Tochter eines Prager Schusters und jüdischen Gemeindedieners.

23. Januar: Ottla übersiedelt in ein anderes besser gelegenes Zimmer, das auch konzentrierteres Arbeiten ermöglicht.

12. Februar: Ottla kehrt von Turnau zurück, wo sie sich heimlich mit Josef David getroffen hatte.

28. Februar–5. März: Ottla in Prag. Gespräche mit der Mutter über Möglichkeiten, eine landwirtschaftliche Stellung anzunehmen.

März: Ottla absolviert die vorgeschriebenen Prüfungen.

Ende März: Ottla und ihr Bruder kehren nach Prag zurück.

Frühjahr/Sommer: Kafka ist viel mit Julie Wohryzek zusammen.

12.–15. Mai: Kafka erkrankt.

Herbst: gescheiterter Versuch Kafkas, Julie Wohryzek zu heiraten.

November: wieder in Schelesen in der Pension Stüdl, zusammen mit Max Brod. Bekanntschaft mit Minze Eisner. *Brief an den Vater.*

15.–16. November: Ottla in Schelesen zu Besuch.

21. November: Dienstantritt.

22.–29. Dezember: Kafka dienstunfähig.

1920 1. Januar: Beförderung zum Anstaltssekretär.

6. Januar–29. Februar: *Er*-Aphorismen. In dieser Zeit schreibt Kafka wahrscheinlich erstmals an die tschechische Journalistin Milena Jesenská, die an einer Übersetzung des *Heizers* arbeitete.

21.–24. Februar: Kafka wegen Krankheit dienstunfähig.

März: Bekanntschaft mit Gustav Janouch.

Ottla will sich in Opladen bei Köln zu einem landwirtschaftlichen Vorbereitungskurs für Palästina melden, was Kafka eifrig unterstützte.

Anfang April: Kafka reist zur Kur nach Meran, wo er zunächst für einige Tage im *Hotel Emma*, dann aber in der Pension *Ottoburg* in Untermais wohnt. Korrespondenz mit Milena.

2. Maiwoche: Ottla erreicht in der Direktion der *Arbeiter-Unfall-Versicherungs-Anstalt* eine Verlängerung des Urlaubs.

23. Juni: Kafka unternimmt einen Ausflug nach Klobenstein bei Bozen.

29. Juni–4. Juli: Kafka bei Milena in Wien.

7. Juli: Kafka benützt die Wohnung seiner ältesten Schwester, die sich in Marienbad erholt. Kafkas Eltern kehren aus Franzensbad zurück.

15. Juli: Ottla heiratet Josef David.

2. Julihälfte: Hochzeitsreise Ottlas nach Eisenstein (Böhmerwald).

8. August: Kafka kehrt in sein Zimmer in der elterlichen Wohnung zurück.

14.–15. August: Zusammenkunft mit Milena in Gmünd, dem Grenzort zwischen Österreich und der Tschechoslowakei.

Ende August: nach über dreijähriger Pause Neubeginn der literarischen Arbeit.

Oktober: Ottla erwirkt für Kafka in der Anstalt einen Erholungsurlaub.

8. November: Begegnung mit Albert Ehrenstein.

18. Dezember: Kafka beginnt in Matliary in der Hohen Tatra eine Liege- und Mastkur, um die fortschreitende Tuberkulose zu bekämpfen.

1921 Januar: Milena schreibt eine Art Abschiedsbrief. In seiner Antwort bittet Kafka darum, die Korrespondenz abzubrechen und ein Wiedersehen zu verhindern.

31. Januar–3. Februar: Kafka wegen einer schweren Erkältung bettlägerig.

3. Februar: erstes Zusammentreffen mit Robert Klopstock, mit dem sich Kafka anfreundet.

10./11. März: Ottla erwirkt ohne Kafkas direkten Auftrag in der Anstalt Urlaubsverlängerung.

3. Märzwoche: Kafka informiert sich in Polianka über Kurmöglichkeiten.

27. März: Ottlas Tochter Věrá geboren.

Ende März/Anfang April: Kafka erkrankt an einem mit hohem Fieber verbundenen Darmkatarrh.

ca. 10. Mai: Ottla bittet erneut um Urlaubsverlängerung, die am 13. bewilligt wird.

2. Maihälfte: Josef David in Paris.

Juni: Ausflug nach Taraika.

August: Ottla verbringt die Sommerferien in Taus.

8. August: Kafka unternimmt einen Ausflug.

14.–19. August: Kafka liegt mit Fieber im Bett.

26. August: Rückkehr nach Prag.

September: Zusammentreffen mit Ernst Weiß, Gustav Janouch, Minze Eisner und Milena.

Anfang Oktober: Kafka begegnet dem verehrten Rezitator Ludwig Hardt. Er übergibt Milena alle seine Tagebücher.

15. Oktober: Neubeginn des Tagebuchschreibens.

17. Oktober: Ohne sein Wissen vereinbaren Kafkas Eltern für diesen Tag einen Termin mit Dr. O. Herrmann, der Kafka untersuchen und durch ein Gutachten eine Gesundheitskur ermöglichen soll.

24. Oktober: Zusammentreffen mit Albert Ehrenstein.

29. Oktober: Die Anstalt bewilligt die Kur.

November: Kafka unterzieht sich in Prag einer systematischen Kur. In der Folgezeit wiederholt Besuche Milenas.

1922 Mitte Januar: Nervenzusammenbruch.

27. Januar: Kafka fährt zur Erholung nach Spindelmühle ins Riesengebirge.

3. Februar: Kafka wird zum Obersekretär befördert.

17. Februar: Rückkehr aus Spindelmühle. Anschließend entsteht die Erzählung *Ein Hungerkünstler*. Beginn der Arbeit am *Schloß*.

Ende Juni: Abreise nach Planá an der Luschnitz, wo Ottla eine Sommerwohnung gemietet hat.

1. Juli: Kafka wird pensioniert. In den folgenden Wochen entstehen die *Forschungen eines Hundes*.

14. Juli: Kafkas Vater erkrankt schwer in Franzensbad, wird sofort nach Prag gebracht und dort operiert. Kafka fährt ebenfalls unverzüglich nach Prag.

19. Juli: Rückkehr nach Planá.

Anfang August: Kafka fährt für einige Tage nach Prag.

Ende August: Zusammenbruch, weil Ottla schon am 1. September nach Prag zurückkehren wollte und Kafka noch einen Monat lang sich allein im Gasthaus verpflegen sollte. Aufgabe der Arbeit am *Schloß*-Roman.

Anfang September: Kafka für vier Tage in Prag.

10. September: Zusammenbruch. Ottla rät wegen des rauhen Klimas zur Abreise.

18. September: Kafka kehrt nach Prag zurück.

Ende September: erneuter Zusammenbruch.

2. Dezember: Ludwig Hardt rezitiert in Prag Werke Kafkas.

17. Dezember: Kafka liest erneut Kierkegaards *Entweder-Oder*.

1923 Winter/Frühjahr: Kafka meist bettlägerig. Später nimmt er Hebräischstunden bei der jungen Palästinenserin Pua Bentovim.

Ende April–Anfang Mai: Zusammenkünfte mit Hugo Bergmann, der über die Situation in Palästina berichtet. Plan Kafkas, nach Palästina überzusiedeln und bei Bergmann zu wohnen.

Anfang–ca. 11. Mai: zur Erholung in Dobřichowitz.

10. Mai: Ottlas Tochter Helene geboren.

Juni: letzte Begegnung mit Milena.

Anfang Juli–6. August: mit Elli und ihren Kindern im Ostseebad Müritz. Bekanntschaft mit Dora Dymant.

7.–8. August: Aufenthalt in Berlin.

9. August: Rückreise nach Prag.

Mitte August–21. September: mit Ottla und ihren Kindern in Schelesen zur Erholung.

22.–23. September: in Prag.

24. September: Übersiedlung nach Berlin zu Dora Dymant.

25. September: Kafka wohnt in Steglitz, *Miquelstraße* 8. In der Folgezeit Zusammentreffen mit Puah Bentovim und Brods Freundin Emmy Salveter. Kafka hört an der *Hochschule für die Wissenschaft des Judentums*.

7. Oktober: Ernst Weiß besucht Kafka.

2. Oktoberwoche: Ottla und die Mutter raten Kafka erfolgreich von seinem Plan ab, Ende des Monats nach Prag zu fahren, um sich dort bei Freunden und Bekannten zu verabschieden.

15. November: Umzug nach *Grunewaldstraße* 13.

3. Novemberwoche: Max Brod besucht Kafka in Berlin.

25. November: Ottla besucht ihren Bruder.

Mitte Dezember: Ottla spricht in der Direktion der Anstalt vor, um die Lage Kafkas zu erläutern und die Erlaubnis für einen längeren Auslandsaufenthalt zu erwirken.

Weihnachten: Kafka mit Fieber im Bett.

1924 1. Februar: Umzug nach Berlin-Zehlendorf, *Heidestraße* 25–26. Rapide Verschlechterung des Gesundheitszustandes.
17. März: Rückkehr nach Prag zusammen mit Max Brod.
2. Märzhälfte: *Josefine, die Sängerin, oder Das Volk der Mäuse* entsteht.
März: Die Krankheit greift auf den Kehlkopf über; Kafka kann nur noch flüstern.
2. Aprilwoche: Kafka im Sanatorium *Wiener Wald* in Nieder-Österreich. Kehlkopftuberkulose wird diagnostiziert.
Mitte April: Kafka einige Tage in der Universitätsklinik von Prof. M. Hajek in Wien, wo der Befund bestätigt wird.
19. April: Übersiedlung ins *Sanatorium Dr. Hoffmann* in Kierling bei Klosterneuburg. Wie schon in Wien betreut Dora den Kranken.
Anfang Mai: Robert Klopstock übernimmt einen Teil der medizinischen Betreuung Kafkas. Kafka beginnt die Fahnen des Hungerkünstler-Bandes zu korrigieren.
12. Mai: Max Brod besucht seinen Freund.
3. Juni: Kafka stirbt.
11. Juni: Beisetzung auf dem jüdischen Friedhof in Prag-Straschnitz.

247

INHALT